suncolor

suncolor

suncolor

suncolor

我的孤兒寶貝

My Best Friend's Girl

桃樂絲・庫姆森 著
DOROTHY KOOMSON
林淑娟 譯

〔推薦序〕

誰是你的孤兒寶貝？

胡綺恩（中時電子報藝文執行主編）

都會單身女子，一早興致勃勃計畫著自己的生日，嚐美食、換髮型、抹金粉、戴亮片，準備狂歡度過完美的一日。夜晚，沒有想像的盛會和嬉鬧，卻手執起好友的小孩，承諾當一個五歲女孩的新媽媽！生命轉折至此，換成是你如何面對？或許在回答這個問題之前，你已經迫不及待地想讀完這個故事。

《我的孤兒寶貝》是一部融合都會女性和家庭親子題材的小說，內容描寫一對沒有血緣的母女，克服各種困難共同生活，成為真正的家人。她們膚色不同、習性相異、經驗不足、有各自的心靈問題，怎麼敞開心扉接納彼此，建立美好的親密關係，並從喪失摯愛的創傷中復原。故事主角最終理解，愛與付出才能學會發自內心的諒解，認知過往恐懼與不安的來源，於是痛楚的刻痕此後一一消失。

本書是非裔英籍女性作家桃樂絲・庫姆森的成名之作，二〇〇六年在英國一推出就大受歡迎，不到二個月時間更被熱門選書節目「理查與茱蒂讀書俱樂部」列為必讀書單，眾多媒介推波助瀾下屢創銷售佳績，讓作者搖身一躍躋身英國都會作家的行列。庫姆森從小就熱愛寫作，最愛編故事寫小說，十三歲就利用課後閒暇寫了第一部作品，當時在同學間廣泛流傳頗受好評，直至

二〇〇一年正式成為出版作家，至今已有四本著作。庫姆森擅長描繪單身女性的情感世界，探索她們錯綜複雜的人際關係、生活與工作型態，文風幽默慧黠宛若羅曼史的摩登版本，被歸類為都會女性文學（chick-lit），有別於同類型的小說，《我的孤兒寶貝》加入了家庭劇的元素，讓原本都會女性 V.S. 小孩的不可能任務，譜成一個扣人心弦的動人故事。

故事從兩個好朋友說起，充滿自卑感的凱梅玲和家暴環境長大的阿黛爾，從大學時期就是無話不說的好朋友，起居生活幾乎密不可分，直到凱梅玲在婚禮的前夕赫然發現阿黛爾與未婚夫曾有過踰矩的關係，於是痛心離開兩人，誓言不再聯繫。兩年後凱梅玲生日，收到阿黛爾寄來的卡片，信中得知好友因重病即將不治的訊息，還有無所依靠的小孩泰根。凱梅玲這時發現自己仍然在乎好友，雖然無法諒解過往，但是內心充滿不捨，決定領養小孩……。

故事的開端就讓人屏息以待，但這並非《我的孤兒寶貝》最精采的環節，臨終託孤的催淚或是主角陷入三角之爭的情愛糾纏，都比不上凱梅玲執起泰根小手的剎那，一個處於愛恨矛盾的脆弱靈魂，展現了撼動人心的良善，讓這個看似俗套的戲碼當下轉變成令人驚喜的細膩之作，單身的主角選擇了用未來至少十幾年的歲月教養非己出的小孩，或許是要換得內心的平靜，也或許是身為高等動物的慈悲，更可能是投射出她最澄澈的生命質地，常理的「量力而為」和正軌的「人生規劃」，都不足以淹沒熾熱的情感所向。

作者用生活細節鋪陳的巧思，帶出關於種族、親子、認同、自我療癒等議題，讓人物與情境更為立體。當黑膚色的凱梅玲跟白膚色的泰根同行而被誤認為是黑傭時，我們發現隱藏在小事件裡的訊息，卻傳遞出了最重大的種族意識；還有約會時突然驚慌想起把小孩遺忘在某處，反應了

單親家庭生活的壓力與無助。沒自信的人用強悍的姿態來偽裝自己，渴求愛的人用濫情來滿足自己，受虐的小孩覺得一切都是自己的錯，這些細微又盤根錯節的行為模式，我們可能經常看見卻從不曾理解，書中每個角色都有著陰暗面，都試圖靠著所謂「生存本能」活著，成長彷彿只是生理進化的演變，軀殼成熟，而躲藏其中的心靈卻微小脆弱，安靜地等待被理解被引領的奇蹟，原來，自己一直是解開所有生命謎團的鎖匙，轉動之後一切都有了答案。

《我的孤兒寶貝》不用任何形式搞勵志，不須爭辯，不須戰爭，只是說了一個故事，可以是個娛樂也可以是個反思，當命運不可抗拒之手伸向你時，你會怎麼做？時間或許來日方長或許迫在眉睫，你會發現思緒翻攪的那一刻起，靈魂彷彿都有了重量，曾是書中主角一個不得已的選擇，卻為她往後的生命帶來救贖，一個不曾想像過的方式，卻讓她獲得所需要的一切，真正的成長、愛與幸福，希望這本書像一個小啟發，讓每個人可能有的陰暗角落，都會被自己的太陽照出想要的答案。

〔推薦序〕

與愛和解的療傷旅程

鄧惠文（精神科醫師）

這是一本讓人想跟過去和解的書。

對於心靈創傷，原諒是困難的。

童年的迷惘、人際的挫折、職場的瓶頸、愛情的背叛、親人的逝去……，或深或淺，每個人心裡都有受傷的痕跡。即使已經從醜小鴨變成美麗的天鵝，擁有一片天地，想起心痛的記憶還是會胸口緊縮，倏然沉入不為人知的黑洞。

惟有藉著遺忘或轉移，勉強往前走去，在新世界休養療傷、尋得慰藉後，才能漸漸放下。萬一必須與代表著某個創痛的事物繼續生活在一起，無法轉頭不看，無法欺騙自己一切只是夢魘，那將是難以想像的考驗。

《我的孤兒寶貝》就是這樣一個療傷的考驗。

無意間得知摯友與自己的未婚夫發生親密關係，如此不堪的背叛讓凱梅玲瀕臨崩潰，不得不出走逃避，不料命運竟然接著對她拋出另一個挑戰——領養他們的女兒。

閱讀的起點縈繞著訝異與不解——「怎麼可能有這種情況？」「誰會願意領養那個小孩？」心想自己不可能融入書中情境。然而，隨著情節的開展，我們都將發現，這其實是一個無人得以

自外的故事。

從序幕開始，一個年輕母親在生命被宣判終點時的自白，已可窺見作者的企圖：這裡談的是一個愛的故事，但卻不只是一個愛的故事。一個原本被化約的解讀——情人不忠、好友背叛，在細膩的心思刻劃中漸漸被還原，逐一觸及各種形式的心靈傷痛，彷彿一場多軸的療傷旅程。

我們可以這樣瞭解書中交錯呈現的幾個面向：

第一個軸線是傷逝。凱梅玲與阿黛爾的親密勝過家人，透過阿黛爾之死，描繪親人死亡帶給生者的打擊與哀慟，遠比所謂「懷念」或「孤單」更深層的複雜心情。凱梅玲和小女孩泰根相依，與傷逝的痛苦纏鬥，在阿黛爾的葬禮上，凱梅玲「不能好好坐著……，即使它是舒服的扶手椅，我也無法安坐。端坐在這裡，好像我同意已發生的事。」

哀傷如此沉重，即使偶爾能有一刻不想，卻又立刻被愧疚擊垮：

「如何處理同時並起的愧疚與憤怒兩種情緒……，愧疚你一時忘了發生那麼可怕的事，而享受了一點點樂趣；憤怒你所愛的人棄你而去。然後你會因為你憤怒而更感愧疚。再因為愧疚而更憤怒。」

曾經失去親人者，會覺得自己無力形容的情緒在書中宣洩，如同一場溫柔的安魂儀式。

第二個軸線是自我與關係。因為外表及個性，凱梅玲曾是一個缺乏自信的少女，無論長大後如何努力偽裝，過去的心靈鬼魅似乎一直跟著她。敏感而負面的自我深刻地影響她的人際關係，甚至波及友誼和愛情，造成許多額外的困擾。與父母手足之間也存有溝通障礙，明知家人對她的愛護，卻為了脆弱的自尊而形成拒絕往來的狀態。

由自我延伸而成的是第三個軸線——愛情。缺乏自信的凱梅玲和幼年受虐的阿黛爾，都曾陷於淺薄的愛情遊戲。凱梅玲無法確信被愛，因此總以防衛的姿態與敵意對待接近的男性，除非對方展現無限的接納，她不願敞開心房。對於奈德或路克都是如此。

陰暗的自我使她無法面對背叛，害怕再次證實自己是不好的、不被愛的，只能以逃離作為結束。重逢時奈德仍席捲她的心思，在新男友與舊情人之間擺盪時，她又因為固執與自我保護而差點錯過真愛。

貫穿這三個軸線的，是關於解脫、成熟，以及療傷的修練。天真無助的小女孩使凱梅玲不得不面對現實、面對過去，而必須放棄自己的種種防衛。孩子像一個天使，奇妙地讓凱梅玲體會，以為自己正在付出的時候，其實是在收穫。

這個她起初以為帶著原罪印記，並且將要剝削她更多的孩子，的確迫使她揭開傷口，疼痛無比。但正因如此，也將凱梅玲帶到心靈奧祕的入口，給予她痊癒的機會。從一點小小的愛心開始——無法坐視女孩受虐，凱梅玲受到壓抑的愛人能力復甦了。因為女孩的需求，凱梅玲才得已跳脫自己對愛情一貫的懷疑與測試，接納路克，與家人重啟互動，並且解開被背叛的心結。

貫穿全書的意念，委婉地揭露了療傷的祕密——為失落所愛而痛苦的時候，能安頓心靈的方式並不是向外索求，也不是躲藏，而是從心裡找出僅餘的能量，哪怕只有一點也好，去付出愛。只有這樣，才能再現愛的幸福，修復心的碎片。

通往未來的入口，會在與過去和解的那一刻開啟。

〔譯者序〕

愛或恨的抉擇

林淑娟

作者的筆調細膩，人物刻畫鮮活，在豐富的細節中展現張力，在精巧的布局中鋪陳情節，在意外的轉折中剖析人性。逼真地寫出幾位主角陷入困境時，在兩難中掙扎，在矛盾中徬徨的感受。當愛情與友情難以並蓄，你該如何是好？當自由與責任無法相容，你該如何抉擇？當舊愛與新歡夾雜不清，你該如何取捨？作者的妙筆成功地吸引讀者隨著每一位書中人物的心情忽悲忽喜、忽笑忽淚，迫不及待地想一口氣讀完，急於探知跌宕起伏的劇情接下來會如何發展，結局怎生安排。

本書名列二〇〇六年英國年度暢銷書第九名。或許不如《達文西密碼》那麼出名，但感人的程度絕對勝出。二〇〇六年五月一出版便吸引許多女性讀者爭相走告，獲得相當於美國最具影響力的「歐普拉讀書俱樂部」的英國「理查與茱蒂讀書俱樂部」推薦，八月衝到英國小說總榜的第三名。目前它在英國的銷售量已突破六十萬冊，賣出二十二國的版權，受讀者歡迎的程度可見一斑。

事業有成的單身女郎凱梅玲，在她生日這一天，正準備打扮得光鮮亮麗去夜店狂歡，但是生日賀卡堆裡的一封信像一顆炸彈，頓時炸毀她平靜無憂的生活。

她平靜嗎？不，自從她告別倫敦多采多姿的大都會生活，她從來沒有真的平靜過。她心靈的創傷太深難以癒合，只好掩藏，只好逃避，假裝遺忘，假裝自己是個工作狂，假裝她的人生沒有缺陷。

曾經令她逃之唯恐不及的摯友阿黛爾寫信告訴凱梅玲，她罹患絕症。凱梅玲鼓起勇氣，半信半疑回倫敦去見阿黛爾，孰知阿黛爾已經骨瘦如柴地住在安寧病房，要將她女兒泰根託孤給凱梅玲。自由自在的凱梅玲一點也不想挑起這個天上掉下來的重責大任，可是，誰捨得把漂亮可愛的泰根丟給會虐待她的外公扶養？

從此凱梅玲的人生更不平靜。她每次看到泰根，就看到她前未婚夫的臉，就想到泰根是兩個她最親密的人同時背叛她的如山鐵證。但是她仍然要處理阿黛爾的後事，仍然要安撫驟失媽咪的泰根，仍然要面對自己沒有在阿黛爾過世前原諒她的愧疚。

她想躲起來療傷止痛，然而她連自己都照顧不了，卻還必須照顧失去媽咪後就不肯言語的泰根。最現實的問題是，她還要多負擔泰根的生活費。就在她焦頭爛額的時候，又遭受打擊，莫名其妙空降而來的路克，奪走她渴望已久的升遷機會，只因為公司高層認為她現在有了孩子，擔心她不能專注於工作。這太不公平了！男人有了孩子後，為什麼沒有人質疑他們的工作能力？

她還沒與路克見面就結仇。不過，她不是故意要把他一個人丟在餐廳裡苦等她，她是突然想起她忘了去接泰根。天色已經漆黑，可憐的泰根還獨自一個人留在學校裡會多麼孤單害怕！她才痛失媽咪，當然會以為連凱梅玲也不要她了！她對凱梅玲才剛建立起來的信任恐怕會瞬間瓦解。

情緒不穩定使得凱梅玲每次見到路克就像隻刺蝟，神祕的路克毒舌功力也不惶多讓，總是奚

落她。但是從小爹不疼娘不愛的路克，像個父親那樣嬌寵泰根，害凱梅玲的心也跟著柔軟，幾乎吃泰根的醋，幾乎想與泰根爭寵。從出生以來就不曾享受過父愛的泰根，更是巴著路克不放，路克使得泰根恢復以往的活潑和活力。

親生父親奈德意外地出現，他曾是凱梅玲刻骨銘心的至愛，他重新追求她，她焉能不心動？她應該選擇原諒他，告訴泰根她爸爸是誰？還是接受路克的求婚，和他與泰根共組美滿的家庭？

這本溫馨動人的小說綿密緊湊地交織著親情、友情、愛情的衝突、猜忌、怨懟、體諒與寬容，讀來令人心馳神往。

〔作者中文版序〕

關於《我的孤兒寶貝》的一切

桃樂絲・庫姆森

《我的孤兒寶貝》是我的第三本書，它是個以職業婦女凱梅玲為中心的故事，她在一天之內成為五歲女孩泰根的媽媽。聽起來好像很好啊，但是在描述小說的基本脈絡時，這個故事變得神祕起來。那就是本書的主軸，那個簡單的想法即是本書的靈感。

當我開始構築一本小說的骨架，我通常有個大綱，設想「如果怎樣，結果會怎樣」的情境，它在我腦中冒泡、培養，成長為一個故事。寫《我的孤兒寶貝》之前，我想：「如果妳有一天早上和平常一樣起床，可是到了這一天結束時，妳必須負起養育另一個人的責任，那妳會怎樣？」通常當一個女人懷孕，她有九個月的時間去適應要當媽媽的身分。即使她沒利用那段時期做好心理準備，她還有時間去漸漸習慣親子關係。可是在這個故事裡，如果沒有預警地塞給妳一個小孩，而妳沒有選擇的餘地只能接受呢？

有了這個初步的結構後，我想：「如果妳突然得像個媽媽，無條件地給孩子愛、支持和照顧，但是這個小孩卻是世界上妳最不想見到的人呢？如果做一個小孩的媽媽對妳的傷害，比妳所想像的還要深呢？」然後我開始努力去設計，為什麼這個孩子會造成這樣的痛苦。還有，為什麼妳會處於有個小孩必須交給妳保護的狀況？為什麼到了一天結束時，一個全新的，出乎意料之外

的責任會重壓在妳的肩頭？「真」的媽媽在哪裡？然後，當一個想法的種子長成整棵故事的樹，它會自然而然地發展出它的整個生命。故事不僅聚焦於當初發生什麼事導致傷害，而且要著墨於妳該如何重新安排、調整和破壞妳的人生，來適應這個新責任。以及，妳一路走來面對的掙扎，會怎樣改變妳的個性。

我相信，任何一個精彩故事的核心，都是在訴說改變。有些是令人吃驚、超乎尋常、無法預料的事改變了一個人；或者是他們可曾遇到挑戰，可曾在沉重的壓力下屈服。它沒必要像必須負起扶養一個孩子的責任，那種重大的改變，它可以是從事新的工作，令妳強烈地感覺無法勝任；它可以是搬到一個新的地方發展新的關係；它可以是親吻某個你不該吻的人；它可以是必須面對一個妳藏了許多年的祕密。

像那樣的故事是我最喜歡的類型，它讓我們看到人類的靈魂能夠如何地彎曲、變化或破裂；它讓我們看到人類的情緒如何被考驗，他們的人格如何被揭露，或改變或給予機會去發展。當我閱讀一本小說，我要字句和故事感動我。即使作者處理的並非特別情緒性的主題，即使它令我從頭笑到尾，但只要有某一點引起我的共鳴，令我發笑（那可不容易），令我用不同的方式去思考，或令我感覺好像到後來我認識那些人物，那我都把它們歸類為感性文學（heart-lit）。那是文學的手指輕撫心弦。我發現符合感性文學類型的書，會討論其他種類的書不碰的主題。這些小說讓讀者不受限地進入，他們原本可能不會瞭解的另一個普通人的心思、生活和感情；這些小說讓讀者去考慮，他們在那個情況下會怎麼做，但是他們自己不必經歷那些傷害。

我最喜歡的感性文學種類，是那些人物寫實逼真的書。那些人物不是每一天的每一分鐘都美

好，他們有時候可能很難相處；他們可能像我們一般人一樣，會惹惱別人；他們可能在某些時候犯錯，還不肯反省。對一個作者來說，去創造一個真實的人物更困難，因為讀者可能不會一直喜歡他們。我記得當我的英國經紀人讀《我的孤兒寶貝》前面幾章後，他說他擔心凱梅玲有時候看起來似乎頗不討喜（我記得我當時想，他應該試試看一大早跟我講話，那樣他才會明白什麼叫做不討喜！）我對他解釋，我創造的凱梅玲是個真實的女人，所以她不會永遠都微笑著。等到他看了更多章，我的經紀人改變想法，贊同因為她的個性有缺陷，她似乎更像個真實的人。

這本書賣出二十個國家的翻譯版權。我從來自全球各地《我的孤兒寶貝》的讀者來信和電子郵件中得知，就是這種真實感令人感動。事實是凱梅玲不完美，可是在應付命運丟給她的難題的當兒，她努力做個更好的人；事實是泰根是個渴望有個家庭，心靈受創的小孩；事實是這兩個孤寂的人，她們對彼此不是很瞭解，但現在她們一起創造新的人生。她們的故事引發數百人和我聯絡。讀者們告訴我，他們多喜歡這本書，他們跟我分享類似的故事，表示這本小說令他們流淚！

我樂意收到像那樣的電子郵件，它證實我達到我寫作的目的——我說了一個好故事。而且我感動了別人的心。

作者個人網站 http://www.dorothykoomson.co.uk/

序幕

prologue

老實說，我不記得多久以來一直感到容易疲倦，也不記得到底從什麼時候起意識到，我的健康已亮起紅燈。不過，我還是忍耐著。我告訴自己，只要多休息，身體的不適就會過去。然而事實並非如此。

不管我睡了多久依然覺得累，非常非常地累。直到我女兒泰根要我去看醫生，我才覺悟到，我四歲大的女兒竟然說出我不能，或不願面對的，簡單的事實——我不再是原本的我了。她聽煩了我老是說太累而不能陪她玩，她也看膩了我老是流鼻血。即使只是稍微做一點事，我也經常幾乎無法呼吸。有一天她突然說：「媽咪，妳去看醫生的話，她會讓妳舒服一點。」她既然那麼說，我就那麼做。

我坐到醫生面前，告訴她我覺得哪裡不對勁，她要我驗血，然後打電話叫我去做更多項檢查。那些檢查項目的名稱和字眼，我在電視的醫療節目裡聽過。一些出現在電視節目時從來沒有快樂結局的字眼，像球一樣，在我腦海中彈跳迴繞。那些不可能真的和我有什麼關係，沒必要杞人憂天，做一大堆檢查只是為了消除我罹病的可能性。

然後，我接到電話，通知我必須立刻去見醫生。即使到了那個時候……，即使當她告訴我……，即使她說她很遺憾，接著開始談關於治療和預後[1]的事，我還是不相信。不可能，我想一定是搞錯了。我無法理解。我不明白為什麼。不明白怎麼會那樣。不明白為何是我。

我花了好幾天，或甚至一個禮拜的時間，讓那個消息沉澱，讓它慢慢滲進我的知覺中。他們說已經到了分秒必爭的倒數計時階段，可是我依舊困惑，我看起來沒有病得那麼重，我只是有一點蒼白，有一點遲鈍，真的沒有一副病懨懨的模樣。我一直認為他們搞錯了，畢竟不時聽到有人

被誤診的新聞，或有人公然挑戰醫生的理論，有人發現他們只是得了腺熱[2]而不是……。

大約一個禮拜後，在上班的途中，我提早去火車站，那天和最近一樣提早出門。為了讓一切看起來都還正常，我做了些調整，讓日常活動能夠不必太費力，讓我的生活能夠容忍疾病入侵身體：提早到車站，以免急匆匆地趕火車；上班前先買好午餐，午休時間就不必還要走去三明治店；縮減僱用保母的時間，那樣我就必須拒絕下班後去喝一杯的誘惑。

總之，這一天我坐在車站裡等車，一個女人走到月台，站在我旁邊。她從袋子裡拿出手機打電話，當對方接聽時，她說：「喂，我是費莉西蒂・哈勒岱的媽媽。她今天不舒服，無法去上學。」我因而崩潰，忽然間痛哭失聲。她的話在此時此刻刺痛了我，我豁然頓悟，我永遠沒機會再打一通像那樣的電話，我無法打電話到我女兒的學校。一個媽媽該做的最簡單的事情，我卻再也辦不到了。而那只是其他無數件我永遠不可能再做到的事情之一。

月台上的每個人都冷漠地不理會我，任由我流淚、嗚咽、嚎啕大哭。是的，嚎啕大哭。在我彷彿碎成百萬片、百萬兆片的當兒，我無法抑制地發出可怕的哭聲。

然後一個男人，一位天使，他來到我身邊，坐下，伸出手臂擁著我，在我啜泣的時候抱著我。火車來了，火車走了。下一班車來了又走，再下一班也是。這個男人一直陪著我，在我哭了又哭時默默地安慰我。我的眼淚和鼻涕弄濕了他肩膀上的高級西裝，然而他似乎不在意。他耐心地抱著我等待，直到我的哭聲漸歇，他才溫柔地問我出了什麼事。

我抽抽噎噎地，只能說出：「我必須告訴我的小女兒，我快死了。」

1 藉疾病的發展與症狀，預測疾病的過程與結果。

2 感染性單核白血球增多症（infectious mononucleosis），別名腺熱（glandular fever），由伊波病毒（Epstein-Barr Virus）所引起，透過唾液，經由口腔、鼻腔或眼睛進入體內傳染，會產生全身無力、疲倦、喉嚨痛、發燒及食慾不振等症狀。

媽咪？

mummy?

第一章

我猛地打開我們這棟公寓的大門，熱情地和郵差打招呼，嚇了他一跳。

通常我們面對面時，都是他按我所住的公寓二樓門鈴把我吵醒，我拖著腳步下樓，拉緊身上的睡袍，試著抹乾臉上因為剛才睡覺而流下的口水。不過，今天我把頭探出窗子，翹首引領等待他到來。我還是穿著平常收郵件時的睡袍，頂著剛睡醒的髮型，可是這次眼睛並非只瞇開一條縫，我洗過臉了，而且在微笑。

「特別的日子嗎？」他不帶幽默語調地問。

他顯然不喜歡這樣的角色易位。他預期遞交郵件給我時，我會是處於睡眼惺忪的沉靜狀態。那可能是他一整天下來，唯一一次能得到權力滿足感的機會。啊，那不公平。他是個可愛討喜的郵差。大部分郵差人都很好，不是嗎？

事實上，今天全世界的每個人都很可愛。

「今天是我的生日。」我露齒而笑，展示剛刷好牙的潔淨牙齒。

「生日快樂。」他說。他陰鬱得像個在禱告的牧師，遞交這一棟四層公寓的郵件給我。我熱心地接過一小捆用棕色橡皮筋綁著的郵件，注意到幾乎所有信封都是紅色或紫色或藍色，那是聖誕卡片的基本顏色。「再一次過二十一歲生日，嗯？」郵差說。他仍不願被我的好心情感染。

「不是，我以三十二歲為榮。」我回答。「每個生日都值得慶祝！今天我要穿上金色亮片衣服和高跟鞋，還要在乳溝刷上金粉。」

郵差褐色的小眼睛往下掃描我的胸部。雖然是濕熱漫長的盛夏，我還是穿著睡衣和寬鬆的毛巾布睡袍，所以看不到什麼足以做出任何聯想的「美景」，能夠瞥見脖子的肌膚就已經夠幸運了。我說的乳溝包得緊密，似乎出乎他的意料之外，他立即再將目光調開。他可能認為不該盯著投遞郵件路線上的女人看，尤其是嘴巴上那麼說，但卻穿得不夠清涼，不值得多瞄幾眼的女人。

他開始退後。「祝妳有個愉快的一天，寶貝。」他說。「呃，我的意思是，親愛的小姐。呃，我的意思是，再見。」然後他快步走過花園的小徑，比同年紀和同腰圍的正常步伐快很多。

郵差走得好快，他可能甚至沒聽到，我關上門之前在他背後叫道：「你也是。」我把不是我的郵件，但膽敢今天寄到這個地址的信，丟到走廊的地板，它們散落到地上那堆被丟棄的信件上，舊信件彷彿一群等待著、渴望著被拯救的孤兒。我經常為那些信感到難過，希望收件人能好好安置它們，可是我今天不想為它們煩惱。我兩階一步地上樓梯回我的公寓，幾乎沒再多想它們一下。

我已經在房間裡，擺出生日早餐盛宴：新鮮的可頌麵包夾煙燻鮭魚、三塊巧克力糖和一杯Möet 香檳。

今天將會是完美的一天。我已經做好計畫，完美地安排好所有事情。在我大快朵頤特別豐盛的早餐後，我要在床上賴到中午，打開生日賀卡，接聽親朋好友打來祝賀生日的電話。然後要去預約好的美容院洗頭、護髮、剪髮，我要「改頭換面」一番，拋棄素來長及下巴的鮑伯頭短髮造型，把它剪得有層次，預備留長，還要剪出瀏海。接著回家梳妝打扮，我是真的要穿上有金色亮片的衣服，配上我深黝的膚色，顯得格外時髦亮麗。再把腳擠進高跟鞋裡，在乳溝處刷上金粉。

幾個女同事約好先陪我去吃點東西、喝點酒，之後再進城去徹夜狂舞。

我小心溜進被窩裡，不想把美酒好菜灑到被子上，然後我痛快地喝一大口香檳，像個孩子般興奮地預備打開生日卡片。在一疊信件中，我先抽出色彩鮮豔的卡片來看，微笑著閱讀裡頭的祝賀文字。

那張卡片並不顯眼，沒有特別引起我的注意。它就像別的卡片一樣，夾在一疊信件裡，看起來無害又無辜。而如同別的卡片，我沒有很認真地看信封，沒有去辨識信封上是誰的字跡，忽略了寄件人是誰。我直接打開它，急切地想閱讀裡頭的賀語，收下朋友的祝福。但就在閱讀這張卡片之前，我認出了字跡，心跳為之停頓。接著心跳加快地閱讀。

親愛的凱梅玲，請妳不要不理會這張卡片。

我必須見妳。我快死了。我正在倫敦市中心的聖猶達醫院住院。

黛爾 敬上，註：我想念妳。

我霍地闔上卡片，腦中浮現剛才看到這張卡片的第一個印象，它上面印的是「我愛你」，而不是一般生日卡片上的賀詞。

當我闔上卡片時，彷彿當它會燒灼手指，隨手將那張光滑的硬紙卡擲飛到房間的另一頭，它降落在柳條編織的籃子上，坐在那裡凝視著我。以它白色的底和簡單的設計，以及三個令人無法信賴的字，譏諷地對我冷笑。像在挑戰我是否敢忽視它，挑戰我去假裝，它裡面寫的字沒有像它

們印在卡片上那樣，印在我的心版上。

我喝了一大口香檳，可是嚐起來卻像醋。小心切成兩片夾著煙燻鮭魚的可頌麵包，嚼起來像鋸木屑，巧克力糖糊在我的舌頭上。

卡片還在凝視著我，刺激著我。它在嘲弄：看看妳能不能忽視我。好膽試試看。

我翻開被子下床，走向卡片。冷漠地把它撕成兩半，又再一次把它撕成兩半。我踏著重重的腳步走進廚房，踩下踏板打開垃圾桶，把撕成碎片的卡片扔到腐爛的蔬菜、油膩的剩菜和丟棄的包裝紙上面。

「喏，那就是我對妳和妳的要求所給的回應！」我嗤聲對垃圾桶裡的卡片和它的寄件人說。

我回到床上。干擾解決了。那樣最好。我啜飲香檳，品嚐美食。全都恢復原樣了。幾近完美，全像在我的生日這天應有的美好。

不管任何人多努力嘗試，也沒有任何事，可以破壞我的生日。他們真是該死，無所不用其極地嘗試。再也沒有比那則訊息更努力的嘗試了，裝飾得像生日卡，非常聰明，非常可惡地聰明。不過那沒有用，我才不會上那種鬼扯淡的當，我要繼續執行我的生日計畫，要讓我的三十二歲生日比十八歲、二十一歲和三十歲生日加起來還特別。

因為當我三十二歲，我會穿著金色亮片的衣服和六吋細跟高跟鞋，在我的乳溝上刷金粉。我很早以前就如此承諾過自己。

病房的門半開著，我輕推它，它開得更大了。我沒敲門。我從來不敲已經打開的門，因為對我而言，它顯然在說：「進來，不必敲了。」

當我走進她的視線內，她從她所躺的白色枕頭那裡微笑。「我知道妳會來。」她輕語。

第二章

Dolce & Gabbana，即使是現在，可能處於她生命中最黑暗的時刻，黛爾還是穿著設計師名牌服飾，白色運動衫自被單下探出。她的品味總是勝過她的理智。

換成以前我有這種想法的時候，會冷冷地脫口而出，因為她知道我唸她是為她好，她會感激我。今天我辦不到，我們的關係已經完全改變了。第一，我兩年沒見到她了。第二，上次我見到她時，她的手指插進頭髮裡，好似即將把她的金髮連根拔起，她的睫毛膏隨淚水沾到臉上，鼻涕自鼻孔流出，她當時結結巴巴地說著我不想聽的話，而我抓著我的衣服和皮包，努力眨回淚水，拚命撐著不崩潰倒地。當你回顧過去的片段，看起來似乎不太正常。第三，她生病了。

我們靜默地看護士忙碌地在黛爾周圍記錄機器的讀數，檢查點滴管，拍鬆枕頭使它能立著讓病人靠坐起來。護士小姐有一張友善的圓臉，大大的含笑褐眼。由於她把頭髮往後梳成馬尾辮，

與我媽媽相同的髮式，使我想到我媽媽。她對我笑得好似她認識我，她告訴黛爾別說太久的話，便留下我們離開病房。

我們還是沒說話。向某個我發誓永遠不再聯絡的人打招呼，用「嗨！」似乎還不夠親熱。我曾盡最大的努力絕不再與這位某人聯絡。

「那位護士讓我想起妳媽媽。」黛爾在連機器的嗡嗡聲都開始要被沉默淹沒時說。

我同意地點頭，但是無法說出話來。我就是說不出來。這個人不是我想探望的黛爾（我一向都只叫她黛爾），這個人不是在經過那麼久之後，我終於鼓起勇氣要來跟她談的黛爾。

我不知道自己預期什麼，當搭上火車，從里茲穿過二百英里到倫敦時，並沒有認真想過這個問題，但是我沒有預期她會是這副模樣。我閉上眼睛所看到預期中會見到的黛爾，她一頭濃密的蜂蜜色金髮總是修剪到肩膀的長度，我當然以為她的頭髮還在，我當然也以為她光滑的乳白色肌膚還閃著健康的光澤。對她的樣貌最深刻的記憶是什麼？是她灰藍色像擦得很亮的鋼鐵般的眼睛？還是她那總會點亮周遭一切的笑靨？不管是哪一個，在我閉上眼睛時，真正的黛爾是那樣存在的。那麼完美，而且是三度空間，我可以伸手擁抱她。

我張開眼睛，眼前的阿黛爾・布萊儂和我記憶中的她完全不同。她變了。

黛爾靠坐在床上，她的皮膚呈現灰色、白色和黃色拼湊出的汙濁顏色。她因為狂瘦而面容凹削，眼睛凹陷，眉毛明顯掉光了，黑眼圈深得像是畫上去的，頭上綁著一條寶藍色頭巾，可能是為了掩飾掉光了的頭髮。我的身體發冷，她那麼那麼美麗的頭髮都消失了，被那些為了治癒她的藥物扒光了。

我不知道她會變成這樣，虛弱得像一片缺乏生氣的秋葉，那麼的乾燥、易碎、脆弱，一觸碰她可能就會支離破碎。

「能見到妳真好，」她說。她的聲音變得粗嘎，聽起來可能和說出來時一樣痛苦。「我很高興妳來了。」

「妳的聲音怎麼了？」我問。

「因為治療的關係，使得我的嘴巴好乾，感覺舌頭好像長出了毛絨。」

「老天，我們以前會有這種感覺是因為，我們真的享受前一晚喝醉，妳記得嗎？」我說。然後在心裡打自己一巴掌，我無意講得像在懷舊，我只是想表達同情，卻說錯話。

黛爾乾燥龜裂的嘴唇勾起微笑。「我就知道。」她說。「沒有人敢對我說這種話，大家太害怕我會因此哭泣，太害怕我可能崩潰而死在他們面前。我就知道妳會打破禁忌。」

「我不是故意的，」我回答，適度地羞愧。「我只是誠實地做我自己。」

「我不會要妳做別人。」她說。

「妳有什麼毛病？」我問。我好像又說錯話了，聽起來刻薄無情。不可否認地，一部分的我仍然是那個收拾東西離開，對自己發誓永遠不要再受傷害的女人，可是大部分的我心碎欲絕。我曾經用行動解決問題，而現在我來了，盯著某個痛苦的人看，明白我無能為力。那就是為什麼我的聲音聽起來如此刺耳，我感到無助，不知該如何面對無助。「我的意思是，妳說妳……，妳得了什麼病？」

「白血病。」她回答。

「我以為只有小孩才會得這種病。」我在來得及阻止自己之前脫口而出。

「我也是那麼說的！」她叫道。「妳知道嗎？當醫生告訴我時，我就是說同樣的話，結果醫生的反應很冷淡。」

「很高興知道不是只有我會說不得體的話。」我大聲自語。

「是呀，即使我已在死神的門口。」她平靜地，毫無顧忌地說。我有個衝動，想伸出手，握住她瘦得只剩骨頭的肩膀，搖搖她，使勁地搖，猛烈地搖到她想起出了什麼事。她怎能如此從容自在地等閒視之？她怎能如此輕鬆寫意地隨興談論？

我還在拚命努力想瞭解，某人與我同年，她會上健身房，飲食相當注意健康，從不抽煙，酒喝得和我一樣多，有一天醒來卻發現她頭上有個鐘在倒數計時，發現她必須比我早一步去向上帝報到。自從我看過她寄給我的卡片，我就在思索這個問題。

「這也沒什麼，我已經接受發生在我身上的事，」黛爾彷彿讀出我的心思，向我保證道。「我花了一些時間才接受事實，來醫院治療。我知道妳也需要花一點時間才能接受。」

「到現在，時間只有很少一點。」我挖苦地說。

「我必須快點來這裡，」她繼續說她的，不是不理會我說的話，而是不理會我為什麼那麼說。「我必須做計畫，那不只是關於我，所以不管我多想假裝沒有這回事，我必須記得我最重要的人需要照顧。」

泰根，她在談她女兒泰根。泰根是怎麼接受這個事實的？如果連我都難以面對她的狀況，那要叫一個聰明的五歲小女孩如何應付？

「我想妳已經想出我為什麼想見妳。」她在沉默了半晌之後說。

「讓我因為兩年不理妳而感到愧疚？」我回答。

「除了那點之外還有別的。」黛爾說。她灰色的唇瓣周圍泛著狡猾的微笑。

「嗄？我想不出來。」

「等我走了以後……，」黛爾頓住話，做個深呼吸。「我希望妳領養泰根。」

「什麼？」

「我希望……，不，我**要**妳在我死後領養泰根。」

我感覺自己額頭擠出了皺紋，我的臉扭曲成「妳瘋了嗎？」的表情。

她也瞠大了眼睛看我，好似期待我回覆她剛才的話。

「妳是在開玩笑嗎？」

「我看起來像在開玩笑嗎？」她惱怒地回答。「如果我是在開玩笑，會有個好笑的關鍵妙語。不，凱梅玲，我不是在開玩笑。等我死後，我要妳收養我女兒。」

「好吧，黛爾，如果妳是認真的，我就給妳一個認真的回答。不，我絕對不要。」

「妳根本沒考慮就回絕。」

「沒什麼好考慮的。妳一向都知道我不想要小孩，我告訴過妳很多次了，我不要生小孩。」

「我不是要求妳生小孩，是要求妳扶養我的小孩。」黛爾深吸一口氣，那個動作似乎用盡她所有力氣，使得她的臉色更加灰暗。「最難以承受的我都做了，孕吐、身材走樣、陣痛二十四小時……，妳只需要照顧她，當她媽媽，愛她。」

「只要」照顧她，「只要」當她媽媽，說得那麼簡單。總之……。「黛爾，我們已經兩年沒來往，現在妳突然要我領養一個小孩，妳看不出這有多荒謬嗎？我為什麼要惹這種麻煩？」

「泰根不只是『一個小孩』，」她立即激憤地吼叫。自從我來到醫院，我所說的毫無節制的話之中，這句最令她火冒三丈。她氣得一雙鐵藍色的眼睛綻出挑戰性的光芒。「妳是她的教母，妳曾經愛她，我不信妳會否認。」

我不否認，我的確愛過泰根，現在也還愛著她。

我瞟向黛爾床頭櫃上的一張照片，它放在普通玻璃相框裡，一張大大的泰根與黛爾特寫鏡頭的照片。泰根雙手圈繞著她媽媽的脖子，迫使她媽媽的臉盡量貼近，她們兩個都在對鏡頭微笑。泰根整張臉是黛爾的迷你翻版，除了鼻子，她鼻子的形狀是她爸爸的遺傳。

「凱，我依然當妳是最好的朋友，」黛爾說。「妳是唯一的一個，世界上唯一能讓我放心託付女兒的人。她曾像是妳的孩子。我很抱歉把這個重擔託付給妳，可是我不知道我還能活多久，我沒有時間可以浪費了。如果妳不領養她，她的命運會如何？沒有別人了，沒有別人……。」她的眼眶泛紅，胸部開始起伏。「我甚至沒辦法哭，」她在喘息之間說，「因為我無法製造足夠的淚水。」她沒哭而開始呼吸困難，每次咳嗽都使得單薄的身體抽搐。

我一手按到她額頭上。「請妳別這樣，」我絕望地想阻止她激動。「我會考慮看看，可是我不做任何保證，好嗎？」

黛爾仍繼續猛吸空氣，直到平靜下來。「妳會認真考慮嗎？」她等到夠平靜了才問。

「會。我會仔細考慮。」

「我所要求的就是請妳仔細考慮。」

「我會的。不過，只是先考慮。」

「謝謝妳，」她低語。「謝謝。」

我們陷入沉默。我該走了。她已經達到要我來的目的，對我提出難以置信的要求，我除了離開去靜靜思索我答應考慮的事情之外，還有什麼好做的？

「凱，」她輕呼。她喊我名字的怪異音調使得我凝視她，我立刻意識到她接著要講什麼，我不要她講，我要她別提那件事。「關於以前……。」

「別說了。」我打斷她的話，聲音中含著警告意味。

「妳從不讓我解釋。」她懇求。

「別說了。」我再次警告。

「凱，聽我說。我沒有……。」

「**我說別說了！**」我突然大聲吼叫，蠻橫得連我自己都嚇了一跳。「我不要再去想，不要再去聽，當然也不要再談。事情已經過去了，別再提了。」

那是沒有治癒的傷口，她挑起了瘡痂的表皮，揭開表皮層，裡面的傷口深得連最輕微的晃動也會使它湧出血來。不過，我還是不該像那樣大發雷霆。她「生病」了，沒有力氣還擊。

「請妳別再提了。」我用比較平靜的口氣再說一次。

黛爾聽了我的話，閉嘴將視線轉移到床頭櫃上的照片。她半微笑著，但我能看到她眼角無從隱藏的憂愁。泰根是黛爾的一切，我想我永遠也無法完全理解那點。泰根對我而言很重要，可是

她似乎是黛爾活著的原因。她做的每一件事，她想的，她說的，全都是關於泰根，沒有任何人、任何事比黛爾的孩子重要。不得不離開泰根，一定令黛爾哀痛欲絕。如何向一個孩子解釋將會離開他？怎麼告訴你的孩子你就要死了？

「她在哪裡？」我問，試著舒緩病房內的緊張氣氛和我內心的愧疚。

她在丟出下一顆無聲炸彈之前，閉了一下眼睛，好像感到痛苦。「泰根人在我父親和他太太那裡。」

我的心跳漏了一拍，情況真的糟到她必須把泰根留給他們嗎？「怎麼會那樣？」我委婉地問她，而沒有尖叫：「妳瘋了嗎？」

「我很擔心。」黛爾回答。她的眼眶又紅了，她能哭的話一定哭了。「他們不讓我看她。自從我住院，他們只帶她來看過我一次，四個禮拜來只有一次，他們說太遠了，所以只能在他們方便時才帶她來。我跟她通過電話，可是那不一樣。我好想念她，我感覺得到，我每次和她講電話，她都比前一次更沮喪、更畏縮。她無法理解，現在既然是我最需要她的時候，為什麼她不能跟我在一起。她知道我父親和他太太並不歡迎她跟他們住。凱，我想陪伴我女兒。我來日不多了，我想跟她共度這短暫的時光。」她看著我，鐵藍色的眼睛哀求著我，乞求我幫她解決這個問題。「我只是想見她。妳知道的，在來得及之前。」

我沉默地回答：不，我不知道。我還在適應久別後再見面的尷尬，記得嗎？我無法立即進入託孤的劇情中。「沒有別人可以照顧她嗎？」我大聲問。我知道她除了父親和繼母之外沒有其他親人，但總該有幾個其他的朋友吧？

「沒有。當我剛得知自己病得很重時，我寫信給妳，問妳是否能照顧泰根一段時間，可是妳一直沒回答。」

「我沒有拆妳的信。」我誠實地回答。我相信我還留著她那封信，和她其他所有的信一樣，塞在我的內褲抽屜底下。我太憤怒，以至於不肯拆她的信，可是又太懦弱，沒有把它們丟進垃圾桶。它們躺在抽屜裡，越放越老，越積越多灰塵，未拆封即被置之不理。

「我猜到妳沒看。我試過找其他兩三個人，可是他們無法擔負起這麼重大的責任，所以只好找我父親。」黛爾提到他時老是說「我父親」。當著他的面，她叫他「父親」，從來不叫他「爸爸」或「爹地」。看起來即使到現在，他們之間還一直存在著正式禮節的隔閡。「當我們搬進他家時，他對泰根很嚴厲，可是我沒有力氣向他和他太太反抗。如果有不必那麼做的一絲可能，我一定會馬上接她回來……。」

「他們還住在吉爾福德的同一個地方嗎？」我插嘴，不再讓她言詞閃爍。

她輕輕搖頭。「泰根得到妳固執的真傳。」黛爾說，「不想做的就不做或不談。我原本以為她是學我的，但是不對，她顯然是學妳的。是的，他們還住在吉爾福德。」

「好。」我做個深呼吸。真不敢相信我將這麼做。「如果我去那裡見她呢？」

黛爾的臉亮起來。「妳願意那麼做嗎？」

「我不是在說我會領養她或什麼的。我只是去看看她是否安好，只是去探望她。」

「謝謝妳，」黛爾微笑。「謝謝，謝謝，謝謝。」

「她還會記得我是誰嗎？」我問。

「當然記得。她還會畫妳、聊到妳。妳在她生日和聖誕節寄給她的匿名卡片和禮品，我都告訴她是妳送的。她常常問我，妳什麼時候才會度完假回來？」

「度假？」

「妳突然走了，我告訴她妳是去度長假，所以她一直以為妳會回來。如果我們不抱著妳會回來的希望，那我們兩個都會受不了。」她說。她的眼皮突然閉上，而且繼續閉著。

隨著時間過去，她沒有張開眼睛，令我焦慮得胃難過地扭絞。連接在她身上的機器仍然規律發出嘟嘟聲，所以我知道她沒有……。可是，這會不會是她就要死了的前兆？說不定她的生命已經開始流失……。

黛爾的眼皮緩慢張開，直到眼睛出現一道細縫，灰黃的肌膚看起來比我剛到的時候還灰暗。我把她累壞了，我該走了，可是我不想走，我想陪著她，跟她在一起，以免……。我想一整天，一整夜，永遠都坐在這裡。

「我該走了。」我強迫自己離開。別傻了，我留在這裡也沒用。我可以去做有用的事，帶回她寶貝的消息。「如果我今天想見到泰根，最好快點趕過去。」我站起來，把皮包吊到肩膀上。

「把我的愛帶給她。」黛爾的聲音像衛生紙那麼薄弱。「告訴她媽咪愛她。」

「我會的，」我說：「我當然會告訴她。」

我在門口頓住腳步，等待黛爾回答。我沒等到。我轉身面向她，由她胸前的緩慢起伏看出她睡著了。我凝視她的睡相一會兒，想像自己是某種守護天使，保護她，維護她的安全。我再次告訴自己別傻了，然後走出病房，走出醫院，走進最近的一家酒吧。

第三章

我和黛爾已經認識了幾乎半輩子，占了我們三十二歲人生中的十四年。我們進里茲大學的第一年，因為被指派一起做一項英文作業而認識。當我聽到我必須和阿黛爾・漢彌頓・麥肯齊一起做研究時，我內心不禁呻吟。當時十八歲的我出生於典型的勞工階級家庭，被迫與顯然是來自富裕家庭的某人組成一隊，從她的貴族式雙重姓氏和其他地方就可以看得出她的嬌貴。而且，她一定會是個公立學校的討厭鬼，操著我很想打她一巴掌的口音。她轉過她金色的頭，目光穿越教室尋找凱梅玲・馬提卡。她微笑著對我點個頭，我也回以點頭微笑，然後她的頭轉回前面。老天，我苦澀地想，她一定以為世界是繞著她轉，她一定會對我發號施令。我無疑是被詛咒了，害我得和某個帶有奇怪口音的愚蠢蕩婦一起工作。

那堂課結束後，我收拾書本和筆，打算挑戰女人溜走的最快紀錄，可是才把東西塞進帆布背包裡，直起身來，預備快閃離開階梯教室，就面迎一位苗條的十八歲女孩，穿著像五十歲的藍色高領衫和藍色聚脂長褲。她迅速出現在我面前嚇了我一大跳，好像突然從稀薄的空氣中蹦出來。

她對我微笑，露出整潔的白牙，甩動她濃密的如絲金髮。

「嗨，我是黛爾，」她說。她的聲音清亮活潑得像是經過嚴格的訓練。她既生氣蓬勃又漂亮優雅，我的人生還可能更糟嗎？「我們去喝杯咖啡，談談作業，妳覺得如何？」我覺得她不是在徵求我的意見，而有少許的命令意味。

「我想我們應該各走各的，想想看要怎麼做，幾天後再碰面討論。」我回答，附上一個咬著

牙齒的假笑。沒有人能命令我做任何事，即使只有少許的命令意味。此外，哪個正常的十八歲女孩會在老師交代作業的第一天就開始做？我當然不是那種人。

黛爾的反應是：她的開朗活潑相瓦解了，她的肩膀向前弓起，目光陰鬱地固定在拼花地板上。她並非一如她剛才演出的那麼有自信，而我也不如我剛才假裝的那麼魯莽傲慢，鐵面無情。我可能一開始會給人那種印象，可能表現得冷漠又不可親近，可是我老令想裝酷的自己失望。當我的良心發現時，我不會繼續踐得令人厭惡。

「老實說，我不是很愛喝咖啡，」我試著以較友善的口吻說：「我們改去學校的酒吧喝一杯如何？」

「妳確定嗎？」她小心翼翼地回答。

「嗯，」我咕噥，感覺適當地掌握主控權。「我確定。」

「凱梅玲到底是什麼樣的名字？」黛爾不恥下問。

「捏造的。」我簡潔回答。她剛才在皮包裡找零錢時，我看到她的學生證，得知一個事實，我正在和露辛達・珍恩・阿黛爾・漢彌頓・麥肯齊共享珍貴的喝酒聊天時間，所以身為雙姓雙名的她問我的綽號，是她到目前為止最大膽的作風。

「那不是拼音上的錯誤嗎？妳的名字是凱梅玲，K-A-M-R-Y-N，」她一個個字母拼出來。「而不是一般的 C-A-M-E-R-O-N，凱梅隆像是男生的名字。」

「的確如此。我覺得假裝拼音與眾不同滿有趣的。我喜歡別人問我這個問題。」我譏諷道。

「妳很聰明。妳逮到我了，妳像是推理小說裡的女偵探馬波小姐聰明的妹妹。」

黛爾輕挑左眉，擦了珠光唇膏的嘴唇扭出苦笑。「妳不太友善。」她批評。

「我想我是不夠友善。」我同意。她喝了四杯後才發現我不是喜歡分享的人。太多人喜歡一有機會就敞開他們的心房，我無法認同。為什麼要給別人掌控你的權利？為什麼要賦予他們那麼多傷害你的能力？讓別人入侵你的內心，有一天你會自食其果。

「妳至少有自知之明。」她說。她以一種優雅的淑女姿態，大口喝下半杯椰香酒（Malibu）加可樂。「不過，除了那一點之外，我喜歡妳。」

「我甚感榮幸。」

「不，是我感到榮幸。」她把細長的一隻手按到左胸上。「我是說真的。」

她以友善坦誠的表情凝視著我，令我忍不住咬下她掛的餌。「為什麼？」我問。

「妳很可愛。」她的聲音聽起來也很真誠。「我這輩子沒遇過幾個可愛的人，所以當我遇上了，我甚感榮幸。我第一次在教室裡隔著點距離看到妳，立刻覺得妳好可愛。妳表面上假裝不好惹，其實在妳的偽裝之下，妳很迷人。」

「妳是蕾絲邊還是什麼？」

「喔，不，我不是女同性戀者，」她笑道：「我如果是的話，絕對會愛慕妳。」

「誰教我是萬人迷。」我說謊。連矮胖的醜男人都不會愛慕我。我不怪他們：我穿著寬鬆的衣服隱藏身材；我從來不在我長青春痘的乾燥臉上化妝；我只能用綁幾條辮子來掩飾我這一頭過

於濃密又難以馴服的及肩黑色鬈髮。我根本不會去幻想我是美麗的、漂亮的，或甚至能夠吸引正常男人的注意。即使是對少數不以貌取人的男人來說，我也缺少說不上來的某種，會吸引男人接近醜女的東西：我既不幽默也不友善，也不打算利用性來引人注意。總之，連《西方女巫傳》（Wicked Witch of the West）小說裡的綠膚女巫，可能都比我看過更多羽絨被下的翻雲覆雨。

「妳真是滿口屁話。」黛爾發出笑聲。從她嘴巴裡發出來的「屁」的音調，聽起來很奇怪，像是發音錯誤。從我嘴巴裡發出的倫敦腔，講「屁」這種髒話，聽起來和一般的話一樣自然，除非特別強調。從黛爾優雅的嘴巴說出來，聽起來像是迷你叛變。她說得好似她應該說「呸！」或「寶貝！」而不是「屁」。「妳真是滿口的呸。」聽起來會比較有意義，才不會好像她太努力學講髒話，是為了使周圍的人震驚。她繼續說：「妳一秒鐘也不相信妳自己說的話，所以妳才如此渾身是刺。妳以為別人不喜歡妳或不愛慕妳，所以就擺出不在乎別人怎麼想的表情。我以前見過像妳這一型的人。我敢說妳以前在學校被男生欺負過，也可能因為妳與眾不同而被人欺負過。但是妳不肯改變自己去討好別人。」

她的話令我畏縮。*她怎麼知道？她怎麼可能知道？發生在我身上的事都寫在我臉上嗎？*那些訕笑、紙條、電話、滿牆的奚落塗鴉，全都被經過的優雅公主看到了嗎？如果真是那樣的話，我該怎麼辦？我離開家鄉兩百英里來上大學，是為了逃離那些認識我的人。我逃走了。現在是我把所有那些討厭的過去丟在倫敦，而到里茲徹底重新創造自己的機會，結果全都是白費功夫？我的額頭上是否印著「沒人緣」這幾個字？

為了不讓黛爾知道她的話是多麼一針見血，我勉強地笑。*我該說什麼？我該如何還擊？*

看到我的微笑，她說：「我有個同學就跟妳一樣。她極為橫行霸道，那是因為她對自己完全沒信心。她排擠所有朋友，因為她無法信任他們。事實上，她不算是我的朋友。坦白說，我沒什麼朋友。」

「如果妳繼續說像那樣的話，妳就會沒朋友。」我打冷槍。

「我是直話直說。」她抗議。

「是喔，那麼或許妳不該『直話直說』，尤其妳根本完全不瞭解我。妳以為來自能送妳上一流私立學校的富有家庭，擁有完美的人生，就有資格當心理分析師嗎？」我的態度很惡劣，但我不在乎。我要她滾開。「像妳這種不知人間疾苦的金枝玉葉，憑什麼做我們這種凡夫俗子的人生導師？」

她拿起酒杯，慢慢旋轉，使得杯裡半融的冰塊互相碰撞。她瞅了我半晌，然後凝視她的酒。「我生出來沒多久，我媽媽就因為生產的併發症過世。我父親從來都不想要小孩，在我這一生中，他幾乎每天都如此強調。他也怪我害死我媽。我父親一點都不想和我有任何關係，所以我一直都由保母照顧，直到我父親再婚。他太太不是我的偶像，她也從來不隱瞞她對我的厭惡。」黛爾抬頭看我，微笑著。「我沒有很多朋友，因為我過於積極。我上一個最好的朋友告訴我，我太努力交朋友。我太努力使得我很辛苦。可是我身不由己。我不知道該如何不做我自己。我從小花很多時間跟不喜歡我的人相處，我試著避免讓他們不高興。」

「我對凡夫俗子的人生是有些瞭解的。它雖然不完美，但比某些表面風光的人生好多了。」我突然覺得自己像個無意間殺死了好多人的兇手。「抱歉，」我低聲說。「我不知道妳的情

況。」最糟糕的是，她並沒有因為我那樣批判她，而企圖令我感覺愧疚，她只是直話直說。黛爾缺少巧妙處理事情的狡詐。我沒有繼續做討厭鬼，而黛爾不會傲慢自大。她對她自己的事都直率又坦白。

「沒關係，」她坐直，把她的頭髮甩到後面，對我展現一個大大的、開朗的微笑。「妳當然不知道。」

「聽著，黛爾，如果我們要常常聚在一起，妳可別那麼做。」我說。

「別做什麼？」

「別做個該死的大好人。那很不自然。」

黛爾鐵藍色的眼睛亮了起來。「妳要常常跟我聚在一起，做我的朋友？」

我不置可否地聳肩。

她對我的冷淡態度回以微笑。這個優雅的生物叫做黛爾，她說話的口音好似兩邊臉頰塞了五個李子。她對我露齒燦笑，她的笑容不僅點亮了她的臉，也使得她的眼睛閃耀興奮的光芒，臉頰呈現紅潤的光澤。那個微笑的欣喜神色感染到我，令我深深迷戀她，我不由得喜歡她。她將成為我的世界裡一個重要的角色，她將幫助我塑造我想蛻變成的那個人。我不知道自己怎麼會知道，但我就是知道。因為某個不可解的理由，我知道她將會在我的生命中待上很久。

我們變得幾乎密不可分，因為我們一起成長。黛爾一開始適應大學生活後，漸漸發展她的個性。她發現自我，做個有自主性的自己。她不再穿得像五十歲，不再用寬鬆的長褲隱藏身材，她經常發脾氣，包括喊叫、說髒話、丟東西。當她穿了肚環，她終於殺了第一次和我一起喝酒時那

個羞怯的黛爾。

同一段時期，我減重成功，微笑變多了。當我因為一個帥哥穿著渦紋圖案的內褲，而拒絕和他發生性關係時，我謀殺了第一次和黛爾一起喝酒的那個凱梅玲。這一切都是從那個時候開始的，那個時候她非常高興我無所謂地聳肩，同意我們可以常常聚會，而我祕密地狂喜，有人認為我可愛。

「總之，我想我們已經是朋友了，」黛爾說。「每個陌生人都是你還沒認識的朋友，都是這樣的。」

「喔，閉嘴，喝妳的酒。」

我從吧台前站起來，完全清醒。我打算把自己灌到遺忘，要把回來倫敦見到黛爾病得多重的殘酷事實趕走。可是在酒吧裡，我沒有點通常我需要遺忘某些事情時，所選擇的雙份伏特加酒加柳橙汁。我點一杯雙份的伏特加酒加柳橙汁，可是不要伏特加。

酒保以為我在說冷笑話，他不為所動的瞄我一眼，再去拿杯子。我想說：我不是在說冷笑話。我的老夥伴永遠再也不能喝含酒精的飲料了。她不能喝，我何其忍心獨享？可是他不會懂的。他也不會在乎。

因為我喝的是沒有伏特加的柳橙汁，事實上不會醉，我坐著回想和黛爾的初次見面。

離開酒吧，我穿上紅色的雨衣。我必須去吉爾福德，一個鐘頭前就該出發了。不過，我還是

拖延著免不了要做的事。我搭上通往薩里的火車的那一秒鐘，就把自己捲入這個糾紛。我不打算這麼做。我本來只是預備來倫敦，看她病得多重，然後一離開醫院便搭火車返回里茲。如果我錯過最後一班火車，那我就得找一家便宜的，供應早餐的小旅館過夜，然後搭次晨的第一班火車回去。我本來沒打算在倫敦多停留，不去探視自從我兩年前離開倫敦後便沒有見過面的朋友和家人。現在我把麻煩纏到自己的脖子上了。

我把旅行袋掛上肩膀。走吧，女人。我誘騙自己。不過就是選擇去吉爾福德或是酩酊大醉。

黛爾成為我家的一員。從大學時代起，聖誕節、感恩節和暑假，我如果回家，她都相隨。她父親和他太太一點都不在乎她從不回家，事實上他們甚至不假裝關心她過得如何。我每次都感到相當訝異，她怎麼肯打電話給他們。她如果打了，等掛上電話，她都會心神混亂，總是哭到瀕臨嘔吐，總是懷疑她該做什麼，該如何改變才能讓父親愛她，即使只愛她一點點也好。我習慣了幫她恢復正常，向她保證她本來就很好、很可愛，我喜歡這樣的她，其他很多人也都很喜歡這樣的她。或許有一天，他會懂得欣賞她。那些安慰她的話，我自己一句也不信，但那是她想聽的話，所以我說給她聽，那些話對她而言有說服力，能發揮安撫她的效用。

我知道漢彌頓・麥肯齊先生永遠也不會改變。當我聽到他對她的怨恨有多深時我就知道。我和黛爾剛認識時，她經常喝到爛醉，坦承到里茲上大學之前，她的人生有多悲慘。她告訴我她父親的暴力管教作風。她曾因為被「處罰」，結果手臂斷了、大腿骨折、下巴裂開而住院。有一次

他把她打出一樓的窗子，一片玻璃刺進她的背，差點刺到她的腎臟，那片玻璃必須由外科醫生取出。另一次他用皮帶有釦環的那頭打她，把她的左大腿鑿出一塊肉，她因此很少穿裙子。

令人驚訝、惱怒、沮喪的是，沒有人懷疑出了什麼事。或許，即使有人看到了，他們也轉開眼睛不想介入。似乎沒有人注意，漢彌頓・麥肯齊家關上的門後面發生什麼事。當受人敬重、衣冠楚楚、體面高雅的中產階級，堪為白人表率的漢彌頓・麥肯齊先生，一次又一次失望地表示，他女兒因為笨拙頑皮，又常與粗野的男孩勾搭，導致她經常受傷，人們接受了他的說法。

和我一樣，黛爾的逃脫處是大學。她極度渴望父愛，我唯一能幫她的是，假裝他能愛她，對她說有一天他會愛她。當我那麼告訴她，不管她相不相信我的話，都能使她懷抱希望，連我也知道，我們都需要希望才能活下去。

我的家庭並不完美，可是我如果幾個月沒回家，我的家人會非常明白地表達，他們會為我擔心。他們經常打電話跟我聊天，而且因為黛爾是我的好朋友，他們愛屋及烏地接受她。當黛爾和我家人在一起，她發現一個新地方，叫做「家」的地方。那裡不是她真正的家，那裡沒有她父親的愛，可是我們每次半夜三點回到家，我媽媽愛憐地責罵我們把全家吵醒；每次我爸爸拿出皮夾給她十英鎊，要她去給自己添置點東西；每次我妹妹要求她給她的愛情提供忠告。那幾乎和她真正的家一樣好，那使她有了歸屬感。

顯然，只有一樣東西會橫梗在我們兩個人之間：男人。

第四章

這真是荒誕不經。

我身在倫敦，一個我兩年前逃離的城市，但我逃離的不只是倫敦，而是這個特別的區域：滑鐵盧。

我漫步穿越滑鐵盧廣闊的車站廣場，每走一步就有一片回憶衝擊著我。似乎沒人注意到我多麼焦躁不安，沒人注意到我走得多慢，期待遇到比較年輕版的黛爾，或甚至我自己。通勤者行色匆匆地經過我身邊，車站的廣播通知持續從擴音器傳出來，滾滾紅塵總是汲汲皇皇。當初的車站廣場也是如此，我們兩個都還沒有男朋友的時候，這裡是我下班後與黛爾相約碰面去喝酒的地方。那時她沒有生病，也沒有這麼瘦，不像只是一個躺在病床上的人影。她以前就在轉角的地方工作，而我經常從上班的牛津街搭地下鐵來這裡，我們會合後喝幾杯酒，然後一起回家。

滑鐵盧對我而言之所以意義不凡，還有另一個原因。這裡是我遇到他的地方。就在這條路前方的一個家庭派對裡。他，是橫梗在我和黛爾之間的男人。

他不是任何男人。他是奈德・透納，我的未婚夫。

奈德在一個寒冷的四月夜晚走進我的生命，他說他不想再走出去。我叫他去對會相信那句台詞的女人說。「我將會得到妳的芳心。」他的神情十分認真。

「比你更優秀的男人也失敗了。」我以同樣認真的態度回答。

十八個月後我們決定結婚，三年後我們訂下次年的結婚日期。我們之間的關係雖然並非超完

美，但我們對彼此非常瞭解。他忍受我的一些缺點，也必須對付我的毛病。

我的「毛病」並非顯而易見。到了我認識奈德的時候，我已經不必為我的外表擔心，年復一年地被人嘲笑胖和醜對我的打擊，反而激勵我成功。或許除了黛爾之外，沒有人知道，在我成熟的表面下，在看似擁有自信和很棒的工作，也具備吸引帥哥上床的魅力之下，跳動的是一顆畏懼的女人心。

外面的世界，甚至由黛爾延伸出去的世界，都接受我的外表。我勉力維持難以捉摸卻光鮮亮麗的形象。人們真的相信我很酷，很高傲，自信又能幹。奈德看透了我。他幾乎立刻就發現，是什麼比別的更令我害怕。我懼怕的是什麼？人。

從我小時候在學校被欺負之前就開始了。我懷疑，那些欺負我的人看出我無法適應環境而不太對勁。他們發現我和別人不一樣，我的每一句話都顯出畏懼，他們利用我的畏懼來欺負我。

我似乎缺少與人交心的能力，使得我看起來不近人情。我努力想與人溝通，努力培養關係，但其實不切實際。我在大家庭裡長大，跟兄弟與妹妹很親密，然而不知怎地，對於處在某些情況下該做何反應，我一向都會慌張失措。我擔心把事情搞砸，擔心說錯話，擔心惹別人生氣，因此與人溝通成了令我恐慌的課題，讓我看似冷淡孤僻，後來成了一個面容嚴峻的討厭鬼。不是我不想和別人親近，只是不知道該怎麼做。

然後我遇到黛爾，發現自己可以與人溝通了。我開始相信自己不是瑕疵品、劣質品。我可以與人培養關係。

我和奈德約會了幾個禮拜後，他告訴我他知道我的祕密。我們去參加跟他工作有關的派對，

我一走進去就知道我無法適應。我的穿著不像其他女人那麼典雅，我沒有散發出他們那種滿不在乎的風格，而且我不是在廣播媒體工作。我試著禮貌地與人交談，可是我知道，我說的每一句話都證實了，我跟他們多麼不同，我的談吐多麼不適當。經過三個小時的折磨後，當奈德說：「我們可以走了嗎？」在他還沒講完之前，我已經走出門，招了計程車。稍後，奈德像一隻蜷曲在主人腿邊的貓那樣纏繞我，他說：「妳被他們嚇壞了，妳很怕生，是不是？所以妳顯得很冷淡。我今天晚上觀察妳，妳試著和別人講話，試著和別人接近，可是妳的眼睛充滿恐懼。」

我有時候以為別人可以看得出我是瑕疵品，我顯然欠缺了什麼。在工作、衣服和化妝的掩飾下，我的殘缺得以隱蔽。我有時候想，人們看到的只是我的外殼，我無法理解為什麼會有人喜歡我。當我和陌生人相處時，我便那樣想。脆弱地擔心他們會識破我的殘缺。我當然沒有對他說這些。即使我說得出口，一個並非認真交往的一時的玩伴，怎麼會想聽那些？

他見我沉默以對，繼續說：「妳不必害怕，我會永遠照顧妳。妳太迷人了，寶貝，妳就是我要的女人。」他的話令我的心情非常低落，我因而穿上衣服回家。

奈德似乎不在乎我並非始終百分之百堅強、獨立和能幹，他似乎不在乎我可能變得非常需要愛和依賴。他接受這樣的我。不管我討人喜歡或惹人討厭，他都愛我。不管我怎麼出招，他都可以從容接招，而且不只如此。

不過，那並非單方面的，我也忍受他很多缺點。他看起來有點懶散，超級無憂無慮，可是當我決定試著和他交往下去，我發現他有相當程度的精神官能症。我和奈德能夠溝通協調。那是完美對稱的愛、真誠和信任。就如同我在和他交往六個月後告訴黛爾的，和他在一起，「承諾」和

「永遠」變得不只是概念，而是事實。

星期六晚上。

那是兩年前的星期六晚上。我與黛爾送泰根上床睡覺後，打算籌劃婚禮，我的「大喜之日」訂在兩個月後。可是我們放著正事不幹，被四瓶酒和一包小香腸分心。黛爾斜倚著棕色人造皮沙發，解開她深綠色直筒褲的釦子，把原本塞在褲子裡的背心下緣往上捲，直捲到胸罩下面。她的肚子非常平坦，簡直教人難以相信她三年前生過孩子。銀白色妊娠紋越過乳白色肌膚，可是除此之外，其他都恢復到原本的樣子。她甚至重新把她的白K金肚環穿回肚臍。

我坐在另一張沙發上。我也解開牛仔褲上面的幾顆釦子，拿掉胸罩，可是我的肚子沒她那麼平坦，有減肥紋的胸部藏在向黛爾借的白色運動衫裡。我必須向黛爾借衣服，因為剛才幫泰根洗澡的時候，搞得我的上衣和胸罩都濕透了。

我們沒有整理出婚禮的座位表，而聊著黛爾的約會。我知道等我回家時，若還沒把座位表規劃好的話，奈德會生氣，（當他因為這種事生氣時，我就會裝腔作勢地反諷：「別在意，我顯然錯了，我以為這也是我的婚禮。」）可是黛爾的約會比較重要，她最近遇到一位男士，開始頻頻跟他約會。聊他們的約會要從他們第一次談話的每個細節和微妙處談起，接著是第二次約會的興奮，然後是期待發生關係的那天到來，接下來的第四次到第十次約會興奮感仍會持續。然而一旦一方不再打電話給另一方，熱度很快就會減弱，隨之而起的是自我反控的聲浪，懷疑自己出了什

麼錯。黛爾和這個新的男人約會六次了，興致還沒消退。

「他用他的屁股和他的，嗯，『那個』，做那件事。」她透露。「每次都令我極為興奮。」

這個男人，雖然他每次都知道如何令她十分興奮，但是他不知道她有個小孩。如果他跟她約會十五次了，那麼她會告訴他，可是這個男人似乎不可能跟她約會到那個時候。她喜歡他，但他不是她的真命天子。甚至不是個會跟她在一起很久的人，所以她不想把這種只是她生命中短暫過客的男人，介紹給泰根認識，令泰根煩躁。黛爾強烈保護泰根，她女兒的人生必須盡可能少受干擾，誰要是騷擾到泰根，那簡直是不要命了。黛爾寧可一輩子獨身，也不願介紹泰根給某個不會久留的男人。而且，她推論，一旦她告訴某人她有個女兒，他們會覺得應該跟小女孩見面。

「奈德用嘴巴做那種事，」我透露。「他一開始會非常緩慢地舔我的大腿內側，然後他用嘴巴做那種……，那……。」我輕聲笑並嘆氣。「棒透了。」我很少和任何人分享我們性生活的親熱細節，甚至連對黛爾也沒講過。我很久沒有喝兩瓶酒了，所以醉得口沒遮攔。「它……光想到那樣，我就興奮得顫抖。」

「嗯，我知道。」黛爾會意地說。然後她愣住，僵硬的表情暴露出她萬分後悔說錯話了。

我的心跳漏了一拍，呼吸為之一頓。時間似乎靜止了。

黛爾的目光緩緩移向我所在的位置，她兩隻鐵藍色的眼睛充滿了恐懼。我呼出一口氣，可是我的肌肉無法放鬆，我深深地吸氣。我告訴自己：不可能，我錯了。我一定錯了。可是我親耳聽她說了。我聽到她說「我知道」時的聲調。她說得就像也有同樣的經驗。她真的知道。她也曾經那樣享受過，和奈德。奈德那樣對她做過。他的舌頭舔過她的大腿內側，他的唇曾經……。

我坐直，把雙腳放到地板上來穩定自己，然後再呼出氣來。吐出長長的一口氣。深深吸、慢慢呼。「什麼時候？」我自齒間擠出聲音問。黛爾沒有回答，有一秒鐘，我以為她就要否認了，就要試著糊弄過去。不過，她閉一下眼睛，困難地吞嚥口水，然後面對我。「很久以前，」她低語，眼睛一直看著我。「很久，很久以前，非常久之前。」

我的呼吸又頓滯了，我用力吸氣，企圖讓自己順氣，可是我的身體彷彿停止運作。凍住了。沒有東西進得去，也沒有東西出得來，太痛了。「維持多久？」

「一次。只有一次。」

淚水刺痛我的眼睛，我下巴的肌肉繃緊成一團球。我沒感覺我在哭，可是我的眼睛濕潤，下巴的緊痛告訴我，我快嚎啕大哭了。

黛爾坐起來，拿她細長的手指耙過她的頭髮，用手掌去揉擦她濕濕的眼睛。

「只有一次。」她重複說。

「一次。只有一次。」這句話沒有任何意義。一次會比兩次無所謂嗎？或比五十次無所謂？他們兩個做過。因為只有一次，所以就比較沒有錯嗎？我眨掉淚水，可是視線依然被淚水模糊。

*為什麼？*我沉默地問她。

黛爾坐在沙發上向前弓身，她的長褲打開來，手肘擱在膝蓋上，手指插進頭髮裡，眼睛凝視著木紋貼皮地板。

*為什麼？*我在心裡再次問。

她繼續凝視著地板，顯然沒聽到我心電感應的問題。她陷在自己的思維裡，自己的世界裡，

一個她能夠告解的世界。她繼續凝視著地板。然後，她抬眼，瞄向放在電視上頭泰根的照片，再看回地板。

那是個直覺反應，一個細微的動作卻洩漏了一切。我倒抽一口氣。「不！」與其說我是說給她聽的，不如說我是說給自己聽的。我試著說服自己，我的想法太荒謬了。我的心沒道理地跳漏了好幾拍。

黛爾聽到我的抽氣聲時，急轉過頭看我。我的眼睛從黛爾看到照片，再看回黛爾。我們的目光交鎖，她的臉驟然失去血色。

我搖頭，試著把那個想法逐出腦海。我的眼睛轉向照片，那張微笑著的照片洩漏了，泰根的鼻子無疑遺傳了誰，她是奈德的孩子！

所有一切都逐漸明朗，就像最後一塊拼圖一拼上去，整張圖驀地變得完整清晰。一片片拼圖當然早就在那裡了，只是我視而不見。我沒看到最大的那塊拼圖，直到每一塊都拼湊到眼前的這一刻。現在我明白了，為什麼我常常覺得看著泰根時，有種似曾相識的感覺，不是因為她是她媽媽的翻版（她當然跟媽媽長得很像），是因為她和她爸爸長著同樣滑雪坡般的鼻子、同形狀的大眼睛和譏諷扭曲的嘴角。他們那兩張臉我見過不知多少次，但是從來不曾將那兩張臉連結起來。

黛爾剛懷孕時，我問過她孩子的爸爸是誰。她淚眼汪汪地告訴我，那是個意外，他不在她身邊了，他是工作上認識的已婚男人。

「混蛋。」我啐道。

「我不怪他。」她回答。「他不是故意的，我也不是，那是個意外，不必怪誰。」

我們每次談到孩子的父親，我的腦子裡都飛掠過問號：她每次都說他不能愛她，更不可能愛孩子。她為什麼一直重複說那是個錯誤？雖然說懷孕是在她身上發生過最美好的事，但仍是個錯誤。她多次聲稱不需要孩子的父親來搗亂她的人生。而我，就是孩子父親的代理人，是我陪她去上產前指導課，是我陪她進產房，對我所看到的幾乎作嘔，是我盡力幫助她。我同時鼓勵她告知孩子的父親，因為他有道德上的權利，即使她不想讓他知道，他還是有權利知道。他要是拒絕她和孩子，才該正式得到混蛋的頭銜。我常說，泰根可能也想知道。「妳打算怎麼對她說？因為妳不想讓他知道他做爸爸了，所以泰根就不准有個爸爸？」

她的回答是：「等時候到了，我再來煩惱那個問題。」

現在她必須煩惱了。

我該贏得白癡獎章，我是宇宙無敵的大白癡。我經常對她說教，催促她去告訴我一生中最愛的男人，他讓她懷孕了。

我把自己拖離沙發，但我一站起來便發現，我熾熱燒灼著的胃幾乎加倍痛苦。我還深陷於震驚中。我的臉皺得像被這件事使盡全力重擊一拳。

奈德有個孩子。奈德是我最要好朋友的孩子的爸爸。

我開始收拾我的東西：我脫下的濕透了的胸罩；我因為被束縛得難過而拿下來的皮帶；我帶來要展示婚禮座位編排的筆記型電腦；桌位的排列表；色筆。我笨拙地摸索著這些東西，把它們胡亂塞進我的袋子裡，一邊用手梳理一下我的黑髮。我發現我的襪子扔在另一張沙發旁的地板上，可是我不想靠近她，所以我光腳伸進我的休閒鞋。

我用顫抖的手把我之前因為濕了而脫掉的上衣，穿在白色的運動衫上。然後我想起這件白色的運動衫是她的。說謊欺騙我的好友的。我脫掉我的短上衣，再脫掉白色運動衫，把它丟到地上，然後把我濕的短上衣穿在我沒穿胸罩的身體上。

「凱，我們來談談這件事，」她哀求。「拜託，凱，我們談一談。」

那並不是個認真的請求。當我生氣的時候，我會氣得說不出話來。我是那種「希望不理它，它就會因此消失」的類型。再說，有什麼好談的？談我的未婚夫在床上有多行？如果滿分是十分，我們會給他幾分？問他如果知道泰根是他女兒，還會跟我結婚嗎？他做過這件可怕的事情，可是卻打算兩個月後在教堂裡說，「我願意。」八個禮拜，僅剩八個禮拜，他就要站在我認識的每個人面前宣布他愛我，承諾他會為了我捨棄其他女人。然而他沒有做到，不是嗎？他過去顯然沒有做到，未來又怎麼可能做得到？

「他不知道泰根的事，」黛爾說。她的聲音堅決、肯定、清晰。她不是在耍我。任何有關泰根的事，她絕不含糊。她尤其不可能拿這種事開玩笑。「我不要讓他知道，」她繼續說：「我不要攪亂泰根的人生。不管妳要怎麼做，不要毀了泰根的人生。不是她的錯。」

我希望我有辱罵她的本事。打她一巴掌或抓她的頭髮洩憤。但我所能做的只是走出去。永遠不再走回去。

第五章

「我來看泰卡。」我對前來應門的女人說。我從吉爾福德的市中心搭十五分鐘的計程車，來到這幢有五個房間的獨棟房子。

她茫然地看著我，我才想起，我是世界上唯一喚泰根為「泰卡」的人。「我的意思是，我是來看泰根的。」

穆麗兒的眼中綻出認得我的火花。她是黛爾的繼母，一個瘦小纖細的女人，看起來好像太用力拍她，就會把她劈成兩半。她銀灰色的頭髮綰成一個大捲，髮膠大概噴了一吋厚。當我第一次見到她時，她有一套制式的穿衣規矩：花呢裙子，兩件式套頭毛衣外搭開襟毛衣，加上珍珠項鍊的組合，這次也不例外，即使正值炎夏的高溫下，她穿著一件綠色套頭毛衣和同款的開襟毛衣，花呢裙子是棕色的，乳脂色的珍珠項鍊掛在皺皺的脖子上。她看起來似乎很體面，很正常，甚至很溫和。不過，這個女人血管裡流的是道地的邪惡之血。

黛爾給我看過這個女人邪惡到什麼程度。我看過黛爾大腿上銀色的疤痕，那是被她繼母用香菸燙出來的；她左手小指頭在被這個女人猛扭進插座裡後，無法伸直；她額頭髮際線下的傷疤，來自穆麗兒向她丟擲玻璃杯。

「我是凱梅玲，泰根的教母，」我用平板的聲音隱藏恨意。「露辛達・珍恩的朋友，記得嗎？」黛爾一進大學就摒棄她「露辛達・珍恩」的正式名字，而改採她的中間名字，阿黛爾。大學畢業，她就把姓改成她媽媽娘家的姓：布萊儂。對那些她到里茲上大學後才認識她的人來說，

她叫阿黛爾・布萊儂。她在律師的見證下正式改名後，我們盛大慶祝。然而她父親還是叫她露辛達・珍恩，她不敢妄想要他改口。

穆麗兒眼中顯示出她想起更多我的事情來了。我是多年來她唯一見過的黛爾的朋友。黛爾一向都不熱中於一有假期就回到這個家庭的懷抱，所以她只帶過一個人陪她回家，那個人就是我。

「是的，我記得妳是誰。」穆麗兒的聲音有點含糊。今天她喝了什麼打發時間？雪莉酒，或琴酒加通寧汽水？當我們多年前認識時，它們是她最好的朋友，亦是她忠貞不渝的伴侶。看來至今依然如故。

她顯然不想多說什麼，我因此問：「那，我可以見泰根嗎？」

「她現在不方便見妳。」她回答。

「她出去了？」

「沒有。她不接待訪客。」

「一個五歲的孩子不接待訪客？」我既惱怒又懷疑。「我實在無法想像她說：『如果有人來拜訪我，告訴他們我不接待訪客。』」

穆麗兒自鼻子發出輕蔑的嗤聲，好似我是某種她踩到的惡臭又噁心的東西。「小女孩正在被處罰，那不關妳的事。」她鄙夷地說。

「關我的事。」我說每一個字都小心控制音調，以免怒吼。「我是她的教母。如果她媽媽發生任何不測，她要求我照顧她。」

「妳必須下次再來，因為，我解釋過了，她正在受罰。」

老女人移動身子準備關門，這一刻在我心中憋了很久的氣憤、怨懟、恨意，一股腦兒地全迸出我溫和的外表。我向前衝，身體的每一束肌肉都緊繃，手掌拍壓上藍色的門，阻止她關門。

「她為什麼受罰？」我說。

穆麗兒被我的強勢作風嚇了一跳，把眼睛轉開。

「她為什麼受罰？」我再問，聲調幾近咆哮。

穆麗兒不語。

「我要見她。」

「任何人都不能見她。」

「我見不到她就不走。」

她降低聲音。「我不能讓妳進來。如果我讓妳進來看她，妳不知道隆納會對我怎樣。」

「妳顯然不知道，如果不讓我進去，我會對妳怎樣。」我用連自己都會害怕的恐嚇語調說。

我相信那句台詞是從電影學來的，可是我還沒來得及阻止自己，那句話就衝出口。

穆麗兒充血的兩隻眼睛恨恨地往中間擠攏，但還是流露出懼意。我知道她會對一個沒有自衛能力的孩子做什麼，但她不知道我會對她做什麼。老實說，我也不知道。在我三十二年的生命中，從來沒有在盛怒之下打過任何人，但那並不意味著該出手的時候我會猶豫。

穆麗兒怒視中的惡毒激增，我也強化絕不罷休的堅決。她真的不知道我有多憤怒。一天內旅行了兩百英里去看我垂死的好友，現在又來到這個令黛爾吃過很多苦頭的地方，所有這一切都令我怒不可遏。

穆麗兒的肢體語言緩和下來，她放開門，轉身走上大階的樓梯，喃喃自語得足以讓我聽見。

「竟然還以為是我們要她待在這裡。」

我略微放鬆，默默吁出長長的一口氣。萬一她真的和我正面衝突呢？最好還是不要去想那個問題。

屋裡的擺設和我八年前來造訪時差不多。我和黛爾那次飛來這裡，為的是把她之前所留下的書和衣服都搬走。那其實只是個藉口。她沒有那些東西也過了好些年，那時候又為什麼會認為她急需那些東西？我猜想黛爾是希望能和父親和好，最後一次試探他是否有父女情分。他對我們非常有禮貌，因為她帶了一個客人回來，但是他也顯得很疏離。那是我見過最令人寒心的事。（當時我一有機會獨處，便立刻打電話給我爸媽，跟他們簡短聊一下。）等我們爬進計程車後座，用不著黛爾告訴我，我也知道她永遠不想再回來，她已經盡力要與家人再聯繫，但還是死心了。

自那天之後，屋裡的一切似乎都沒變：地上一樣鋪著奶油色地毯，牆壁漆著米色，米色的牆上一樣掛著暮氣沉沉的鄉村景色圖畫。唯一不同的東西是氣氛，顯得蕭條，已經變得破落衰頹、乏味無趣、了無生氣。

穆麗兒在一道白色的格板門外面停住腳步。門上插著一把鑰匙，她把手伸向鑰匙。她長著肝色斑點的手在鑰匙上停留一下才轉動。他們把泰根鎖在裡面？他們把泰根鎖在裡面？他們以為一個身高還搆不到大門門把的小孩，離開房間後會到哪裡去？

泰根的房間是我客廳的兩倍大。牆壁也是米色，可是在這裡地毯是寶藍色，兩片牆上擺著白色書架，每個層架上都放置著洋娃娃、積木、可以擁抱的玩具、玩具熊以及書。那些沒有一樣看

起來被撫摸過或被玩過，它們都只是完美的裝飾品，不可觸摸的童年紀念品。整理得很乾淨的單人床位於大窗子旁，可以俯瞰廣闊的花園。

儘管房裡有些色彩鮮明的孩童用品，但仍然令人感覺冷冷的，很不舒服。房間中央有張紅色的小塑膠桌，一把黃色的塑膠椅，泰根正坐在桌邊。

即使隔了點距離，我還是看得出不對勁。她一動也不動地坐在椅子上，小小的身體因為恐懼而僵硬。她淡金色頭髮髒亂地貼在臉上，因為沒有洗而結成一綹綹，粉紅色上衣髒兮兮、皺巴巴的。她的目光固定在面前盤子上的食物。

我震驚得像心窩被打了一拳。上一次我看到泰根的時候，是我講故事給她聽，她用盈滿歡喜的大眼睛凝視我。她是個不能好好坐著、躺著、站著的活潑小孩，一向精力充沛，一向都想跑、想玩、想聽故事或嘻笑，或要人家給她抱抱。

「泰卡。」我輕聲叫。我慢慢走進房間接近她。「泰卡，我是凱梅玲阿姨，妳還記得我嗎？」我在她旁邊蹲下，看著她，等她回答。

幾秒鐘過後她才點頭。雖然點頭，她的眼睛還是往前看，目光固定在盤子上。盤子上裝著放到暗沉了的水煮馬鈴薯，乾枯皺縮的豆子，和一塊乾乾的、上面長了一層白黴菌的豬排。酸臭的食物味道襲擊我的鼻孔，令我身體往後傾，差點吐出來。

「妳記得凱梅玲阿姨嗎？」我努力抗拒喉頭的哽塞。

泰根再點頭。

「妳好聰明。媽咪有沒有告訴過妳，妳可以和凱梅玲阿姨住一陣子？」

泰根點頭。

「妳覺得怎麼樣？」

她稍微抬起肩膀又放下。然後用小小的、嘶啞的聲音說：「不知道。」

我慢慢伸出手，把一綹黏結在一起的髒頭髮掠到她的右耳後面，我才能看到她的臉，但是在我碰到她之前，她畏懼地退縮，她的雙手舉起來，彷彿預期將被攻擊而要保護自己。

我也把手縮回去，我的心因為害怕與震驚而急促狂跳。她以為我可能傷害她！這個脆弱的孩子以為我可能傷害她。我凝視著她，感覺我的心跳加速。然後我注意到她的右手，三道紅線條紋越過她腫脹的手掌上。她的右手腕有一片藍黑紫色的瘀傷，看起來像一個大手印，好像有人叫她把手掌打開，然後用藤條狠狠打她。

那些紅條紋就是她稚嫩的皮膚挨打的新印記。我心裡氣得像火山即將爆發，我幾乎要狂吼尖叫，很想代替泰根還擊，或踢翻家具。我暴怒、震怒、狂怒。我的怒氣滿到溢出來，久久才稍微平靜。我的怒氣通常混合著其他情緒：憤慨、受創、忿懣、痛苦、震驚。但此刻的巨大的憤怒把那些都消滅了，它衝擊著我，遏止其他感覺。

我忽然知道我該怎麼做。

我發出聲音站起來，畏縮的泰根因此放鬆了些。我跨大步越過房間，走向白色衣櫥和旁邊的白色衣櫃。我猛拉開上層抽屜，檢查裡面，滿是折好的乾淨上衣。我抓起一把上衣，然後關上抽屜，再開另一個抽屜，收集另一堆衣服，最後拉開第三個抽屜，拿取裡頭的背心和褲子。

「妳在幹嘛？」穆麗兒尖叫。

我不理她。我的懷抱裡都是色彩明亮的童裝，走向我的旅行袋，拉開拉鍊，把懷裡所有的衣服都塞進袋子裡。

「妳不能這麼做！」穆麗兒在我打開衣櫥時對我尖叫。

「我當然可以這麼做，」我說著，拿幾件外套和幾雙鞋子。「因為我正在做。」

「我要叫警察。」她威脅。

我的頭立即轉向她，瞪著她說：「請便。我很樂意聽妳向警察解釋，泰根為什麼好幾天沒梳洗，為什麼坐在腐壞的食物前面，和她的手上為什麼有傷痕。事實上，我等一下要自己打電話給警察。」我走向旅行袋，放下泰根的衣服，伸手進我的外套口袋拿出手機。「警局要打幾號？喔，對了，九九九。」我按下那幾個數字鍵。「妳要按『通話』鍵，還是我來按？」

「帶她走，我們很樂意把她還給她媽媽。」穆麗兒惡聲惡氣地說，然後轉身衝出房間，用力把門在她身後摔上。

當門在她背後關上時，我等了一秒，擔心她會上鎖，那我就真的必須打電話請警察救我們出去，幸好沒有，她只是關上門。我轉身看泰根。她抬起臉看我，那張臉，被淚水沾汙的臉頰，滑雪坡狀的鼻子，噘著的嘴唇，寶藍色的眼睛，眼眶紅紅地凝視著我，好像以為我瘋了。

我走向她，在她身邊彎身屈膝。我沒有太靠近她，以免再嚇到她。「妳有最喜歡的玩具嗎？」我問她。

她狐疑地點頭。

「好，去拿任何妳喜歡的東西給我。」

她的眼睛警戒地瞠大。

「我們要離開這裡，」我解釋。「妳要去跟凱梅玲阿姨住。」

泰根雖然明顯被離開這裡的說詞吸引，但她並沒有傻傻地相信我的話，而繼續懷疑地凝視我。我們沒有時間耗下去。就我所知，穆麗兒正在打電話給她丈夫，他可能正在回家的路上。這裡是他的家，他的地盤，所以他占盡優勢。而我不確定他會不會變得暴力。

「泰卡，快點，拿妳的東西，我們明天可以去看妳媽咪。」

「媽咪？」她蒼白的小臉泛出光彩。「媽咪？」

「是的，媽咪。」

她把椅子向後推站起來，椅子在厚地毯上沒有弄出聲響。她走向床，趴到地上，從床底下拉出一個彩色帆布背包，並拿來給我。我對她笑，她回我微笑。這個孩子終於和我唱同調了。

時間分分秒秒過去。我不知道過了多久，不過當我感覺較清醒時，我站在一個不太熟悉的城市街角，懷裡抱著一個孩子，腳邊擱著半打袋子：包括我的旅行袋、她的背包以及四個提袋。我茫然不知，我，喔，不，我們，該去哪裡。我沒有叫計程車的電話號碼，不知道最近的巴士站在哪裡。

「妳知道今天是什麼日子嗎？」我問泰根。

她看進我的眼睛，好像我說什麼都不會令她驚訝，然後她搖搖頭。

「是我的生日。」這漫長的一天還沒過完。雖然今天早上似乎是一百萬年前，但今天依然是我的生日。

她點頭，臉上浮現一個淡淡的困惑笑容。「生日快樂。」她輕聲說，然後疲憊的頭靠在我的肩膀上。

「謝謝。」我回答。

今天也是我可能以綁架罪名被逮捕的日子。

第六章

陽光，像用過兩次洗澡水的顏色，篩過米色窗簾的縫隙，試圖要將我們的房間照亮一點。我握在手裡的咖啡，已經冷到上層結成黑色的泥膜，我的身體因為以同樣的姿勢坐了幾個小時而痠痛，我的眼睛因為凝視外面逐漸甦醒的世界過久而疲累。我聽到鳥兒扯開嗓門高唱破曉合鳴，巴士的車聲沿路喧嚣，汽車快速經過，加上時而可聞的警笛聲。我幾個小時前就不再去想，那些警笛聲是來抓我的，但我的心思仍以每小時一百英里的速度在飛馳，已經從暗夜飛馳到天明……。

八個小時前，旅館的服務生提著我們的行李，幫我們放進房間的玄關，然後把磁卡鑰匙插進

讀卡縫裡，只打開側燈，以免吵醒在我懷裡熟睡的孩子，然後他安靜地離開並把門帶上。我住進這間離倫敦聖猶達醫院只有幾分鐘路程的旅館。房裡家具不多又狹窄，但有張雙人床和一張給泰根睡的兒童床，還有一架電視，我們需要的都有了。

房間的門關上後，我走向兒童床，懷裡的泰根重得像鐵砧，我因為抱她抱太久，二頭肌、手肘與前臂都痠痛得要命。我們一搭上前往倫敦市中心的計程車後座，泰根就爬到我的腿上。她害怕我會變不見似的，雙手緊抱著我的身體，臉靠在我胸前睡覺。雖然她睡得很熟，深陷在夢境裡，但是在計程車開往倫敦的那六十分鐘車程裡，我還是抑制自己用力呼吸或改變姿勢，以免任何動作會吵醒她。當我抱著她笨手笨腳地扭動身體步下計程車，她沒有轉醒；當我和旅館接待員談話，填寫住宿表格時，她也沒有醒；當我們搭電梯進房間，她也一直都沒有醒來。她可能整個晚上都會睡得很熟。

我輕輕把她放到床上，但她的身體一離開我的皮膚，幾乎在同一時間眼睛就睜開了。我的心，跳得好像她突然從門後躍出撲向我，花了幾秒鐘的時間才緩和下來。

泰根躺在小床上，骯髒的金髮散開成扇狀，她的眼睛一直盯著我看，蒼白的橢圓型臉蛋滿布恐懼，她害怕極了。她完全清醒了，而且怕死了。

我也跟妳一樣害怕呀！我想。我也怕死了！我剛剛才意識到，一時衝動之下把她抱出來，會給我帶來什麼後果。我做了一件愚蠢的重大決定，我因為明白了自己做了什麼而目瞪口呆。

「怎麼了？」我小心翼翼地問她。我怕她可能會突然爆出哭聲，增添我的恐懼。我不知道該怎麼應付一個哭泣的小孩，我可能只會尖聲叫喊，要她「閉嘴！」以前那些年，每當我的姪兒或

外甥女，或是泰根，當小孩哭了時，我就把他們交還給該對他們負責的人，我得以全身而退。我心知肚明，自己沒有辦法撫慰他們，所以連試都不必試，直接把小傢伙交還給選擇要做父母的人，是他們自己選擇要跟淚水、鼻涕與發脾氣的小孩奮戰。

泰根凝視著我，臉上驚恐的表情連一剎那都沒有消失。

「妳想在大床上睡嗎？」我胡亂揣測，除了從她過去幾個月來稱之為家的地方被綁架來，和被一個她兩年沒見到的女人擄為人質之外，她還可能被什麼問題困擾著。

泰根點頭。

「好，可是我們先洗個澡，好嗎？」

她點頭。

「嗯，或許先吃點東西？」

她再點頭。「好，很好。」就這麼辦，這樣的安排還不錯。我可以按計畫執行，給她洗澡，給她吃東西，要她睡覺，差不多就是這樣。我站起來，泰根坐在小床上，她把膝蓋拉高到胸部，兩隻手抱著彎起的雙腿，看著我走過房間，走向上面放了電話和菜單的桌子。

我拿起薄薄的菜單卡，看看有什麼她可能喜歡吃。她顯然還不想跟我講話，所以我問她也沒什麼用。漢堡和薯條似乎是最簡單的選擇。

我接著做一些像在家裡做的瑣事，例如轉開電視，轉換頻道，尋找不可能汙染她幼小心靈的節目，並開更多盞燈。我翻找袋子裡的東西，找出她的藍格子花紋睡衣，和乾淨的白色內褲與白色內衣，把它們放在大床上，然後走進浴室。

那是個功能齊全的浴室，浴缸上的蓮蓬頭可能是世界上最小型的，可是乾淨又沒有黴菌，因為浴室裡沒有窗子，只有一個排風機安裝在角落，所以堪稱奇蹟。我把白色浴簾推開，然後坐在浴缸邊緣，把排水孔塞住，打開水龍頭，等到水半滿，我滴進一點泡澡精，攪動水，試著弄出一些泡泡。雖然不如預期般冒出許多泡泡來，但總比一個只有水、了無生氣的白色浴缸來得好。

我回去看泰根，跪到她面前。「我們可以脫掉妳的衣服嗎？」我輕柔地問。

她猶豫著，可能不確定該不該這麼做。然後決定順從，她展開原本彎曲的身體，溜下床，站到我面前，耐心又乖巧。我脫掉她的外套，接著輕輕把骯髒的粉紅色上衣自她頭頂脫掉。我必須阻止自己嚇得退縮。她瘦得像蘆葦，一定好幾個禮拜沒有好好進食了。她的手臂就像脆弱的小枝條，掛在瘦削的肩膀上。她的肋骨在肌膚下明顯突起，肚子則凹陷下去。

她不僅是瘦而已。她的肌膚……，淚水霎時湧進我的眼眶，我的下巴開始發抖。她的肌膚，她原本非常美麗的肌膚，有些因為骯髒而產生汙漬和斑點，也有瘀紫和疤痕。每一塊瘀紫看起來像是被人用手打、用拳頭捶或是被抓的痕跡。每一條疤痕都又直又長，好像是被人用皮帶鞭打。

我的心像被人狠狠揍了一拳那樣凹陷下去，痛苦的急促心跳聲充滿耳際。他們怎麼可以那樣？怎麼有人可以做那麼殘忍的事？我從來不知道這種事在悄悄上演。我的意思是，我知道有虐童案件的存在，我知道那很可怕，可是沒有親眼見過就好像不是真的。好比有人告訴你太陽很熱，你知道它很熱，當然也的確很熱，因為它是個火球。然而，相信是一回事，等到你把手探進去，才會真正明白有多熱。同樣的道理，我聽黛爾說過她被虐待的所有情事，也看過她的傷疤，可是我並不真的知道，並不真的相信，直到這一刻。我熱淚盈眶。

「停！」我命令自己。「不要讓她以為妳討厭她的身體，那不是她的錯。」

我眨回淚水，用鼻子深深吸氣。我不能在她面前崩潰。但真的太沒天理了！

我幫她脫衣服，每脫下一件她的衣服，我就再一次心痛不已，一再眨回泫然欲滴的淚水。她全身都是汙漬、瘀紫、傷痕。脫掉她的最後一件衣服，我用白色大毛巾把她包起來，領她走進浴室。我停步，蹲下去，把她擁入懷裡。「甜心，妳沒事了，」我告訴她。「我會照顧妳，好嗎？我會照顧妳。」我必須讓她知道她可以放心了，那種可怕的事不會再發生，她現在安全了。我擁抱她，想趕走她的痛苦，但她沒有反應。她僵直沉默地站在我懷裡，使得我把她小小的身子抱得更緊一點。

當我幫她洗澡時，我不斷想起上一次幫她洗澡時的情景。那一次她玩水，把我的上身弄得濕透了，因而必須向黛爾借一件運動衫。我會想起是因為，這次與上次如此不同：沒有嘻嘻笑地潑水，沒有咯咯笑地把泡泡撥弄成形，沒有企圖把我的衣服弄濕。她靜靜坐著，讓我清洗她瘀青的肌膚。我洗滌她的身體，希望她能給我一點點感覺，感覺她是和我在同一個小房間內，但她的目光固定在磁磚牆上的某一點，她沒有抗拒我拿毛巾幫她擦洗身體。

當我擦乾她金色的頭髮，落在她肩膀上的髮絲就像金色的波浪，她穿著藍色格子睡衣顯得很可愛。這麼個漂亮的小人兒，卻木然無聲。敲門聲使得我們兩個都嚇了一跳，我們對望一眼，再看向門口。擔心了幾秒鐘後，我想到可能是服務生送來我們的食物。

我的餓意在看到泰根的身體時嚇光了。當服務生把餐盤放到大桌上，泰根的眼睛亮得好似她已經很久很久沒看過真正的食物。

我拿漢堡、薯條和果汁給她，然後坐到她對面的大床上。她接過盤子和飲料紙盒後，有幾秒鐘的時間沒有動，然後她試探性地伸手去拿漢堡，放到唇邊。在開口咬漢堡之前，她仰頭看我，沉默地觀察是否可以。

我綻放出最燦爛的笑容對她點頭。「吃呀！沒關係。」我默默地說。她咬一小口漢堡，一邊咀嚼一邊望著我。在咬下一口之前，她又瞥我一眼。在她吃東西的時候，我臉上一直堆滿鼓勵的笑容。「妳不必全部吃完，」我說了好幾次。「如果吃不下，沒吃完沒關係。」

她想吃完。她清光盤子，喝光果汁，然後坐好，用畏懼的大眼睛凝視著我。泰根在看我的臉色行事，她不知道接下來該怎麼做。這是個完全迷惘的大人帶領完全迷惘的小孩的情況。我不知道接下來該怎麼做。不過，身為大人的我必須假裝知道在做什麼，不然我們得在這裡坐上一整晚，等待別人給我們指引，進入更確定的領域。

「妳累了嗎？」我試著問。

她點頭。很好，她遵守我的計畫：洗澡、吃飯、上床。

「好，過來躺下。」

她的嘴角往下拉，然後她的下巴開始發抖，眼中蓄滿淚水。喔，不，別哭！我可以應付任何事，除了哭泣。她臉上清楚地浮現疲憊，她的五官都顯得精疲力竭，她的動作因睡意甚濃而遲緩，那麼她為什麼還不急著躺下來睡覺？

「怎麼了，泰根？」我問。

「我自己睡會害怕。」她輕聲說，然後像是以為我會對她發脾氣而畏縮。

「妳要我陪妳躺下來嗎？」我溫柔地問。

她稍微放鬆肢體，可是依然小心謹慎地點頭。她顯然訝異我沒有開始對她叫囂。

「好，妳躺下來，我來脫掉我的鞋子。」

泰根安臥到毯子下，確定我躺下來面對她，她才閉上眼睛，然後睡著。就像那樣，很快就睡著。我等著，直到非常確定她睡得很熟了，才無聲地滑下床，坐到椅子上凝視窗外。

我在椅子上變換坐姿，拱起我的背試著拉拉筋，視而不見地對窗子眨眨眼。

我怎麼會讓自己陷入這個泥沼？那個叫做「領養」的東西可是很嚴肅的問題。

我離開黛爾的床邊時決定只是考慮而已，但其實我根本沒考慮，那不是我必須立刻考慮的問題，所以我先把它擱在腦中的某個角落存檔，預備以後再把那個檔案叫出來考慮，然而「以後」來得比我以為的快得太多太多。

不到二十四個小時前，我最傷腦筋的煩惱是：穿金色亮片衣服時，哪一件胸罩會使乳溝顯得最誘人？我的金色亮片洋裝呀！那已經是個遙遠的記憶了。那個人真的是我嗎？那個預備在乳溝灑上金粉的人是真正的我嗎？如果那個人是我，那我怎麼可能是坐在旅館的扶手椅裡的同一個，正在考慮要領養小孩的人？

我和小孩。

凱梅玲和小孩。

我怎麼也沒想到會發生這種事。

小孩從來不在我的命運水晶球裡，也不在我該做的事情的清單上。我生命中有很多小孩：我兩個兄弟和一個妹妹的孩子總共八個。我深愛他們每一個小朋友，但他們不足以令我想參與他們的生活。我喜歡小孩是有時間限制的，要我跟他們在一起超過二十四個小時的話，對我而言是過分的要求。

你必須準備為小孩放棄許多事。**所有的一切**。時間、空間、情愛。我沒有那麼利他主義，我不會為了看起來「正常」，而假裝願意犧牲奉獻。

當我比較年輕時，大多數人以為我對小孩沒興趣，是因為我還沒遇到心儀的對象。他們推測，等我遇到我的真命天子，就會像被施了魔法般，覺得有養育子女的必要。我和奈德開始論及婚姻時，包括黛爾在內的每一個人都以為我會改變主意。他們吹噓那個叫做「母性的自覺」的東西，會使得我開始對嬰兒車裡的小孩溫言軟語，或對店裡的小娃娃裝著迷，並開始計畫我們的公寓裡哪個房間要改裝成嬰兒房。因為奈德，我未來的老公，應該會鼓勵我，讓我的卵子受精。

人們常問我，我跟奈德何時要生小孩，我回答：「嗯，永遠不會。」他們的反應從不例外，都是先顯得驚訝，然後同情，再來我會得到一個變調的問題：「奈德不想要小孩，妳確定要嫁給他嗎？」我開始懷疑，別人可曾把我當成有自主權的人看待，而不只是把我當成製造嬰兒的機器。我通常告知那些人：「我和奈德不會有小孩。那是我們兩個都同意的基本共識。你知道的，不投票給保守黨，不買『綠洲樂團』的ＣＤ，和不要小孩。」

不要小孩。

我把咖啡杯放在扶手椅旁的地上，直起身子。我爬上床，小心翼翼地不重壓床墊。我躺著面對泰根，審視著她，從她臉上看出奈德的輪廓。我想起當我和奈德在一起的那些年裡，不知有多少次像這樣打量著奈德，我因此不由得泛起笑容：半夜躺在床上看著他睡覺，阻止自己想用手指在他鼻子上遊走的衝動，或親吻他的眼皮，或在他耳邊低語「我愛你」。在奈德面前，我幾乎無法隱藏我對他的感情，尤其當他在睡覺，不可能看見我流露出深愛他的表情的弱點時。

我的父母在我取消婚禮時，比其他人都難過。

他們無法置信婚禮就在即將舉行的前兩個月突然取消。我對婚禮沒有夢幻的綺想，那是**他們的**大日子。他們等了半輩子就在等那一天。當我告訴他們，我和奈德要結婚了，我以為他們會撲倒在奈德的跟前膜拜他。終於有人願意從他們手裡接過令他們苦惱的大女兒。我必須做的唯一一件事只是，在聖壇前說出「我願意」之前別毀了它，然後他們就能輕鬆地回家。我將成為別人的責任。

在我發現奈德和黛爾的事情兩天後，我從里茲的一家飯店打電話給他們，簡單地說：「我和奈德分手了，婚禮取消了，我要搬去里茲。」他們得知消息，無奈沒辦法經由電話掐死我。

對他們而言，取消婚禮是典型的，凱梅玲會做的事情之一。我似乎永遠沒辦法把事情做好，連為他們做這一件正常的事情也辦不到。我老是穿得太邋遢，我從來都不漂亮，我永遠不會有男朋友。我從來不能與人和樂融融。現在這件可以證明我是正常人的事情，也被我搞砸了。我的手

足，一個比我大和兩個比我小的，都辦到了，都結婚了，都安頓下來了，都生育後代了，我為什麼不行？我到底有什麼毛病？

我爸媽通知他們所有的朋友，我終於要結婚了。有的親戚預備從國外飛回來參加婚禮。爸媽盡力做他們分內該做的事幫我準備。我媽媽為了當岳母尋找最完美的服飾，而我卻讓她白忙一場。所有為了籌劃婚禮所付出的努力全化為泡影。雖然他們從來沒有真的說什麼，但我知道他們是怎麼想的：凱梅玲，妳做錯了什麼？

我的手足和我的朋友們比較能體諒。他們大部分都說，如果覺得不對勁，那就別勉強。可是我知道，他們都想知道我們分手的真正原因。是他偷腥嗎？還是我偷情？他打我嗎？我恐慌嗎？他是不是在最後一分鐘發現我的醜事？大家都支持我，可是我知道我永遠不會坦白對他們說明。我永遠不會對其他人說：「我的未婚夫和我最要好的朋友生了個孩子。」

那就是黛爾和奈德做的事。他們發生關係，我不只是心靈受到傷害，我被羞辱、顏面盡失，而且永遠被孤立。當你不能坦然對別人說明某件他們在意的事，你就永遠無法放鬆地面對他們，你和他們之間就會有隔閡。因此我無法再待在倫敦，無法再混在朋友之間和那個生活圈。即使我想，每天都心有芥蒂地隱藏那件事也太難了。

泰根蠕動了一下，我屏住呼吸以防她醒來。她沉睡中的小臉上表情變化多端，然後回復沉靜的睡容。

黛爾知道她要求我領養泰根是一件多麼重大的事。她知道我看泰根的眼光不可能和以前一樣了。我一向都會送給她聖誕禮物和生日禮物，我如果出國會寄明信片給她，我會給她買小禮物寄到倫敦去，所有這些都是由遠端遙寄，我和她做那些小接觸時，不必看到她。看到她會使我想起，兩個我最喜歡的人做了什麼；會使我回想起揭穿此事那天我有多痛苦，那天之後的每一天我仍然活在痛苦中。

我輕柔地把泰根臉上的一小綹亂髮拂開。

我能這麼做嗎？我能夠領養本來過兩個月就要結婚的男人的孩子嗎？她在睡夢中看起來長得和他好像，醒著時也有些他的影子。她可能長成她自己的模樣，也可能每天變得更像她爸爸。我能夠忍受那樣嗎？每一天，日復一日，在我的餘生都凝視著小號的奈德，提醒我，我的死黨和我的未婚夫發生過關係。

想這些都無濟於事，不是嗎？現在已經無法回頭了，我已經帶泰根離開她外公在吉爾福德的家。我必須那麼做，她不能在那裡多待一秒鐘。我明知後果會如何，但還是帶走她，那意味著我不只同意要領養她，我是出自肺腑地叫嚷出我的意願。

第七章

我和凱梅玲在比較年輕的時候，和男人有過一些沒有愛情或甚至沒有真正感覺的性關係。身為女人，那當然並不是光彩的事，但我們有我們的理由。

我的理由是：厭煩。我，阿黛爾・布萊儂，厭了。厭倦認識另一個新的男人，希望他就是真命天子，等待我們之間會開出愛情的花朵，然後發現他不是，而愛情甚至沒打算惠予我們短暫的夢幻。所以我決定在尋找愛情的路上，選擇看似比較吸引人的滿足慾求的路線。如果我等到找尋到真愛才享受性愛，那我可能永遠都晾在那裡。我相信愛情的存在，所以當我的人生在等待愛情時，我專心和倫敦最帥的男人享受最棒的性愛，你知道的，只是為了排遣寂寞。

凱梅玲則是不相信愛情的人。她經歷過和各種不同的男人發生關係後，決定稍微收斂。年復一年被人家說醜和胖，造成她一度以濫交來建立自信。她非常小心不談及我們認識之前那些年的事。她常說：「那些都過去了，沒什麼好說的。」可是有時候當她沒提防時，會不經意地洩漏以前別人那樣侮辱她時，她的心靈創傷有多深。她高中時期尤其嚴重，在學校的每一天，她不時被同學嘲笑。在家裡，她會接到沉默的電話和辱罵的紙條。我認識她時，她已經是個漂亮的女人，隨著她越趨成熟，越顯得漂亮，到她現在的模樣，從漂亮到非常漂亮。她擁有深色的大眼睛，長睫毛和令人驚豔的微笑。可悲的是，她從來都沒看到自己的美，不相信她已經從醜小鴨蛻變成天鵝。

我記得她不止一次承認，不管她減輕多少體重，多少次她被稱讚美麗，當她看著鏡子，她看

到的還是一個既胖又醜的自己。「就像有幾秒鐘我看到鏡子裡的美人，然後薄霧消失了，我看到原本的那個怪物。我非常震驚，我突然大哭起來。」然後她試著向我保證，她說得太誇張了。可是我知道她沒有誇大其詞。經年累月聽到同樣惡意的批評，已經對她造成根深蒂固的影響，令我為她一掬同情之淚。她沒有做錯什麼，不該那樣被人欺負。她的心一再一再地刻上那些不堪的傷痕，使得她對自己的外表毫無自信。她會養成對別人懷著戒心，不知道她能相信誰的習性，我一點都不驚訝。因此不管你告訴她多少次，她都不相信她已變成美人。

最糟糕的部分是，她越漂亮，就會吸引越多男人，但他們卻以羞辱一個美麗女子的方式，來使他們自己感覺像真正的男人。

他們看起來像很好的男人，連我也被他們騙了的好男人，那最傷人。他們一開始時非常討人喜歡，待她很好，然後他們會腐蝕她的自信，貶低她的容貌，試著澆熄她的火花。在她忠貞地和一個對她語多諂媚的傢伙約會了六個月之後，換來的是他建議她減肥，要她把十四號骨架的身材，瘦身到穿進十號的衣服，他才好帶她去參加他工作上的應酬。凱梅玲改變了。那是最後一個令她覺得自己毫無價值的男人，最後一個膽敢表現得好像他肯賞光瞧她一眼，她就應該感激涕零的男人。在那個傢伙之後，凱拒絕再對男人顯示出她的柔軟面。她不必對我說明那種情形宛如回到她的學生時代。她在校時和青春期，人們叫她：男人玲、醜妹或邁克•泰森（前世界重量級拳擊冠軍）。那些綽號給她留下的是，永遠不可能完全癒合的創傷。她總是遇人不淑。她大學時代和畢業後約會過的所有男人，似乎都證明了，以前貶低她的同學們的認知正確。他們讓她相信，她基本上有些缺陷，因此愛神才會忽略她。她只能利用男人來滿足性慾，千萬別讓他們太接近她

的心，以免她又受到傷害。

大約八年前，那些全改變了。我們兩個一起去俱樂部，和平常一樣引人注目。她曲線玲瓏，肌膚深黝，一頭羽毛剪的黑髮；我苗條有致、肌膚白皙，一頭濃密的金髮。我穿著閃亮的黑長褲，牛仔布緊身上衣，和牛仔布高跟鞋。凱穿著黑絲絨夾克，深藍色牛仔褲和白色短背心。我強迫她穿我的一雙黑色仿麂皮高跟鞋，以完成整體造型。

那是一家新的俱樂部，可是似乎充斥著同樣討厭的老面孔的男人。我必須喝酒來補償缺少勾引男人的天賦，而凱用她的毒舌和譏諷的表情，迅速打發接近她的每一個男人。一個男人，可能是全俱樂部裡最性感的，靠近得差一點就可以親吻到她，但她在最後一秒鐘轉身背向他走開。我們接著就離開那裡。

我們兩個人之間，我是喝得較醉的那個，因此在搭計程車回我們位於北倫敦的公寓的路上，她允許我把頭靠在她的大腿上睡覺，她必須保持清醒把我們送回家。

「我要跟奈德來真的了。」凱說。

「我以為妳已經跟他上床了。」我回答，沒有張開眼睛。

「我是跟他上床了。」她說。「我的意思是，我要正式跟他交往，跟他約會。」

「所以妳才沒跟剛才那個帥哥親吻嗎？」我問，她激起我的興趣，可是還不足以迫使我張開眼睛。

「是的，」她含糊的咕噥。「我……，我想我可能喜歡他。」我張開眼睛，坐得筆直，可是在我能看進她的眼睛之前，她已轉頭凝視窗外。幾個月前她在一個派對裡認識奈德，為了某些原

因她給他真正的電話號碼。從那一天起她就對他虛與委蛇。他打電話來，她會看來電顯示篩選電話，過幾天才給他回電。如果她接了他的電話，她會表現得很冷靜，對他們何時要再見面含糊以對。最令人震驚的是，她居然在他們的第一次正式約會，於北倫敦喝過下午茶後，就和他上床。因為她以為跟他上床後，她就能擺脫他。奈德可沒那麼好打發。他堅持纏著她，拆卸她的防禦工事。直到現在我才瞭解他做得多成功。

「什麼？」我問。

「我想我可能喜歡他。」她重複說，故意望著窗外。

完了！她那句話相當於「我愛上他了。」當凱梅玲能硬起心腸時，對男人她會拋開所有模稜兩可的感覺，乾脆地下決定。她知道她要跟哪個男人上床，跟哪些男人只做朋友，哪些男人她會跟他們約會但絕不上床。她居然承認她不確定她對某個男人的感覺，那等於在說他很特別。

「真的嗎？」我問她。

她點頭，可是不看著我。

「等我們到家叫我起來。」她說。她尷尬又脆弱，暴露了好多年不見的那一部分的自己：她不確定她對某個男人的感覺耶！凱閉上眼睛，頭靠著車窗，很快就睡著。

計程車在幽暗的倫敦街道上奔馳，我注視著她的睡相。我還在震驚中。哇！凱落入情網了。我突然覺得很不舒服。萬一他是個混蛋呢？萬一他一旦騙到她的心就對她沒興趣了呢？那種事曾經發生過，要是再次發生呢？凱會永遠也恢復不了。我必須做什麼。我醉得很厲害，累得要命，卻也有點亢奮。現在顯然是下決定保護凱的心的完美時機。那個決定使我小小聲的叫計程車司機

朝另一個地址開去。

在敲了三次又按了三下電鈴後，塔夫內爾公園區內的一棟房子，位於八階石梯上的大門有人應門了。我載凱來過這裡幾次，所以我知道就是這間房子沒錯。我要求計程車司機等一分鐘，說我要進去拿東西。

「阿黛爾？」奈德在開門時說。他穿著牛仔褲和運動衫，雖然是半夜三點，他看起來不像已經入睡。奈德是個英俊的男人。他雖然不如今天與凱在俱樂部裡共舞的男人那麼性感，可是他有他自己的味道。五官立體，一頭棕黑色的頭髮亂得頗富魅力，深藍色的大眼睛深邃動人。「凱梅玲還好吧？出了什麼事？」

「她在計程車裡，我必須來這裡。我告訴你……，」我戳他的胸膛。「如果你傷害我的朋友，我會殺了你。你要對她好，不然我會殺了你。我是說真的。」為了保證我所言不虛，我再戳他的胸部。「我會真的，真的，把你幹掉。」

他沒說什麼，即使我已經醉醺醺了，我還是看得出來他不相信我的話。

「我是認真的。」我再次向他保證。就在這個時候我左腳的鞋子滑下階梯……，那是我一生中最長的一微秒，眼看著我就要滑落台階，奈德強壯的手抓著我的前臂，把我拖進屋裡。我的雙腿變成橡皮，所以事實上他是把我搬進門廳。他從另一側抓起他的皮夾。「在這裡等。」他命令完後消失到外面去。幾分鐘後他回來，跟隨著一個很礙眼的凱梅玲。我由站在門廳逐漸變得躺到

地板的中央。在奈德出去時，我的腿支撐不住我的身體。

凱梅玲昂首闊步地走進來，把她自己丟進一張扶手椅裡，坐著瞪我。

「很高興見到妳們兩位。」奈德愉快地說，他的聲音聽起來甚至像出自真心。他顯然是個好脾氣的男人。如果有人在下半夜到我家，對我語出威脅，我一定不會愉快。

「妳欠奈森尼爾計程車費。」凱梅玲說。她的雙臂緊緊在胸前交叉。

「我必須告訴奈德他要好好的對待妳。」我向凱解釋。「不然我會把他幹掉。」

「妳傳達那個訊息了。」奈德保證。「謝謝妳，知道你如果冒犯他們或他們的親朋好友的話，有人會謀殺你，總是件好事。」

「你應該看看今天晚上有多少男人想釣性感的凱梅玲。」我對奈德說。「俱樂部裡所有的男人都追求她。你知道的，你不是她唯一的選擇。有個大帥哥把手放到她的屁股上。」

奈德的目光變冷，他花崗岩般冷硬的目光固定在凱梅玲身上牢盯著她，臉上寫滿嫉妒。唉唷，這會兒他可不像好脾氣的樣子。

「別緊張，她什麼都沒做，」我急忙說。「那個傢伙想吻她，和做別的事情，可是她說：『別這樣，我已經有男朋友了。』」

「黛爾……。」凱出聲威脅我。

奈德轉向我。「她那麼說？」

「喔，是的。她說：『我有個新男朋友，他叫奈德，他好性感，我真的愛他。』」我指向他。「她愛你，她愛你。」

「黛爾！閉嘴！」凱憤怒地叫。

「她愛你，她愛你。」

凱從她的椅子裡跳起來，向前邁步，不過她穿著不是很合腳的我的高跟鞋，令她腳步不穩地面朝下跌倒。

「奈德，你看，她拜倒在你的牛仔褲下！」我尖叫。

奈德沉默地微笑。凱毅然挺起上身，用雙手和膝蓋往前爬向我。

「她覺得你很可愛，」我在她逮到我之前叫道。「她說你既風趣又性感。而且你有根最大的……，」凱的手摀住我的嘴巴，可是我繼續說：「沒見郭……那麼大德！」

「閉嘴！」凱狂叫，然後她壓到我身上，生氣地狠狠搔我的肋骨，害我笑得受不了。我一邊抵抗她搔我的癢，一邊大聲求饒。過一下子，奈德過來，把凱從我身上拉開。

「夠了！」他裁決，抓住我生氣的好友。「凱，我知道那些全部都是黛爾胡謅的。我知道，妳說我的任何好話都是不合法的。還有，黛爾，謝謝妳試過了，可是我很清楚凱對我的感覺如何，所以妳不必為了要讓我高興一點而那麼說。再說，妳也不必為了我，而惹毛和妳共享一間公寓的人。」

我閉緊了嘴，做一個在嘴巴拉上拉鍊的姿勢，然後雙手覆蓋到我的嘴巴上。凱停止在奈德的懷裡掙扎，凝視著他。我想他說的話令她震驚，事實上他知道她永遠不會說他的好話，即使她喜歡他，迷戀他。他深情地對她微笑，可是她的反應是轉開眼睛。

「來吧，該睡覺了。」他說。

「不要！」我尖叫。「我們不能三個人擠一張床！」

「我沒那個意思，妳可以睡我的一個室友的床。他們都出去了。來吧。」

他們一人拉我的一隻手，把我舉起來，然後扶我上樓，因為我的腿還是像橡皮。我被放到某個房間的雙人床上，它聞起來有男孩的味道，不過很整潔。我翻身，踢掉鞋子，然後舒服地窩進柔軟的羽絨被下。

「黛爾，妳在這裡可以嗎？」奈德問。

「可以，我很好。床很好。我會睡覺。不會發神經了。」

「好。妳如果需要什麼，我和凱就在隔壁我的房間裡。」奈德說。

「事實上，我想待在這裡。」凱說。她的每個字都罩上一層冰霜。任何人聽到了會以為他是建議她剃頭，而不是去跟她心愛的男人睡覺。

奈德顯然聽到過她的這種說法，他說：「好，可以。就像我說的，如果妳需要什麼，我在隔壁房間。明天早上見。」

他在他身後關上門後，凱坐到我旁邊，然後躺下，背對著我。

「不要再裝得這麼冷若冰霜。」我呢喃。

「閉嘴，睡覺。」

「妳對奈德好一點我就閉嘴。他很可愛。他愛妳。」

「妳根本不知道。」

「他愛妳。我愛妳。妳不必再裝了。」

在她回答之前我就睡著了。我再次有知覺是被子被掀開來，有人在搖我。「起床了，妳這個睡懶覺的女人，已經是早上了，我們該走了。」凱梅玲邊說邊一直搖我。

「不要，我還要睡。」我回答，試著想甩開她。

「不能不要。我們要走了。」她拉我下床。我慢慢坐起來，每動一下就令我頭痛。我想喝水，想睡覺，可是如果凱要走了，那麼我們就得走。當我看到我的鞋子時感到十分恐怖。只不過經過一個晚上，它已經完全改觀，從我花了一個月薪水買的性感流行款式，變成扭曲的牛仔布。

「是呀，」凱看著她腳上的鞋說：「早上穿著這種鞋像是妓女。」

我們搖搖晃晃走在明亮的街道上，身體縮在薄外套裡，怎麼看都像一對工作了一整晚的妓女。每走一步都非常痛苦，我經常穿高跟鞋，凱梅玲也是，那些經常穿休閒鞋的人，一定是經歷過像這種如入煉獄之苦。我往旁邊長長地一瞥注視她，預期她會很生氣又痛苦。她的頭髮蓬鬆，看起來很累，雙眼因缺少睡眠而充血，可是她並沒有發怒。事實上，她嘴角噙著滿足的微笑。那只意味著一件事。

「妳給他甜頭了嗎？」我問她。

「喔，是的。」她沾沾自喜地以嘲笑的口吻說：「他一個禮拜都不能好好走路了。」

我躺在醫院裡的時候，有很多時間重播我這一生的片段。那天晚上的劇情經常放了一段時間後再拿出來播放。尤其是她說：「我想我可能喜歡他。」那一段。那是她第一次告訴我她愛他，

直到幾個月後她才對奈德告白。我深感榮幸她先告訴我她戀愛了，那表示她多麼重視我。我還在痛恨自己毀了他們的愛情。

第八章

被騙了。被誆了。被愚弄了。不管怎麼說，我就是被耍了。我不知道，我也沒想到會有那種可能，直到今天早上我和泰根去醫院才發現。我打開黛爾病房的門，泰根跑進去，爬到病床上，黛爾對我微笑的表情好像在說，她早就知道我會答應。她早就知道我會接收她的孩子。上當了。

黛爾顯然一直都知道答案會是肯定的，因為她這個厚臉皮的女人已經準備好了法律文件，上面寫著要我做泰根的法定監護人。她也已寄出相關的文件，讓我開始進行領養泰根的法律程序。這些文件存放在她床邊的木製置物櫃裡，等我簽上我的名字。當泰根嘰嘰咕咕地跟她媽咪講話，親吻她的臉頰，黛爾指示我拿文件。我打開櫃子，發現她相當體貼，連筆都放在那裡了。

「妳不如現在就簽名。」她微笑著說。

「嗯，我可能現在就簽名。」我回答。我閉口不談我去吉爾福德發現了什麼。也沒有說一句

接下來我計畫怎麼做。回想起來，我甚至沒跟她打招呼。

我匆匆閱讀文件，知道黛爾不可能迫使我做，比她現在要我做的更可怕的事。我並不想簽下「凱梅玲·馬提卡」，我必須抗拒在那一張張文件上簽下「世界級大傻瓜」的衝動。

即使是現在，坐在走廊上，手裡握著從飲料販賣機跑出來的塑膠茶杯，我心裡還有點翻騰。只有一點點。好吧，不只一點點。我害怕。困惑。主要的情緒是生氣。這個決定刺著我，我感覺……，我的感覺是什麼？我大半夜的時間情緒起伏不已，時而如騎馬奔馳，時而慢跑，時而走路，時而跛行，時而爬行，然後我終於停在一個叫做「接受」的地方。那種感覺很像「屈服」。我好似被追緝，直到我掉入陷阱，在這樣的情況下被擄為人質：我不能帶泰根回吉爾福德，我不能讓她受虐長大。我沒有別的選擇，沒有別的出路。

所以不管我心裡多矛盾多掙扎，我還是必須這麼做。畢竟，她是我的小泰根。她剛生下來幾分鐘我就抱過她了。我幫她取名字。我目睹她踏出她的第一步。有一年黛爾問泰根要不要去看聖誕老人，當泰根指著我說：「姨帶我去。」我差點哭出來。我必須這麼做。我怎能不要她？她是泰根。我怎麼可能不想接收她？

*其實很簡單。一個想法在我阻止它之前跳進我腦中。妳是個壞人，一個很壞，很壞的人。*我責罵自己。

我們到了醫院後，泰根整個人都變了。她似乎沒注意到她媽媽身上的管子和周圍的機器，興奮得幾乎跳上床去。她伸出雙臂擁抱她媽媽的脖子，在媽媽的臉頰上落下許多親吻。從在吉爾福德見到我之後，她很少跟我講話，這會兒的她像個發條鬆了幾個禮拜後終於轉緊的玩具，用超快

的速度講話，不時停頓下來親她媽媽的臉頰。

我溜出病房讓她們獨處。我忘了她們的感情有多好。她們是一對最親密的母女檔，須臾都不捨得分離。離開對方她們就不完整。以後當泰根找不到媽媽時，她該如何自處？

我在塑膠杯的邊緣，弄出另一個大裂口。

要是黛爾好轉呢？

*要是她康復呢？或病情緩解？*我抓住這個想法，緊抓著它不放，當它是我在絕望的大海上的救生圈，並自憐我正在溺水。黛爾會活下來。

哪裡寫到這種病非死不可？她試過所有的可能了嗎？我的意思是，各種可能她都試過了嗎？每一種有希望的治療法？她看起來好一點了，我確信那絕不是我的想像。她的臉色好一點了，不再那麼灰暗斑駁又疲憊的樣子。那可能是泰根的影響。有她在身邊顯然使得黛爾感覺好了一百萬倍，所以我們可以預期她會好轉。她和泰根會花很多時間在一起。她會漸漸有起色，會活下去。

大約半個小時後，護士南西帶泰根去福利社，好讓我和黛爾能私下談話。

「妳還可能好起來。」門剛在南西和泰根身後關上，我立即脫口而出。我還沒能掌握到，別在病人面前談病情的老練。「我的意思是，妳會好起來。」

黛爾輕輕搖頭。「不可能。」

「妳怎麼知道？」我說。

「我知道。」

「黛爾，妳不能放棄希望。妳還可以擊敗病魔。我知道妳可以的。妳是我所認識的人裡面最

堅強的。看看妳過去克服了多少困難，妳這次當然也能……。」

「凱，來不及了。」黛爾打斷我的話。

我不要被她嚇住，繼續說服她。

「妳必須努力奮戰。妳可以打敗這種病。」我說。「現在有很多新的療法，替代療法。妳有沒有試過針灸，或……。」

「凱，」她用堅定的聲音阻止我的喋喋不休。「我已經接受事實了，妳也要接受。」

「可是妳必須努力對抗病魔呀。」我低語。

「我一直在對抗。所以我還在這裡。」

「我不敢相信妳會這麼輕易放棄。」

「凱，妳不瞭解……。」她的尾音淡掉，深深吸氣。「我想活下來。天啊，我真的很想活下來。我要看我的女兒長大。我要跟她的叛逆青春期對抗，我曾準備那麼做，我要在她的房間裡搜出菸來，要為此跟她大吵一架。我要送她上大學跟她揮別。我要在她的婚禮上把她嫁出去。我自己有一天要結婚，因為，妳知道的，我還是相信愛情。我要有時間解決我們的問題。我以為有很多很多時間。現在我知道沒有時間了，我必須接受這個事實。我必須……。」黛爾頓住話，深吸一口氣。「我要活下來。可是我沒辦法活下去了。我必須接受，否則我會嚇呆的。我必須趕快行動。我必須盡可能為泰根做一些計畫，盡我所能去做，以確保改善她的命運。拜託妳扶養她，是個開始。」

我用力把淚水吸回去，但還是決堤，淚珠滾得我滿面都是。我用手掌抹抹眼睛，然後濕的手

掌在牛仔褲上擦擦。

「我寫了一堆信給她，」黛爾說。「共有二十張生日卡片。二十張聖誕卡。我都寫好了。很難相信即使是為未來寫的，我也有那麼多話要說。那些信是為了她的十八歲或二十歲生日而寫。或當她在決定是否上大學時給她參考。有些只是談到我們曾經聊過什麼。妳會發現她多愛聊天。妳還記得她很能聊嗎？妳會體會到的。」

在她說話的時候，我咬著下唇，低著頭。幾年內她就不在人世了。在二十年內、五年內，甚至一年內。知道你愛的某個人看不到未來，那是很可怕的想法。看不到我們英國是否會再有個女首相，希望下次是個不會令人失望的女人。黛爾不知道她的頭髮會變得多麼灰白，她的臉上會被多少皺紋侵襲，她的皮膚會變得多麼鬆弛。她無法見到她女兒長成什麼樣的人。那些其實都只是卑微的期待。我的胸部在收縮，新淚滴溜出眼睛，流下我的臉。

我二十年內可能不在了，甚至五年內，或一年內，可是我不知道我什麼時候會告別這個世界。我沒有會蓋過所有聲音的計時器在響亮地倒數計時。黛爾就快死了。

「我不想拍錄影帶。我不要她將來想到的我，都是這副病容。我要她記得的我，是照片裡的健康女人，而不是看起來這麼老，這麼憔悴，這一副枯槁模樣。所以，我寫的那些信應該會對她有幫助。我希望。我希望。」黛爾的眼睛紅了，就像昨天她想哭的時候一樣。對一個聲稱她已經能接受事實的人來說，她似乎還常常想哭。

「妳要愛她。答應我。當她很壞的時候，或當她說了很可怕的話的時候，妳還是要愛她。答應我。請妳答應我。」

我粗魯地抹淚。她以為我是誰？她以為我是什麼樣的人？我當然愛泰根，我要是不愛她的話，根本就不會考慮領養她。「黛爾，我那段時間不願跟妳講話，並不代表我就不再關心妳們兩個了。」

「我怕她得不到沒有條件的愛。每個媽媽都希望她女兒能得到許多愛。讓她知道，不論如何有人永遠愛她。答應我妳會給她無條件的愛。」

我點頭。「我會永遠愛她。妳以為我為什麼會送她禮物？妳看……。」我急著在我的大皮包裡翻找小錢包，找出紅色皮面的錢包，打開來給她看。

當她在看我的錢包時，我注意到她手上的皮膚像紙那麼薄，皮膚下的血管是藍色和綠色的，像電纜線路一路通到她手指的插頭。上面布滿了插過點滴針頭的痕跡。我轉開眼睛，她的手讓我好難過。

黛爾打開我的錢包，看到一張泰根的照片。那是我在她三歲生日時拍的，就在我離開倫敦的前幾個禮拜。我把她的頭髮中分，綁成兩條辮子，她穿著一件白色的上衣和粉紅色的圍兜兜，對著照相機笑得很開心，下巴往前抬，眼睛笑瞇了。

「妳一直帶著這張照片？」黛爾輕聲問。「即使在……。」

「是的。」我打斷她的話。我搬去里茲的時候把那張照片放進錢包裡，心想我再也見不到泰根了。那是我僅有的一張她的照片，那時的她還無法立即看出她爸爸是誰。

我要，應該說，我需要一個讓我回想她的紀念品，因為在這整個事件中，在我所有的傷害、憤怒、震驚中，有一個非常清楚的事實。那個事實在我心裡永遠不會模糊：不是她的錯。泰根不

該為我的未婚夫和我最好的朋友把事情搞成這樣負責。「妳知道的，我一直都很喜歡泰根。妳自己昨天也說過。我不會因為那樣就停止愛她。」

黛爾的身體放鬆下來，像是解決了她的心頭大患。「妳還要答應我一件事。」黛爾說。她的眼睛還凝視著我皮夾塑膠套下的照片。

「什麼事？」

我感覺她的眼睛緊盯著我，直到我抬眼和她對望。「妳領養她後，妳會把她的姓改成妳的姓，是嗎？」

「可能。老實說我還沒有想到那麼多。我在二十四小時內做了這個決定，所以我需要多一點時間去推敲細節。」

「可是妳一旦辦完領養手續，會把她的姓改成妳的姓，不是嗎？」黛爾再問。

「大概吧，」我聳一下肩膀說：「可能。」

「好。那麼妳必須讓她叫妳媽咪，如果她想那麼做的話。」

「妳說什麼？」我像受了打擊般的，在椅子裡往後縮。「等等，黛爾，那……。不。不。我不能。」

「為什麼不能？」

「因為我不能。」

「妳不是她阿姨，可是妳讓她叫妳阿姨。」

「那完全不同！妳知道那完全不同。」

「我要她感覺好像有另一個媽媽，有個會陪著她，幫她做所有媽咪會做的事情的媽媽。」

「她會有的。可是要她叫我媽，那樣不對。那不……，那不自然！」

「那是妳最大的爭議點嗎？」黛爾揚高她本來有左眉的地方嘲弄我。

是的，真有點不好意思。我想說的是，你不能那麼容易就取代一個人，連嘗試想那麼做都不對。泰根認識她媽媽，她會記得她。要求泰根把我當成一個新的媽咪版本，要她同樣叫我媽咪，她會怎麼想？泰根可能愛我，可是她絕不會愛我像她愛她媽媽那麼多。要她去嘗試那麼做是錯的，那會撕裂她，令她困惑。我不要擔起把她的小心靈搞得混亂不清的責任。

「妳知道我想說的話不只是那些。」我回答。

「凱，妳以為領養是什麼意思？它會使得妳變成她媽媽，妳要扮演領養人的角色。妳要從我中斷的地方接手。我要她當妳是她媽媽。我要妳當她是妳女兒。」

「我會的。」

「妳如果不讓她叫妳媽媽就不會。」黛爾突然停止講話，她虛弱的身體和用頭巾包著的頭倚靠在白色的枕頭上。我注意看她深吸了幾口氣，每次吸氣她的皮膚好像變得更蒼白。她的眼睛閉上，又吸了幾次氣。「如果有人常常說妳漂亮，多說幾次，妳就會相信。」她的聲音像衛生紙那麼薄那麼脆弱，稍微一扯就會破掉。她慢慢睜開眼睛。「如果有人……，如果他們經常告訴你某件事，多說幾次，你就會相信。那是自我實現的預言能力。我要那發生在妳和泰根身上，如果她叫妳媽咪，多叫幾次，妳就會相信。她會成為妳的一部分，那妳就永遠……，永遠不想放手。她就永遠是你女兒。」

「她會是的。妳知道那則格言嗎？『玫瑰即使不叫玫瑰，聞起來依然芳香。』她還是可以叫我阿姨，我也會像是她媽媽。可是，我永遠不可能是她媽媽，因為她已經有妳這個媽媽了。可是我會是她第二個最親密的人。我會是聞起來依然芳香的玫瑰。」

「拜託妳，考慮看看。」

「好。我會考慮。只是考慮而已。我不保證會答應。」

我們沉默了一下。

她打破沉默說：「凱，關於奈德……。」

「黛爾，請妳別說。」我打斷她的話。「應付目前的情況已經令我很傷腦筋了，我無法同時談那件事。我們改天再談那件事，好嗎？」

「改天，」她感慨道：「時間是永恆的、無窮盡的。說來好笑，我們卻沒有那麼多時間。」

「妳可以那麼說，不過本來就沒有人真的能證明時間是無窮盡的。」

黛爾微笑。「妳還是一樣很討人厭。」

「我盡力維持本色。」我回她微笑。然後我嘮叨我剛才在走廊上等的時候想些什麼。「妳說妳還有幾個月……，我打算請幾個月的假。如果醫生同意的話，我找個房子租下來給我們三個人住，妳可以回家。我會學會如何照顧妳，妳可以居家照護。妳知道的，直到……直到……。」我說不出口。我想到那個字，考慮它的意思，可是我說不出來。無法說出。「我要陪著妳到……。」我哽咽。「我要陪著妳。」

「妳願意那麼做？」

我點頭，我的臉因激動而扭曲。我知道我在提議什麼。我說不出那個字，可是我提議要看著她走到那一步。我必須看著我最好的朋友離開這個星球。連想到要照顧小孩我都會猶豫了，我真的能陪著我愛的某個人，看著她的生命退潮嗎？我必須。我當然必須這麼做。她沒有別人了。如果角色互換，她也會為我這麼做。「黛爾，我當然願意。」

她向我伸出手，我握住。她的手摸起來涼涼的，皮膚乾乾的像是紙。我想我如果握得太緊，可能把她的手捏碎。我們的眼睛交會了一下，我覺得好像又回到大學的酒吧，回到我開始迷上她的地方。她什麼都好，她所有的內在美發散出來吸引著我。

「算妳運氣好。」我給她一個開玩笑的曖昧微笑。「妳應該知道我不可能會為別人那麼做，不是嗎？」

「我深感榮幸。」她輕笑著回答，她的手指頭勾著我的。「真的，我很榮幸。」

「不，感到榮幸的人是我。」

第九章

我來倫敦一個禮拜，感覺好像過了一輩子。永遠交通阻塞的街道，不知名的人們操著和我同

樣的口音，好像我從來沒離開過。在過去的八天裡，我們三個，我、黛爾和泰根，不知不覺間形成一個慣例。一個並不明確的慣例，但仍是個慣例。我們這個小組織不論有多小，對我們每一個人都很重要。

我和泰根在天剛破曉後十五秒醒來，因為泰根喜歡爬出被子，躺在床尾，打開電視，找卡通節目，然後一直待在電視機前，直到我不讓她再看。電視一打開，我會拿一個枕頭蓋到我頭上，企圖隔絕從螢幕傳來的尖叫高音和鏗鏘聲。

聽了大約一個鐘頭的卡通後，我會把自己拖下雙人床，渾身僵硬打結，因為我在床邊睡了一整晚，深怕我會翻身過去壓扁她。沖完澡後，我會說服泰根進浴室。等到我們都沐浴更衣後，泰根會興奮莫名，因為她知道她很快就會見到她媽咪。

我們會去醫院逗留約一個小時，等到黛爾顯得累了，然後我們就去找房子。我和泰根看過的房子或公寓都不適合我們，不過今天，我來到這裡的第八天，我有預感我們會找到一個住處。一間滿不錯的三個房間的公寓一樓，那能給黛爾她自己的空間，而我和泰根也能有我們自己的房間。或許甚至有個花園可以給泰根在那裡玩。和風送暖，夏天快來了，陽光較強，讓人有積極的幹勁。我強烈的感應到，今天就是我們找得到房子的日子。

我需要做出改變來適應現階段人生的其他事情，也都已準備就緒。我打算要求六個月的留職停薪，可是他們建議我先利用上禮拜和接下來的兩個禮拜作為年假，然後在家裡工作。家就是我預備租來要與黛爾和泰根一起住的公寓，黛爾一個禮拜可以和我們住三天。我和同事會用電子郵件聯絡，我可以輕鬆地在我任職全國行銷經理的連鎖百貨公司的倫敦辦公室工作。我如果必須去

里茲，那麼他們會安排中午開會，好讓我有時間當天來回。我會找個房屋仲介，幫我把里茲的公寓租出去。這一切都會順利進行。目前我們欠缺的只是找個地方住。

儘管今天我有找到合適的房子的信心，但是並沒有好的開始。我五歲的被監護人還沒有起床，因為她很晚才睡，對我們三個將住在一起興奮得睡不著。過去八天來跟我在一起時她已經開始放鬆。現在她覺得她不必看我的臉色，便可以做一些像打開電視之類的事。此外，我想她媽媽已經跟她談過關於較遠的未來的事，因為她會問像「里茲長什麼樣子？」和「我可以有我自己的房間嗎？」之類的話。

泰根最新的念頭是要養一隻貓。我們絕對不可能養任何有毛的動物，現在不行，永遠都不行。牠們在野外我會欣賞，可是不能在我的公寓裡，不能要我負起養育牠們的責任。我不知道她的念頭是從哪裡來的，但那是昨天我們去看她媽咪的時候，她提起的第一件事。

昨天傍晚她打開黛爾病房的門，跑進去跳上床，開始她親吻媽咪的儀式。從黛爾的左頰開始，逐漸往下，經過她的下巴，避開插進她鼻孔的管子，然後再往上親她右頰。泰根看起來似乎從沒注意到她媽咪看起來氣色不好，或是她身上連接著機器。黛爾在我們去看她時，顯得精神好多了。我並不驚訝。她這幾天看起來比較有元氣，甚至能吃點固體的食物，能吞嚥下去。她似乎能支撐越來越久才顯出疲態，她講話也不再經常需要停頓下來喘氣，或讓眼睛休息一下。

昨天她恢復血色，臉上的灰斑和黃斑已經褪色，取而代之的是皮膚呈現健康的粉紅色光澤。

眼中的血絲也都不見了，鐵藍色的靈魂之窗恢復光彩。她幾乎正常了。要不是她頭上包著深藍色頭巾，瘦削的臉上沒有眉毛，她幾乎和我認識了多年的黛爾沒有兩樣。我開心地笑，因為她辦到了。她畢竟還是有機會與死神掙扎。她會好轉，她會活下去。

「妳好嗎？」她問。她的聲音也比三天前紮實多了，我的笑容加深。

「還不錯。我一向都還不錯。」我說。「妳的氣色很好。」

「我感覺舒服一點。還不是很好，不過好多了，好很多。相反的，妳看起來累壞了。」

「我很好，真的。」我累了，記不得上一次好好睡上一覺是什麼時候。不過，事情得分緩急輕重。她是個臨終患者，而我只不過是有點累而已。是誰該在這裡抱怨？

「凱，請好好照顧妳自己。」

「我會的。」我回答。

「那倒是新聞。」

「我真的會。」

「我們可以養一隻貓嗎？」泰根插嘴。

「那個問題妳得問凱梅玲。」黛爾說。她俐落地把責任傳遞給我，即使她明知道我對那些全身是毛的東西的觀感。

「我們可以養貓嗎？」泰根問我。

「甜心，現在不行。我們以後再談。」以後也免談。

黛爾抿著嘴隱藏笑意。

「我們今天看到一間沒有樓上的房子。」泰根告訴她媽媽。「是一間平房。」

「那很好。」黛爾說。

泰根在床上躺直，頭枕在她媽媽的右乳上，幾乎是以第六感避開從黛爾身體裡伸出來的管子，和她手上的點滴針頭。黛爾憐惜地看著女兒的頭，然後看回我臉上。「她也累了。」

「我知道，找房子找了一天把她累壞了。」

「她需要安定下來。」

「她會的。等我們找到某個像是家的地方，她可以有她自己的房間，她想看到妳的時候可以隨時看到妳。妳們兩個都需要如此。」

「如果我們養貓，我們可以叫牠貓咪嗎？」泰根用含著睡意的聲音問。

「貓咪是個適合貓的好名字。」黛爾忍住笑意說。

「是呀，」我說。「的確是個好名字。」

「妳可以想像走在那附近，叫著『貓咪、貓咪』嗎？」黛爾輕笑。

「妳在笑什麼？」泰根問她媽媽，而我偷笑得像兩個男學生在他們媽媽的郵購目錄內衣區，發現可以看得透的胸罩。

「妳凱梅玲阿姨只是在傻笑。妳別理她。」

「對，甜心，別理我。」

昨晚我們回到旅館後，我知道泰根為什麼還很清醒。傍晚我和黛爾在努力想，當我們在街頭徘徊找貓所能叫出最奇特、最難聽的寵物名字時，泰根打了個盹。我們最喜歡的名字是「毛屁股」（「毛屁股，毛屁股，吃飯囉！」），那使得黛爾笑到我以為她會昏倒。

等我們回到旅館，泰根活力充沛，興奮地說要養貓，說她媽咪要回家了，說晚餐吃的炸魚條……，她不嫌瑣碎地聊個不停。我看著她跳上床，嘰哩咕嚕地說話。然後看著她躺下好像要睡了，然後又聊些別的。我十分驚訝她的改變。不到一個禮拜前她不肯跟我說話，現在她停不下來。等她終於睡著，已經是凌晨三點，我自己也昏睡過去。

我看著她的睡相，在藍色的毯子下彎成小新月狀，金髮鋪散在她的臉周圍的白色枕頭上。或許我可以離開她一會兒。黛爾今天早上會和會診的醫生談，總之，我們今天要做的第一件事是找房子。我想出門了，但泰根顯然還需要睡眠，而我不想應付一個沒睡飽被吵醒而鬧脾氣的孩子。

敲門聲令我嚇得跳起來。我的眼睛轉向床邊鬧鐘收音機上的液晶顯示螢幕：七點五十五分。這麼早不可能有訪客。或許是洗衣房的女侍。我焦躁地咬著下唇，我還沒有收集好我們的髒衣服。我環視房間，覺得很丟臉。我們的房間像爆炸現場。東西丟得到處都是：因為我沒帶足夠的換洗衣服到倫敦來而必須新買的衣服，跟舊衣服混在一起；我拿出來要給泰根穿但她不肯穿，而我還沒折好收回去的衣服；泰根玩的玩具等。我不是個很注重整潔的人，當你一個人住一間房子實在沒必要急著收拾。我必須請洗衣房的女侍，待會兒等我整理好要洗的衣服後再來。

我越過幾堆衣服去開門。

黛爾的護士南西站在門外。她穿著扣上了釦子的雨衣，黑色緊身褲，和樸實的粉紅與白色的休閒鞋。她黑色的髮辮鬆了，臉上沒有化妝，也斂去她平常開朗的笑容。

我知道。我一看到她的臉就知道。可是我不想知道，我沒有準備。

「凱梅玲，妳好。」她微笑著打招呼。不像她平常那麼樂觀愉快，這個笑容雖然和藹，但有所保留。

「嗨。」我回應。

「泰根在哪裡？」她問。

「她在睡覺。」我回答。

「好，好。我可以跟妳在走廊上講話嗎？」

我點頭，回頭看一下泰根還在睡覺，然後把我的鞋子擱在門口，以防房門自動關上。

我們走到走廊的盡頭，那裡有兩張棕褐色的皮扶手椅，和一張玻璃的牆邊桌，桌上的花瓶插著人造絲花。我們兩個都沒有坐下，我留心我們房間門口的動靜。

「凱梅玲，我很遺憾。」南西說。我難過到胃痙攣，心沉重得像急速下墜，掉出我的身體。

「阿黛爾昨晚過世了。」

「可是她昨天看起來好好的。」我的聲音勉強掙扎出充塞著我喉中的梗塊。

「她的病非常嚴重。」

「可是她昨天看起來好些了。」我爭辯。「她說感覺舒服一點了。」我親耳聽到那樣的證

詞，證詞明明來自應該清楚自己狀況的本人。這個女人怎麼可以告訴我這種噩耗？

「阿黛爾表面上看起來是有好一點，但她的病情已經惡化很久很久了。我們都很驚訝她能活這麼久。」

這沒道理。一點道理都沒有。我們昨天還在談笑風生。拿寵物的名字「你的毛屁股」開玩笑。「她不是獨自一個人走吧？」我的眼睛發狂地搜尋南西疲倦的臉。在那一刻，那是世界上最重要的事，我要知道她不是孤伶伶地走上新的旅程。我受不了沒有人在那裡送她去她將前往的新去處。「阿黛爾沒有孤寂地死吧？」

南西搖頭。「沒有，我陪著她。她說告訴泰根她愛她，還有跟妳說再見。」

「應該是我陪著她，我應該陪著她。我說我會陪著她。」

「她不想要妳陪，」南西柔聲說，一手輕按到我的手臂上。「她要求妳的已經夠多了。她快樂地走了。

「阿黛爾一直撐著，因為她不知道她的寶貝會如何。妳來了以後她很高興，因為她的孩子有人照顧，她可以放手了。她不再那麼擔心了，所以她看起來比較好。昨天她知道自己生命走到盡頭了。妳們走了之後，她說如果她當晚過世，要等到今天早上才告訴妳。她不想讓妳看到她彌留的樣子，怕毀了妳和她最後談天說笑的記憶。她要妳記住她的笑靨。」

「那聽起來就像是阿黛爾會講的話，直到最後她都還是個控制狂。」我低語，聲音中帶著微惱。如果我早知道，我會好好跟她告別。我會親吻她，擁抱她。告訴她我有多愛她。我沒有對她說過，有嗎？在過去的九天裡，我沒有對她說過一次我愛她。而且我從來沒說過我原諒她了。我

原諒她了嗎？我不知道。我知道我不想談那件事，可是我原諒她了嗎？即使我不原諒她，我不也應該說我原諒她嗎？我不是應該讓她放心地走嗎？

「她沒有經歷痛苦。她只是睡著，再也沒有醒來。我在她睡前握著她的手，她知道自己並不孤單。」

「我不要她孤單。」我低語。我本來可以做得更多。我以為她還可以活幾個月，而不是幾天。我本來可以傾聽她想說的話，讓她吐露心聲。我不要她死前還以為我恨她。

我轉向南西。如果她陪黛爾到最後一刻，那她可能整晚沒睡。她也很關心黛爾，在過去幾個月內她們成了親近的朋友。她在黛爾過世時握著她的手，一定也很難過。

「謝謝妳，南西。」我想擁抱她，想表示我多感激她代替我送黛爾最後一程。但我不能動，像在地上生了根，所以我盡可能把感激融進我的聲音。「感謝妳所做的一切。感謝妳照顧她好幾個月，感謝妳陪她到最後，感謝妳來告訴我。感激不盡。」

「妳嚇壞了。」南西回答。「妳要坐下來一會兒嗎？」

我搖頭。「我還好。我們不是不知道會這樣，但是比我想的還快得多。」

「妳要我打電話給誰嗎？打給能來陪妳的人？」

「不必，我還好，真的。我……。」

我雙腿發軟，膝蓋突然跪到走廊上的褪色渦紋地毯上，我的身體往前彎，額頭差點撞到地上。在我的臉碰到地上之前，我本能的將雙手的掌腹蓋到我的眼睛上。

開始是一小塊痛苦在我體內很深的裡面，可是它一直長一直長，直到它形成一團極度痛苦的

球，巨大得令人窒息。她走了。我再也見不到她了。再也不能跟她講話了。再也不能握她的手。再也不能叫她傻女人。再也不能讓她拉我的頭髮，勸我別再做個板著臉孔的討厭鬼。再也不能和她一起坐著看電視。

第一波眼淚灑落。她離開我了。雖然是我先離開她身邊，但她永遠離開我了。我最好的朋友走了。

在第二波淚潮湧現時，我的身體又搖晃。我發現她和奈德有染那天，也想像這樣失控狂哭，也想像這樣任情緒崩洩，可是那天我不能。那天它硬是躲在我的眼睛後，卡在我的喉嚨裡，藏在我的胸口下，窩在我的情緒背面。甚至當我打電話通知所有的親友，我的婚禮要取消，甚至在我該結婚那天，我都無法像今天這樣痛哭失聲，因為那不像是真的。因為那是一種我從來不曾預見會發生的狀況之一，所以我不知道該怎麼應付。我只能找事情做。日子還是要繼續過下去，所有該做的事還是要做。而現在所有的設防全決堤了，痛苦的波濤奔騰過我的身體，令淚水如瀑布般傾洩，奔流下我的臉。

下一個阻塞的情緒溶解。當我在生日那天收到卡片，發現自己深陷於黛爾和奈德的記憶時，那個阻塞曾經阻止我崩潰。現在它崩潰了，震驚、憤怒、憎恨全爆發開來。

下一波情緒的湧現是看到她躺在病床上。我恐懼地發現她竟然骨瘦如柴，我愛的那個女人只剩下殼。我當下恨我自己。恨我自己讓她失望，恨我自己不理她，拒拆她稍早求助的聯絡信。我拋棄她。當她最需要我的時候，我轉身背對她。而她縮小成那樣，只剩下皮包骨。那時我好想哭，可是不能在她面前哭。

然後是為泰根的遭遇流淚。如果我曾打開一封黛爾的信，如果我曾跟她談過一次，及早瞭解出了什麼事，我可以早點拯救她脫離苦海，脫離所有的暴力。泰根的小身體上的每一處瘀青和傷疤和鞭痕，都烙入我的心裡。當我第一次幫她洗澡，我拚命與淚水纏鬥，因為我必須堅強，我必須強韌。然而現在，每一盎司的力氣都流失了，所剩的只是一大池淚水。

我沒有感覺好一點。哭泣並沒有解放痛苦，反而帶來更多痛苦。更多我曾隱藏的、推開的、壓抑的情緒，堆擠到我不願去清理的心靈角落，現在那些情緒瀑布般全部落下，造成尷尬的混亂。如此混亂。我哭得一塌糊塗。但我停不下來。

泰根還在睡覺。

一個小時來她幾乎沒有動，我必須注意凝視她的胸部好幾回，檢查她是否還在呼吸。她睡得好安詳，可能是自從我們住進旅館後，睡得最熟的一天。

我躺在她身邊，感覺似乎已經過了一個永恆那麼久。我不想吵醒她。如果吵醒她，我就必須告訴她。我必須讓她知道，那將會很……，我不知道我該怎麼告訴她。

我已經平靜下來。我還不夠平靜，只是比較平靜，不再那麼歇斯底里。直到我開始哭，我才瞭解到我的心理多麼不平衡。在過去的兩年裡，我其實是處於瀕臨歇斯底里的狀態，我一直想釋放情緒，可是一直擔心，一旦我開始釋放就會停不下來。現在我已經止住淚水的流動，已經洗過臉，用冷水沖過眼睛，沖淡血絲與浮腫。

泰根突然張開眼睛，嚇了我一跳。她都是這樣。她可以看似睡得很熟，卻忽然睜開藍色的眼睛，專注地盯著你看。

「妳的眼睛為什麼紅紅的？」她問。我多次用冷水沖眼睛的努力顯然徒勞無功。

我撥開掉落在她前額的頭髮，露出她額頭白晰柔軟的肌膚。

「我哭過了。」我回答。

「為什麼？」她問。她的頭往枕頭斜傾過去，擺出質疑的神態。

「我很難過。」

「為什麼？」

我深吸一口氣，感覺我的情緒緊繃到壓迫我的肺。「我難過是因為妳媽咪……。」

「媽咪？」泰根坐起來。「我們今天要去看媽咪嗎？」

我搖頭。「甜心，我們不去。」我說。

「我要去看媽咪。」

我注視著小女孩剛睡醒凌亂的頭髮和皺皺的睡衣，她張著困惑的大眼睛，坐在床上問我為什麼不讓她看她媽咪，我的下巴不由得顫抖。

「泰卡，當妳媽咪說，妳得去跟我住的時候，她有沒有告訴妳她要去哪裡？」

「去天堂和耶穌和天使們在一起。」泰根回答。就是那樣。說得好像天堂就在街角，而你可能在社區公園裡看到耶穌和天使們在遊蕩。

「她有說為什麼嗎？」

「因為她生病了，耶穌和天使們會照顧她。」

「我很遺憾，甜心，妳媽咪已經去和耶穌與天使們會合了。」

泰根搖頭。「沒有，她還沒去，她在醫院裡。」

「她昨天在醫院裡。可是她今天去天堂了。」

「她什麼時候會回來？」

「很抱歉，泰卡，她不會回來了。」

「我不信！」泰根大叫。我被她的音量嚇得畏縮。她從被子裡爬出來，跳下床。「我不相信妳的話。我要去看媽咪。我要去看媽咪。」

「我很遺憾，妳不能去。」我平靜地說。

「我要媽咪。」她尖叫。「我要去看媽咪。」

我僵直地坐在床上，看泰根站在房間的中央，她的睡衣鬆鬆地掛在清瘦的身體上，她上下揮動著手臂，同時尖叫著跺腳。

她的叫聲越來越大，越來越痛苦。

我不知道該怎麼辦。試著抱她？不理她讓她尖叫發洩？跑開去躲起來？我最強烈的衝動是：把臉埋進枕頭裡，摀住耳朵，等這一切消失。我不知道還該做什麼。南西提過她可以留下來，在我告訴泰根時在場，但我婉拒。她做的已經夠多了，我不能再利用她。現在我真希望她留下來。她會知道該怎麼做。

我一直重複說我很抱歉，可是泰根根本不聽。她一直揮舞著雙手，跺著腳，不停地尖叫。連

續不斷地叫：**「我要媽咪，我要媽咪，我要媽咪，我要媽咪。」**

踩過地上的衣服、紙屑和其他凌亂的東西，我走向她。

「我要媽咪，我要媽咪，我要媽咪。」

我伸手擁抱她，她抗拒，小拳頭亂敲亂捶地打在我身上，但不會痛。

「我要媽咪，我要媽咪，我要媽咪，我要媽咪。」

她掙扎扭動，瘋狂兇惡得像隻被逼到絕路的動物，仍然在尖叫，可是我抱著她，直到她的怒火平息，癱軟在我懷裡。她的頭垂落到我的左上臂，終於哭喊到精疲力竭，哀求著要找媽咪。

「妳還有我。」我抱緊她，溫柔地輕撫她的背。

「我不要妳，」她用沙啞的聲音小聲說。「我要媽咪。」

第十章

我以前的房間門把轉動，門慢慢地打開。我看到更多我爸媽家的走廊，然後泰根走了進來。她穿著我媽媽買給她的黑色長袖緞面洋裝，上身繡花，腰間打皺摺，裙長及小腿。她腳上穿著到小腿肚的白襪子和閃亮的黑色漆皮鞋。我媽媽也幫泰根把頭髮綁成兩束，紮上黑色蝴蝶結。黑色

襯著她蒼白的膚色和淡金色頭髮，更凸顯悲劇色彩，帶出了她寶藍色眼睛的惶然無助，令她看起來神態莊嚴。她的美麗令我的喉頭梗塞，而不是嘴角含笑，因為她如此打扮不是要去參加派對贏得眾人的喝采，而是要去參加她媽咪的葬禮。

因為在黛爾……之後，我們不必再待在城裡了。那一天之後我和泰根收拾行李，搬去倫敦西郊的伊林，我爸媽家，計畫過幾天等葬禮結束，就要返回里茲。今天就要舉行葬禮。

泰根回復到我剛帶她離開吉爾福德時，令人擔心的緘默狀態。這樣的緘默，含括了哀傷，和擔憂接下來她會如何，沒有媽咪的她要怎麼辦。除非絕對必要，否則她不肯跟我說話。該吃飯的時候，我們大玩猜心遊戲，由點頭的指向和搖頭表示拒絕來溝通。雖然她不跟我講話，但我還是得隨時讓她看得到，我如果離開她太久，她就會找我，臉上難掩焦慮的神色，直到她可以碰觸到我才放鬆。她短短的手指刷過我的手臂，輕撫一下我的頭髮，輕推一下我的肚子，只為了確定我真實可靠地在她眼前存在著。我淋浴出來，會發現她坐在浴室外面。我在路上快走去買一瓶水或打個電話，回來會發現她坐在大門旁，抱著彎曲在胸前的膝蓋，眼睛像兩顆深藍色寶石，在雪原上凝眸遠眺。當我走進門，她的手臂會纏繞我的大腿，並把頭靠在我腿上，讓我明白不能再讓她孤單。

我們睡在同一張床上，如果一起看電視，她會爬到我腿上，雙手抱著我，頭偎在我胸上，她常常就那樣睡著。我們幾乎密不可分。沉默的二人組，因為我也不太想說話。我應付事情的慣例是睡覺，現在我想做的是逃進另一個世界，尤其當我在安排葬禮時。我摯友的葬禮。我沒有正式跟她告別，她就走了。我每次想到那點，胃就急遽地收縮，縮緊成一團密實的痛苦之球。我沒有

說再見。我不記得她最後的表情。她有微笑嗎？我有對她微笑嗎？我的腦中無法浮現她最後的容顏，抓不住她病入膏肓的影像。當我回想在醫院裡看著黛爾，我看不到病人，她變換成乳脂色的肌膚，擁有明亮的鐵藍色眼睛，和迷人微笑的金色鬈髮佳人。在我離開之前看到那樣的微笑嗎？我不記得。我想不起她病後的樣貌，因為我看不到病魔纏身的黛爾，只記得她以前的美麗容顏。

此時此刻，泰根站在房間的角落，右肩靠著牆，凝視著我，等待我準備就緒。我的衣服遠不如她的漂亮，只是一件簡單的直統洋裝，長至腳踝的亞麻布短袖V領洋裝，那是我匆忙間在伊林的購物中心買的。我本來沒打算在倫敦待那麼久，所以沒有帶多少衣服，當然也沒準備參加葬禮的衣服。

「我喜歡妳的衣服。」我對她說。

泰根沒說話，不過她沒有表情的藍眸仍望著我。

「我喜歡妳的髮型。以前我媽常把我的頭髮綁成那樣。不過我通常綁成三束，兩束在前面，一束在後面。」

她一直盯著我看。

「我以前每一束頭髮都用不同顏色的緞帶綁。我妹妹雪瑞登也是那樣。我媽會給我們綁辮子，然後用緞帶纏繞。妳記得我以前給妳綁過辮子嗎？」

沒有反應。她的藍眸瞅著我，可是嘴巴沒有動，不回答。

我低頭看我亮晶晶的灰色鞋子，試著想控制自己臉上的表情。要處理一堆瑣碎的其他事情已經夠難了，葬禮更像是一場惡夢，但泰根如果繼續以緘默來跟我對抗，那會難上百萬倍。

不過，那不是她的錯。她不知道該怎麼做。當你才五歲，你媽媽死了，你該怎麼辦？站在她的立場想，一個你兩年不見的奇怪女人聲稱她會照顧你，你信得過她嗎？

我站起來，在站直時臉上浮現笑容。「妳覺得我的衣服怎麼樣？」我問。

她的眼睛遊移著，把我從臉打量到腳，然後回到我臉上，但並沒有透露她的想法，既然這個問題無法只用點頭來回答，她就不告訴我想法。

「妳喜歡嗎？」我改變措辭。

她點頭，嘴角微彎幾乎形成微笑。我差點抱起她，表示謝謝她的肯定，感謝她往回到用語言溝通的路上，踏出有意義的這一小步。

「我的衣服不像妳的那麼漂亮。」我說。

泰根的嘴角恢復原狀，可是我記得她剛才拉動過唇線對我微笑。那可以讓我撐上好幾個鐘頭。「好了，我終於準備好了。我們走吧。」

第十一章

阿黛爾．布萊儂

（以前叫露辛達・珍恩・漢彌頓・麥肯齊）
最近死於英勇的對抗白血病的戰役中
她的薪火由她女兒泰根・布萊儂延續下去
葬禮將於七月三十一日下午四點
在伊林的聖雅格妮絲教堂舉行

在灰磚建築的天主教教堂裡，泰根面無表情，一動也不動地坐在我身邊，看著人們站在聖壇上談論她媽咪。我不確定她是否明白這是怎麼一回事。我向她解釋過，葬禮是你向死者告別的地方。可是她的反應一如在旅館尖叫哭鬧後，對我跟她說的每一件事，都不表示她是否瞭解我在說什麼。現在她沉默地僵坐著，好似意識到這個場合的莊嚴性。

而我卻不能好好坐著。穿著黑色亞麻洋裝和搭配的外套下的我，冒出一身汗，熱得煩躁不安。我身下的長椅，多年來被沒有幾千個也有幾百個屁股磨得平滑光亮，坐起來很不舒服，不適合長時間久坐。即使它是舒服的扶手椅，我也無法安坐。端坐在這裡，好像我同意已發生的事，形同向全世界宣告，我贊同黛爾被帶離開我們，我接受這種死亡與葬禮。

教堂因為有數百人在場而發出共鳴。**數百**。是的，有數百人來致上他們最後的敬意。黛爾還以為運氣好的話，她的葬禮會有足以組成一支足球隊的人參加。

「我告訴你，白血病當然會幫助你發現誰是你的朋友。」她當時說完發出獨特的笑聲。她的幽默感持續到她瀕臨死亡的最後幾天。老是講些只有絕症末期的病人說才能被原諒的事。我通常

會笑，但黛爾說出來的某些話，連我都感到震驚。「我不怪別人不來看我。畢竟，誰會想坐在病房裡，體會生命的無常？」她繼續說。「此外，當你發現你幾乎不認識的某個人在敲天堂的門時，你該如何反應？你不認識他們就不會為他們哀悼，不是嗎？當你去拜訪他們時，你該說什麼？『抱歉，我們來不及認識你，現在太遲了嗎？』」

「我想是吧。」我咕噥，渴望改變話題，極度希望阻止她再提及死亡。

「我最後悔的是我認識的人不多。我希望我曾努力去接觸更多人。」

我希望她知道，她已經接觸很多人了。教堂已經客滿了，不僅座無虛席，後面還站了兩排人。人們關心她，也記得她，因為他們慎重地穿著黑西裝、黑洋裝、黑上衣和黑裙子，像一群安靜的烏鴉，群聚到聖雅格妮絲教堂，川流不息地來致哀悼念。我只聯絡了幾個她曾經工作過的地方，在她出生當地的報紙、幾本商業媒體雜誌，和我們的大學網站上刊登訃文。其他得知消息的人一定是經過口耳相傳而來的。

我所有的家人都來了，甚至連我那住在日本工作的大哥，他跟黛爾並不熟，但也飛回來弔唁。我妹妹一家人從曼徹斯特開車過來。黛爾的護士南西也帶了她先生來。

黛爾的父親沒有來。他不想來，不僅沒出現，連花都沒送。他不關心她。那是赤裸裸的事實。就過去幾個禮拜發生的所有事情看來，他的反應令我非常痛心。

我在黛爾過世那天，打電話給漢彌頓•麥肯齊先生，告訴他出了什麼事，他沉默了良久後

說：「謝謝妳告訴我。」他沒有問到泰根，沒有對我咆哮闖進他們家的事，而我還猜想他可能是太過震驚。他唯一的孩子死了，一定某種程度上和我一樣震驚，一定會想到在她死前幾個禮拜沒有去看她，現在他永遠沒有機會了。

「我會通知你關於葬禮的安排。」我說完，他謝謝我之後就掛掉電話。

我們那次通話的一個禮拜後，也就是三天前，我再打電話給他。

「凱梅玲，」他接電話時語氣親切。「妳好嗎？」

我甚感困惑，有一剎那以為自己打錯電話了。「以目前的情況來說還算好。」我小心地說。

「我瞭解。我也差不多。」我聽到他的聲音裡夾著某些別的東西。

「我打電話來是要說關於葬禮的事情。」我說。我以前對他的惡毒想法，像正午陽光下的冰塊那樣融化光了。我是對的，死亡使得他感受到他愛他女兒。他想必後悔莫及。

「啊，葬禮，對喔。」

「禮拜五舉行。我幾乎做了所有黛爾自己無法做的……。」

「黛爾？」他插嘴。他的聲音變得嚴厲。

「我是說露辛達‧珍恩。她跟葬儀社談好了大部分的喪事。她想要火葬。細節我已經談妥。如果你想要增加頌詩或聖歌，請你告訴我，我們可以再安排。」

沉默。我想像自己可以聽到他恢復鎮定，試著隱藏他聲音裡的淚意，試著在他告訴我想做什麼之前不崩潰。「我不會去。我和我太太都不會去參加葬禮。」

「什麼？」我提高聲音以示抗議，不過我及時阻止自己造次。我差點上了他的當。我差點掉

進他的騙局。這就是為什麼黛爾每次跟她父親講完電話後就崩潰。為什麼她每次談到他，都相信他有一天可能改變，因為他知道怎麼迷惑你，哄騙你，讓你以為你是在跟一個正派高雅的人交談。然後他開始攻擊你，像一條蛇在執行致命的咬噬之前，催眠牠的獵物，而你即使曾經有過多次被咬傷的經驗，仍然毫無招架之力。

我做個深呼吸。「好。」我吐氣。我沒力氣跟他爭辯，甚至沒力氣跟他講話。對這個男人還有什麼好說的？我如何才能跟他溝通？哀求他嗎？我有必要哀求他參加自己女兒的葬禮嗎？

他不知道那一個禮拜我有多難過。我的許多苦差事之一，包括指認黛爾的屍體。當我被要求前往確認，我在停屍間裡沒有退縮，我凝視著一動也不動躺在我面前的女人。她以前會頭往後甩大笑；她曾在我們的公寓裡，為了最後一小包油炸洋芋片，而用橄欖球式擒抱我；她經常被我發現在調整她胸罩的肩帶，撫弄她牛仔褲上的第一顆釦子，重扣皮帶；當她開心的笑著時，她會用手指扭轉她的頭髮。

在我面前躺著的人是沒有生命的。她淡灰色的臉上沒有表情。她的嘴唇閉著，眼睛閉著，她的金髮只剩下稀疏的幾綹還留在頭上。我凝視著她，躺在醫院的輪床上，安詳又精緻。我猜想，我碰她的話，會觸手冰涼嗎？她會像她看起來的那麼冰冷脆弱嗎？因為她看起來就像那樣，冰凍易碎，一點都不像我的朋友。

我幾乎對醫院的職員說：不是，那不是露辛達・珍恩・阿黛爾・漢彌頓・麥肯齊。她也不是阿黛爾・布萊儂。她當然不是黛爾。那個人我不認識。

我做了那件事。我曾見過的第一具屍體是我摯友的。那麼令人震驚的事情我都做過了，漢彌

頓・麥肯齊先生還以為我會哀求他去參加他女兒的葬禮？

「要我再埋葬另一個家人是不對的，」他用一種設計來博取大家同情心的聲音，而大家卻不知道他有多少次把黛爾打到住院。「我埋葬了她媽媽。那還不夠嗎？我做的還不夠嗎？」他頓住話，讓人可以聽見他幾次吞嚥口水的聲音，巧妙地暗示啜泣。「露辛達・珍恩是我們家最後的血脈，我不能跟她說再見。妳會瞭解，是不是，凱梅玲？妳瞭解吧？」

「那泰根呢？」我回答，我的聲音平得像一片玻璃。「你的孫女不是你家的一分子嗎？」

他猶豫著。猶豫本身延長成靜默，那變成一個傲慢的、妄自尊大的鴻溝：他說的才對，沒什麼可以改變他的想法，連顯而易見的事實也改變不了。

我終於說：「再見。」然後掛斷電話。就那樣結束了。如果我要領養泰根，他永遠不會跟我搶，他永遠不會試著聯絡，而我既放心又感激，同時也感到悲哀又刺痛。我發現我自己在問：他為什麼不愛他的孩子？怎麼會有人不愛自己的孩子？你可能不會一直都喜歡你的孩子，可是當他死了……。

我伸出一隻手攬住泰根的肩膀，摟著她靠近我，突然覺得需要提醒她，我是她的依靠。我摟她靠到我的身體，希望透過我們的身體親密接觸，來傳達我多麼關心她。她沒有反應，也沒有抗拒，她沉默地坐得直直的。

我重新注意去看神父，聽他演講關於生與死，和黛爾。他不認識我的朋友，他不過是複述我寫給他的稿子。可是他講的超越我寫給他的，他談到他與認識黛爾的人談過後，感覺到溫暖。她一定是個非常好的朋友，因為許多人從國內各地專程千里迢迢到此，來向她致上最後的敬意。他

繼續談到她是個母親，做父母的無不希望能活著看到孩子長大，不過，他確信黛爾的女兒泰根，會被可靠的人照顧長大。

老兄，我可不敢那麼樂觀。我不由得對自己那麼說。他的話一定會令黛爾發噱。「不樂觀？」她捧腹大笑，「只有妳會在我的葬禮裡那麼想。」

神父講完最後的祝禱，唱起最後的殿樂。我和其他會眾一起起身，轉身跟隨四個男人。他們之中有兩個是我的兄弟，他們抬起上面有個銘誌阿黛爾・布萊儂銅匾的橡木棺木，他們把抬棺的木槓舉上肩頭，將棺材抬出教堂。

我轉開眼睛不忍去看，那似乎不是真實的。黛爾躺在一個箱子裡。黛爾不能走路了，不能講話了。她走了。我把視線轉到教堂後面，避開坐在我周圍那些人的臉。我無法在必須強自鎮定時，目光和任何人接觸。自從我在旅館的走廊大哭後，我就拚命壓抑住哀痛，現在我只要看到某個人的淚臉，恐怕就會失控，所有的悲痛全都會湧出，而我會無法克制。

教堂後面的門開了，突然又是夏天了，晴朗炎熱：教堂內憂鬱的氛圍在陽光射入時，彷彿溶解掉葬禮淒冷的冬天。我收拾心神，在黑衣服之間尋找聚焦的目標，我看到他。他身材高大，穿著黑西裝搭黑襯衫、黑領帶，他因為哀傷而臉色發白，他的表情極為痛苦，他柔軟的棕髮往上梳尖的特殊髮型如此熟悉。我抽氣，我的身體立即因震驚而僵硬。

我向前伸長脖子，瞇起眼睛，想在他消失在門外之前看得更清楚。是他。絕對是他。奈德。

在西伊林的火葬場有個小儀式，只有我的家人在場。神父說了什麼我都沒聽到。棺木緩緩的被推離開我們，推進厚重的黑色簾幕後面，一吋吋消失，直到黑色的簾幕嗖地合攏。

結束了。我抬頭看安排殯葬事宜的禮儀師。再做一次，請你再做一次。我用眼睛哀求。我還沒有準備好。請倒帶，這次我會注意看。我出神了一會兒，現在她不見了。我咬著下唇，在大家排成縱隊出去時，我沒有離開座位。泰根被我媽媽帶出去了，只剩我一個人。我離開長椅，站到簾幕前，她消失的地方。

一百萬個想法快速飛越我的腦中，每一個在跑的時候都留下一道燃燒的軌跡。黛爾。泰根。工作。天堂。死亡。生命。白血病。旅館。奈德。

我羞於承認我在想奈德。

他來做什麼？他來參加一個朋友的葬禮。他怎麼知道她走了？他可能看到商業雜誌上的訃聞。他是個電台製作人。每個問題都有個明顯的答案。我沒有想到他會出現。那是什麼意思？它有什麼意涵嗎？他愛她嗎？可是他們兩個都說只有一次。我假設自從我離開他們，這兩年間他們都不曾見面。

我當然永遠無法確定。永遠無法發現真相是什麼……。我是怎麼了？我為什麼要想這些事情？我該想的是黛爾，可是奈德一直鑽進我腦海裡。

我記得上一次看到奈德，比記得上一次看到黛爾還清楚。我記得和奈德之間最後的沉默。在我走出門時，他是如何用苦惱的眼神凝視著我。我曾經預期會吵鬧地結束我們的關係，結果卻是鬱悶的安靜，而且緩慢。我一直以為，如果你發現對方不忠，與人偷情，你會強烈抨擊他，可是

我沒有。我不是那類型的人。我收拾自己的東西後，走出我們的公寓，心裡了然那是我最後一次見到他，所以我回頭去看他沒有刮鬍子的下巴、沒有洗的頭髮和沒有睡覺的眼睛。我聽到他說：「別走。」然後我走出去。

我和黛爾沒有高潮性的結尾，沒有觀眾要求謝幕的歡呼聲，也不是漸漸消失在黑暗中。它只是尋常的另一天，另一個再見。另一個多年來我們常對彼此說的「再見」。我想破了頭，還是想不起來我對她說了什麼。我有說再見嗎？我有擁抱她嗎？我隨便地說了句「下次見」嗎？我不記得，那令我心碎。我明知能再見到她的時間不多了，怎麼沒有記下每個細節？我怎麼不把握每一秒鐘？

突然間痛苦的球在我胃裡收縮，好似有個鐵拳頭重擊我的心窩。我彎下腰，抱著胃，整個人想縮起來。*如果我知道那是最後一次見到她，我會怎麼跟她告別？我不知道。我知道我會凝視她。我有馬馬虎虎跟她說再見嗎？我有沒有轉身看她？我不記得。*我可以想出她多年來的模樣：上大學時、大學畢業後、我們就業那些年。可是我想不起來一個禮拜前的她。

奈德。我也在想奈德，因為我不想去想接下來的事。

接下來。

我希望我會變成一個比較好的人，可以抬起頭面對一切，勇敢地度過每一天，掌握我其餘的人生。接受領養一個小孩的想法。黛爾承擔過。當她發現她懷孕了，她當然相當震驚，哭訴她不能要這個孩子。可是幾天後她接受事實，她顯然徹底想清楚了，決定她可以生下他。而她也的確辦到了。她做得很好。我徹底想清楚了，展望未來，我看得到的只是憂戚的時光。艱難。犧牲。

年復一年的擔下別人的責任。

我是個有時候只以一包巧克力糖球當晚餐的女人。一個討厭回家的女人，因為我的公寓是個垃圾堆。幾個禮拜前我匆匆離開我的公寓，本來以為第二天就會回去。那意味著衣服丟得到處都是，收據、報紙、雜誌和卡片，部分打開的生日禮物，全都亂七八糟的散置在臥室和客廳的地上。新品種的霉菌要不是在流理台上，就在我的冰箱裡繁殖。燈泡的保險絲可能已經燒壞了。為了要把泰根納入我的生活中，我的人生中有一百零一件事必須改變。那樣我才能給她一個新家。

我們別忘了泰根還不跟我講話。我們兩個將住進沉默之屋。我媽媽建議我讓泰根留在倫敦幾天，那幾天我先回里茲去安排一些事情。可是不行。即使泰根沒有因為我不在她身邊而崩潰，我沒有她也不行。她是我和黛爾之間最後的關連，我必須緊握那個連結，不管她會不會跟我溝通。

踩在亞麻色木質地板上的腳步聲，使我挺直背脊，很快抹掉淚水。我清清喉嚨，深吸一口氣，低頭假裝在找東西，想重塑過去幾天來所呈現的沉著模樣。每個人都以為我堅強、勇敢又剛毅。事實是，那樣的凱梅玲・馬提卡是裝出來的。我展現出鎮定的態度，每個接近我的人都上當了。我肩膀往後拉，打直背脊，又深深吸一口氣，期盼能吸進更多平靜到肌肉裡。

當一隻手滑進我的手，我輕嚇了一跳。我往下看那隻手，小小的，很漂亮，出人意料之外的冰冷。她剛出世時，我就對她胖胖的粉紅色指頭甚感好奇。我凝視著她的指頭，驚訝她雖然才幾個小時大，她的手看起來像已經活了五十年：指節上有皺紋，手掌上有掌紋，就像大人的手。

我的眼睛從泰根的手移到她的臉。她正看著我，金色的髮束在她把略傾的頭轉正時往後垂，藍色的大眼睛直視著我。在她研究我的時候，我試著對她微笑。她張開嘴巴，舔舔她的乾唇，然

後用輕細又顫抖的聲音，慎重地說：「妳是我的新媽咪嗎？」

我點頭。「是的，甜心，我是。」

永久加倍保證，阿門？

double promise for ever and ever, amen?

第十二章

「妳覺得妳的新家怎麼樣？」我問泰根。

她坐在我的奶油色沙發的正中央，穿著一件牛仔布洋裝內搭白色運動衫。她手臂上的瘀傷已經消褪了，所以現在她可以穿短袖的衣服而不會忸怩，也不會讓我想起她經歷過的痛苦而想哭。泰根的金髮綁成左右兩束，她抓著一隻從她一歲起就陪著她，叫做瑪格的布娃娃。瑪格有一頭黑髮，一張橘色的臉和身體，大大的棕色眼睛周圍畫著一根根長睫毛，穿著深藍色的洋裝。瑪格的頭髮也是束著，用橡皮筋綁著。

「臭臭的。」泰根老實回答。

沙發上的女孩說得對。我的公寓瀰漫著一股魚和其他來自垃圾桶裡的味道，一天過一天，它們形成它們自己的難聞味道，好似它們對我去倫敦期間，被我拋棄六個禮拜心生怨恨。我從門口環視屋裡。感覺這個地方似乎更亂了：紙和雜誌散落在地上，一只向上翻轉的鞋子窩在角落，我生日那天還沒拆完的郵件危險地棲息在沙發的扶手上。

「除了味道以外呢？」我問泰根，把混亂和它引起的羞愧，推到我的良心後面去。

泰根用表情在問我是不是瘋了。她要如何想像不存在的東西？那簡直在要求她飛去月球。

「等一下。」我說。我離開客廳，越過我們丟在長廊上的行李袋，進入廚房。我被臭味薰到退縮。它的濃烈惡臭可以把牆上的漆都薰落，垃圾桶附近的空氣在八月的熱氣下發出閃爍的光。

我閉氣把垃圾袋丟進外面的黑色大型輪式垃圾箱裡，然後回來進浴室洗手。另一隻羞愧的手

指刺激我去注意到洗手台的水龍頭上的牙膏漬，和丟在洗手台旁的牙線棒。我在拿白色的手巾擦乾手時，意識到不能再這樣亂七八糟下去。現在我的居家環境還有別人要考慮，整潔必須變成一種習慣，而不是特例。我必須要學習講究整潔，重複這句真言：「這是個可以放置所有東西的地方，每一樣東西都秩序井然」，直到變成如同刷牙那樣，成為我生活的一部分。我返回廚房，打開可上下拉動的窗子，讓沉悶無風的空氣進來，屋裡的臭味很快就會消散，恢復一般室內正常的味道。

沙發上的泰根正在做她很拿手的事：一動也不動地沉默靜坐。悲哀的是，我沒有對策。我還沒有全部想通。人生變成一張待處理事件的備忘錄，我必須逐件辦完：認屍、葬禮、收拾黛爾的遺物、搬回里茲。一次做一件事，直到單子上的最後一件事也劃掉。現在我們回到里茲了。那也意味著計畫停擺了。我不知道接下來要做什麼？過生活，是的。可是，要怎麼過？

「這裡會是妳的房間。」我告訴泰根。

她往下瞄沙發，然後看回我臉上。她的表情說：妳在說什麼？

「我們把沙發拿去現在還有臭味的廚房那邊。希望不久後就沒有臭味了。我們給妳買一張床，妳可以有一台電視。不是這一台，這台太大了，我們也把它放到靠近廚房那邊去。我們會給妳買一台小電視，和一台放影機，妳就能看妳的錄影帶和其他節目。我們把牆漆成任何妳喜歡的顏色。抱歉，妳不能貼壁紙，因為它最後會出水。我小時候，我媽和我爸差點為了壁紙的事情離婚……。」泰根在我說話的時候注視著我。「總之，妳可以決定牆壁的顏色，可是必須是妳可以和它相處很久的顏色，而不是嚇人的，會讓妳做惡夢的顏色。但我不是說妳不能作惡夢，我只是

不想做任何會引發妳的惡夢的事情。」

「回到妳的房間。對，我們可以油漆牆壁，我會給妳一張地毯或什麼的，因為這種貼皮地板雖然看起來很漂亮，可是早晨踩在上頭相當冰冷。我會把桌子拿出去，放進我的房間比較適合。我們把原本的廚房兼飯廳，當成客廳和廚房。感謝上帝，它夠大。妳覺得聽起來還好嗎？」

泰根凝視著我。

「我是不是講得太快了？」

她動動鼻子，歪歪嘴巴，然後點頭，在她證實我是個說話急速不清的傻瓜時，她搖動的髮束彈回原位。

我重重吐氣，把自己丟到她旁邊的沙發上。「對不起，」我說。「我只是要妳……。」聽起來像我在給她施加壓力。我本來想說，如果她沒有馬上有家的感覺，那她就錯了，那會令我難過。「對不起。」我再說一次，雖然她不曉得我為什麼道歉。

我們今天早上搭火車到里茲。我爸媽提議開車送我們來這裡，可是我婉謝他們的好意。我希望離開倫敦後，只有我和泰根一起搭火車，在開始我們兩個接下去的人生旅程之前，能夠有一段時間清靜地休息一下。「我們搭火車的話，大家都比較輕鬆，」我說。「你們可以隨時來看我們。」我僱用一個人開貨車，比我們早出發，載黛爾的箱子和我們最大的袋子，還有其他我們拿不動的東西。他在我們從火車站搭的計程車轉進我住的這條街時出現。現在那些紙箱就堆在樓下的公共走廊上，在等我把公寓清出一個地方來放置。兩年前我搬進這間公寓時覺得它好大，可是陸陸續續添購了書、錄影帶、ＣＤ、ＤＶＤ、雜誌、電器用品、小擺飾等，一大堆我現在已經無

法與它們分離的東西，所以空間有限成了一個問題。我必須為黛爾所剩不多的遺物找個地方落腳。當我去倉儲公司領她的東西時，我詫異地發現她租的是最小的單位，而且她的十個紙箱甚至只占了那個單位的一角。她三十二年的人生就只落得那十個紙箱。紙箱裡大部分的東西是她想留給泰根的。黛爾從來不是個喜歡囤積東西的人，她從來不會累積小擺飾或紀念品，她要確定她走了後，她的遺物不會占太多空間。沒必要的東西便隨她而去。她的骨灰裝在我的一個袋子裡。我不準備把骨灰灑掉，我要把它埋在靠近我們的地方，好讓我和泰根想去看她時，有地方去獻花。

「我喜歡窗子。」泰根平靜地發表意見。我慶幸我的公寓不只空間大，而且我的房間和廚房還有六英尺高的上下拉動窗，將成為泰根的房間這裡也有兩扇大窗子。有很多窗子是很棒，可是會不會有潛在的危險？

我警告自己，別瞎擔心。泰根到目前為止還沒有從窗子掉出去，以後當然也不會。

「謝謝。」我回答。「我也喜歡窗子。嘿，我們需要吃點東西，再給妳買些東西，譬如新的牙刷、洗髮精等等，所以我們要去逛街買東西。妳覺得如何？」

「我喜歡這個主意。」泰根用她細嫩的聲音說。

「坐了那麼久的車，妳不累嗎？」我們抵達我的公寓不過才幾分鐘，我就已經又想動身了。持續地動可以阻止我去想事情可能會出差錯，我們可能失去什麼，這個情況真正的意義在哪裡。

「不會。」她微笑。「我不累。」

「好，我正想聽妳這麼說。」

陰謀。有某種陰謀。

洗髮精的陰謀。誰知道妳會發現這麼多種洗髮精？

我在超市的走道上徘徊，尋找適合泰根的頭髮的洗髮精，結果發現品牌多得要命。平常我的洗髮精都是在靠近朗德黑公園的美容院買的，我每六個禮拜就會去那裡把我的黑人鬈髮燙直，我從來沒走過這些走道，我從來不需要知道有多少種給白人的頭髮用的洗髮精，我也不需要知道白人小女孩需要哪一種洗髮精。我的眼睛掃描過貨架，注意到大部分洗髮精是我在電視廣告聽過的知名品牌，但都是給成人用的。它們有神經醯胺和果油，和其他我一點都不瞭解的成分。那對小孩的頭髮好嗎？我們住在旅館的時候，我每天早上用旅館的小瓶沐浴精幫她洗頭，但我不確定常用是否有害於她的頭髮。而我的洗髮精可能不適合泰根的髮質。當我們住在一起時，黛爾的洗髮精如果用完了還沒買，她會偷用我的，可是那種情形不常發生。而黛爾是成人的強韌鬈髮，她跟我說過她的頭髮需要很多滋潤。泰根是天生的直髮，每一根都柔細脆弱，像精緻的絲線。我不想傷害她的髮質，把她長而密的絲線洗成像鳥巢裡的稻草。

我心裡想：黛爾為什麼不把這種事情交代清楚？我焦慮得想抓頭髮。這點小事就會砸毀我虛有其表的鎮靜嗎？認屍時、葬禮時、收到黛爾的骨灰甕時，我都沒有驚惶失措，可是找不到適當的洗髮精卻令我恐慌？

不過，不只是洗髮精，它代表更多意義。我對這個我該對她負起責任的小傢伙瞭解得太少了。她喜歡什麼，不喜歡什麼，我一點都不知道。她喜歡的電視節目她不會錯過，其他的節目她可能一輩子都不會去看。會使她過敏的食物是什麼？她就是不喜歡，不肯吃的東西是什麼？什麼

事情和說法會惹她大發雷霆？哪一種洗髮精可以呵護她的頭髮？泰根是個思想、情緒、需求和欲求的總體，我沒有捷徑可以迅速瞭解她。

我倚靠著手推車，用目光在架上搜尋某樣看起來會適用的洗髮精，我內心的不安全感與秒俱增在燃燒。「妳記得妳以前用的是哪一種洗髮精嗎？」我問站在我旁邊抱著瑪格的泰根。她仰頭看著我，搖搖頭。

我問自己：只不過是買瓶洗髮精，怎麼可能這麼難？的確就是買洗髮精而已。我大可隨便挑一瓶了事。可是我不會隨便為自己挑一瓶。我花了好多年才買對洗髮精，我幫泰根挑洗髮精當然也應該同樣慎重。就先隨便買一瓶吧，只不過是洗髮精。我介入自己的正反意見居中調停。

我自眼角看到一位超市店員接近。她比我年輕，看起來好像還沒有孩子，可是她的直髮髮色和泰根的淡金色很接近。她可能可以給我一些建議。「對不起。」我說著擋住她的路。

她臉上雖然綻開笑容，可是她的小棕眼露出的眸光並不友善。「小姐，有什麼事？」

「我在想妳是否可以幫助我？我正在試著找最適合小孩子的洗髮精。」我指向禮貌地對她微笑的泰根。「妳是否可以告訴我哪一種最好？」

「喔，嗯……。」女店員轉身面向貨架。

在她回答之前，一個聲音插進來。「妳不知道嗎？」

我們看向那個聲音的來源，一個大約四十歲，身材臃腫，穿著襯衫和花裙子，看似是個媽媽的女人注視著我們。

「對不起，妳是在跟我講話嗎？」我問。

「是的。妳不知道妳該買什麼洗髮精嗎？」

我想：關妳什麼事？「嗯，我從來沒買過。」我回答，試著約束自己別粗魯。我轉回身面向店員，不想和多管閒事的雞婆講話。

「妳出門前怎麼不問妳的雇主？」那個女人繼續說，無視於我顯然不想理她。

我沒有立即回答，然後她的話慢慢滲進我的心。我轉身面對她。「我為什麼要問一個行銷總監該選哪種洗髮精給小孩用？」我皺著眉問。

「她的父母顯然會知道他們用什麼洗髮精。」喔，突然清楚了：一個黑人女人帶著一個白人小孩，那意味著我是個受僱的幫傭。我看起來像個幫傭嗎？我低頭看自己：我穿著寬鬆的藏青色牛仔褲，紅色削肩領口開叉的上衣，和黑色休閒鞋，背上背著黑色的皮背包。的確，如果你不認識我，你不會從我現在的外表看出，我是個成功的三十二歲全國性連鎖百貨的行銷經理。不過，也不會有人忽略我的氣質，認為我像個保母。有不少人告訴過我，我有一種冷淡的神態，當他們想到我的時候，「親切」這兩個字不會入列。誰會付錢給我去照顧他們的孩子？總之，我為什麼不能做她的家長？這個女人為什麼看著我，立刻以為我是保母？我或許可能是泰根的繼母啊！

「她的父母不知道。」我沒好氣地說。超市的店員溜走了，或許去叫保全人員來以防發生肢體衝突，但也可能因為她不想在我們開始互相丟瓶子時被戰火波及。

「她的父母在哪裡？」女人問，好似她真的預期，只要她向我挑戰，我就會自動承認我綁架我身邊的小孩。

「關妳什麼事？」雖然話語中流淌著憤怒的毒液，但我語調平靜地問。

「妳想對這個孩子怎麼樣？」

「如果妳一定要知道的話，」我怒沖沖地說：「她是我的孩子。我是她的家長。」

「妳？」

「沒錯，就是我。」

「她父母知道妳正在假裝她是妳女兒嗎？」女人提高聲音，吸引別人的注意。超市裡的其他客人立即轉過頭來看，但仍假裝他們在看尿布、脫脂棉、嬰兒食品和奶瓶，但其實他們都在注視我們。

「我沒有假裝。」我以含怒的斷聲說。

「那妳在幹嘛？」她和剛才同樣大聲地問。

我在幹嘛？我在努力處理所有的事，這就是我正在做的事情。我正在盡力不要為了找不到合適的洗髮精而痛哭流涕。我正在設法阻止自己每晚打開一瓶伏特加酒，然後醉到我的摯友復活，醉到我的未婚夫沒有偷腥，醉到自己還住倫敦在奉獻了七年生命的公司擔任區域行銷經理。

泰根拉扯我膝上的牛仔褲，直到我低頭看她。

「我喜歡這一罐。」她拿一瓶鮮橘色的洗髮精給我。我甚至沒注意到她剛才走開了。我拿著那瓶洗髮精，意識到走道上的客人都在看我，但我還是從容地閱讀標籤上的說明。我其實並沒有把那些文字看進去，沒有詳讀它的成分，我只不過不想被脅迫。不管我多想找個地方躲起來，也沒有人能逼我落荒而逃。我在把洗髮精放進推車之前對泰根微笑，意外地，她回以微笑。

那個女人的問題：「那妳在幹嘛？」還掛在空中。我看向她，對她甜笑。

「我在幹嘛？我在買洗髮精啊。」

泰根的小手鑽進我的手裡，我們把頭昂得高高的，推著推車離開那條走道。

我的心在胸腔裡急跳，撲撲的心跳聲充滿耳際。在未來的幾個禮拜、幾個月，甚至可能多年內，類似的情況會經常發生。外人會質疑我在泰根人生中的地位，他們不會馬上就相信我是泰根的合法監護人和家長。我寄出領養文件後才發現，不是我說要領養泰根便能領養她。那得花好幾個月，甚至可能好幾年。我得接受一大堆正式手續的折磨，有一疊像山那麼高的文件要填，向任何一個提問的陌生人大量揭露我的個人資料，可是那樣可能還不夠。不同種族的領養案例非常非常少，尤其是在這樣的情況下，黑人女人領養白人小孩。但不論如何，我都必須做到。

那天在旅館裡，等泰根的哭鬧平息下來，她軟綿綿地站著，無助地癱在我懷裡，明白她媽咪已經去天堂了，那時我的心思清明起來。我可以做些事去補償沒有在最後一刻陪著黛爾，沒有在能幫助她的時候及早伸出援手。有一個辦法可以向泰根證明我真的會照顧她：我必須領養她。不只是收留她，成為她合法的監護人，而是要把她視為家人。如黛爾所願，做泰根的媽媽。到目前為止，就我所知，我申請領養她，可能不會通過。

「玲媽咪。」泰根的話使我跳出我沉浸的思想裡。我皺著眉頭看她。

「妳叫我什麼？」

「玲媽咪。」泰根重複說的口吻好似當我瘋了，好似她每天都叫我「媽咪」，而其實她以前都叫我「玲阿姨」。

「妳為什麼叫我媽咪？」我問。

她的小臉縮成一團，有一下子好像就要下淚雨了。「妳說妳是我的新媽咪。」她輕聲回答，她寶藍色的眼中蓄滿淚水，她的聲音在指控我對她說謊。

我蹲下配合她的高度，哄誘她別哭。上次應付她痛哭流涕的經驗令我餘悸猶存，我們兩個都經歷了那場心理風暴，花了幾個小時我們才平靜下來。我可不想在超市裡看到她心碎，只為了她叫我什麼這種瑣碎的小事。「我是。」我對著她蒼白的臉再次保證。我輕撫她的頭髮，試著用微笑安撫她。

她搖頭。「可是妳不是我真正的媽咪。我真正的媽咪已經上天堂了。她不回來了。」

我的喉頭梗塞。「是的。」我平靜的同意。

「所以妳不再是玲阿姨了。」

「嗯，我不是了。」

「妳是玲媽咪。」她下結論。她推論的能力令我印象深刻，那證明了她有多聰明。我差點忘了她這點，當她才三歲的時候，她就能提出很好的理由來改變她該上床的時間。

「好，我是玲媽咪。妳想向我要求什麼？」

泰根吸吸鼻子，用手背抹抹一隻盈淚的眼睛。「呃……，」她抑制嗚咽聲。「我可以要一點巧克力嗎？」

「可以，不過妳也得把妳該吃的蔬菜全部吃光。」有責任感的大人就必須說像這樣的話，不是嗎？

她心型的臉突然被她的微笑點亮。她搖頭。「我們還沒有買蔬菜。」她輕笑著指向我們金屬

推車裡的食物。

我決定我們今天不買蔬菜。我已經好久沒有聽到，從她的喉嚨發出的輕柔細嫩笑聲，也很久沒看到她臉上布滿愉快的笑容，我現在實在不忍心逼她吃蔬菜。「被妳發現了。」我笑著說：「今天不買蔬菜。可是明天，我們要開始吃健康食物。好嗎？」

她點頭。然後，在我站起來之前，她的手臂環住我的脖子，很快地緊緊抱我一下，然後放開我，回到她原本的位置，站在推車旁邊，雙手抱著瑪格，眼睛望向遠方，彷彿她剛才根本沒有擁抱我。

我站起來，回想起有一次在船上，我是如何緊握船舷，感覺我內臟裡的膽汁像海水一樣在翻騰。那強烈的噁心欲嘔的感覺又在我的胃裡作怪。要是我無法領養她，我們該怎麼辦？

第十三章

在我收到黛爾的卡片去倫敦收養泰根之前，我擁有的人生是工作的人生。生活中什麼都沒有，只有工作。那是我搬到里茲後能讓我保持神智正常的方式。

我工作上的頭銜是安琪拉百貨公司的全國行銷經理。這家連鎖百貨公司一百年前從一間位於

里茲的男性服飾店開始做起，現在它的總公司仍位於它的原始根據地，而非倫敦。我們在英國的每一個主要城市都有分公司，而我們的長期目標是超越約翰・路易斯，成為最大的連鎖百貨公司。我住在倫敦時從地區的行銷助理開始做起，一路晉升到我現在的職位，成為整個公司行銷部門的第二把交椅，我的主要工作是：經辦我們百貨公司的雜誌《生活的安琪拉》。我統籌所有的事務，從每個月挑選雜誌的主題，到完稿後簽名印行。我幫全國行銷總監泰得・沛恩創立這份雜誌，在我沒有舉行的婚禮的兩個月前，這個計畫需要我在里茲待上一個月，協調雜誌的出版事宜。在我離開奈德和黛爾之後，我問泰得我是否可以接受，在我們剛認識時，他提供給我的全國行銷經理的職位。當他同意，我再碰運氣地問，我是否可以把那份原來預備在倫敦做的工作，搬到里茲的總公司去做。

過去幾年來這份雜誌從季刊成長為月刊。我的工作量增加三倍，可是我不在乎，工作是我的生命。

當我終於在離開倫敦的三個月後，於里茲近郊霍斯弗思買下公寓，我必須強迫自己每晚回到公寓，夜復一夜。在那之前，我一輩子都跟別人住在一起：我的家人，然後跟黛爾，再跟奈德。我每次離開辦公室，都必須在心理上做好準備，將面對一間永遠有回聲的空蕩蕩公寓。買下它的時候，並沒有注意到，它對我來說似乎太大。凹狀的廚房天花板很高，內凹二十五英尺長，可是似乎延伸了幾英里。客廳和臥室也一樣，似乎不只是各十四英尺長，而是一個令人沮喪的廣闊空間，只有我一個人在裡面。我終於收到新公寓鑰匙的那天晚上，我坐在客廳的地上，感覺恐懼來襲。公寓裡沒有家具，因為我根本還沒想到要買家具，牆上漆著我痛恨的米色。沉默才是所有的

一切中最可怕的。它是你小時候，老是害怕的臥室窗外暗夜中的黑影，是衣櫥裡的妖魔，是住在樓梯下沒有名字的鬼怪。我沒打算住在沉默中隱居。我沒有料到會這樣。我弓起背，恐懼凝結成淚水。我獨自在一間巨大的公寓裡。我必須重新開始我的人生。

那個時候我知道我有兩個選擇：屈服於緊張的壓力，或盡可能把時間都花在工作上。我好幾個月都沒有在大白天時見到我的公寓。我早上七點就去上班，大約晚上十點才離開公司，然後我會累得什麼事都沒力氣做，除了爬上床。我甚至會在週末工作，只為了不想一個人待在公寓裡。

等到時間緩慢地過去，我才舒緩瘋狂的工作時間表，交了幾個工作上的好朋友，其中之一是和我分享一間玻璃牆辦公室的貝西・戴瓦利。另一個是我的上司，泰得・沛恩。在工作時我跟泰得比跟別人還接近。

泰得五十歲左右，頭髮白得很漂亮，臉上幾乎看不到皺紋，他那張下巴堅實的臉使得他特別迷人。也不只是由於他的長相，泰得有一種沉著穩重的高雅氣質，他說話坦率明確的風格，更使得他不可思議的性感。在我帶泰根回到里茲那天晚上，他來看我。他穿著一套昂貴的，燙得很完美的藏青色西裝和白襯衫紅領帶。他坐在我的沙發上，凝視裝著白酒的玻璃杯。他已經鬆開領帶，毀了他上班日無瑕的外表，他用手指耙過他的白髮。可是雖然表面上放鬆，他從走進我的門後就顯得不安。他一直沒有正視我的眼睛，接過我遞給他的白酒時淡淡的微笑後，目光便往下望。我把自己安置到用豆袋做的紅色大懶骨頭椅上，手握一杯酒，觀察泰得為何不敢直視我。

我不喜歡看到他這樣。他一向是個堅強沉穩，不會遲疑也不會緊張的人。不管遇到任何情況，他總是知道該怎麼做。當我要求休假六個月以便照顧黛爾時，泰得是幫我安排所有事情的

人。他想出讓我一個禮拜在家工作三天的主意。黛爾過世後，我打電話告訴他，我收養了一個孩子，他立即為我安排事假和產假。

泰得終於抬頭，端詳了我好一會兒。「凱梅玲，」他開口說，我屏住呼吸，害怕聽到他將說的話。「我要告訴妳一些事情。妳不在的時候，我不想讓妳擔心。我……我要離開了。」

酒杯在我手裡滑了一下，我握緊它，以免杯裡的酒灑到地毯上。他要離開我了，他要走出我的生命了。泰得深色的眸子與我的眸光交會了良久，他還有其他沒說的事，讓我有一種要結束了的預感。「我為什麼會有個我不會再見到你的感覺？」我小心地問。

「我和艾娃要搬去義大利，重新培養我們的關係。」

他不僅要離開公司，也要離開英國。「那……那太好了。對不起，我的話聽起來很虛偽，不過我是真心的。我真的很為你高興，可是我也為我自己感到難過。我會想念你。」

「妳會幾乎不知道我走了。」他笑著說。

我沒有笑。泰得知道他對我而言有多重要。

我們六年前在倫敦認識，一起合作一個企畫案後，泰得賞識我，希望我能當他的副手。他雖然知道我在倫敦定居，還是提供我工作機會：「馬提卡，有一天妳如果為我工作，我會把妳操到累死。」就在兩年前，我發現奈德和黛爾的醜事的三天後，我先取得應徵那份工作的機會，然後問他那個職位是否還可以保留給我。他似乎有點震驚，露出詫異的神色，眉頭微皺，可是他沒有多問，只是簡單告訴我必須正式提出申請，然後他幾乎立刻錄用我。我任職之後，我們創立了《生活的安琪拉》，所以經常一起工作到很晚，我們會叫外賣進公司一起吃，加完班之後他會陪

我走回旅館。

一個特別的禮拜五晚上，他陪我走回旅館，祝我有個愉快的週末，然後在旅館的接待處跟我道別。那時我還在找公寓，我走回當時堪稱是家的旅館房間，於黑暗中坐在床邊。孤獨害怕，除了絞著手之外，無法做任何事。幾分鐘後有人敲門。我幾乎無法動彈，過了一會兒才去開門。是泰得。

「凱梅玲，」他一臉關心地問：「妳還好嗎？過去幾個禮拜來，妳的情緒有點低落，但今天似乎更嚴重，出了什麼事嗎？」

「明天是我結婚的日子。」我招認。那個重擔幾乎整個禮拜都壓著我。我原本預定第二天要嫁給奈德。「我本來明天要結婚。」

他將訝異隱藏在他真誠的關心神情下，平靜地說：「噢，凱梅玲。」

我點頭。「可是已經過去了。我不結婚了。我好孤單。」

他伸手擁抱我，我崩潰了。他扶我到床上，在我不時低聲啜泣和沉默時，整晚陪我躺著，抱著我，輕撫我的頭髮。到了早上，我看著他，向他道歉，發現他凝視著我，臉上和我昨晚開門時一樣充滿誠摯地關心。我們之間膨脹著沉默和瞭解，然後他低下頭來吻我。他吻我，我決定隨他那麼做。我知道他結婚了，也知道他和他太太艾娃分居了，最近他們在討論要復合，可是我還是決定隨緣。過去幾個禮拜來我已經厭倦了感覺失落、痛苦和孤獨，我要感覺一些別的。任何什麼別的都好。即使只有幾分鐘也好。即使它會使我的問題更加惡化也好。我伸手解他襯衫的鈕釦，可是他阻止我。「我……我……。」他結結巴巴。「對不起。我要和艾娃復合。對不起。」

我鬆了一口氣，解除心理負擔。我不確定我現在可以和男人上床，感謝上帝，我不必嘗試。泰得再擁抱我，他說只要我需要他，他可以一直陪著我。我們星期六那天大部分的時間躺在床上，我甚至可以沉睡。他星期天離開，雖然我們都沒有再提過一起過夜的事，但我們更接近了。他看到我脆弱的那一面，六個月後當他太太再離開他，我也看到他同樣脆弱的那一面。我整個晚上看著他喝酒，喝到遺忘痛苦，然後確定他安全地回到家。我們建立起互相扶持的友誼，如果他不在身邊，我都會注意到。

「那麼你跟艾娃會有圓滿的結果？」我問。

「絕對會。」

他不安的表情證明了，他的回答缺少說服力。「這是你要的，不是嗎，泰得？」我擔心他是被他太太所逼而下這個決定。在他們過去二十年的婚姻中，她離開過他好幾次，但他一向都歡迎她回到他身邊，因為，他說：「我愛她。」

「是的，凱梅玲，這是我要的。」

「那，還有什麼事？你還有什麼沒告訴我？」

「這件事不容易說……。」

「你就快說吧。」

「他們已經找到替代我的人選。過去幾個禮拜來我已經和他一起工作，交接業務。」我手裡的酒杯又滑了一下。「你的意思是我沒有機會升職？他們不以為我能勝任嗎？」

「不是那樣的，凱梅玲，妳知道妳現在有孩子了，妳不可能做這個工作，妳不可能經常加

班，經常旅行到倫敦或愛丁堡。」

憤怒的熱度開始從我的腳底一路往上燃燒，經過我的身體到我髮尾。「就是那個原因？因為我有個小孩？」

「沒有人正式那麼說。他們說要一個新人，要一個能夠長時間工作，能夠以新的眼光來看公司的行銷策略，能夠做些大幅度改變的人。如果妳每天晚上都必須準時回家，妳就不可能辦到，妳知道的，凱梅玲。」

「如果我是個男人就不會有這種事，是不是？男人一旦成為父親，沒有人會批判他對工作上的奉獻可能會改變。一個男人可以長時間工作，仍然看起來像個好爸爸，因為他供養他的家庭。或者他可以每天晚上按時下班，他的上司不會懷疑他是否敬業，他們只會認為他是個想多花些時間陪孩子的好爸爸。如果你是個男人，你就會雙贏。」

「我們都做了選擇，凱梅玲。」泰得平靜地陳述，安撫我的叫嚷。「我不是在說他們的做法是對的，可是妳真的想錯失和泰根相處的時間嗎？她只會經歷這個年紀一次，妳想讓機會流失嗎？尤其她才剛剛失去媽咪，會很需要妳。如果妳把可以陪伴她的時間浪費在工作上，妳會覺得如何？」

雖然這個穿藍色西裝的男人說得對，但憤怒依舊在我的血管裡奔騰。「那應該是我的選擇，那畢竟是我的人生。我很生氣我連申請這個工作的機會都沒有，我無從證明我的能力足以勝任。他們是誰，怎能為我的人生做決定？我為安琪拉工作了七年，這是我應得的待遇嗎？他們以為他們是誰？他們以為我是什麼樣的人？他們以為我會忍氣吞聲嗎？」

「公司讓妳請假那麼久，給妳事假和產假，也願意讓妳在倫敦的家裡工作，那證明公司多麼尊重妳，喜歡妳。」泰得勸我。

「那也讓他們警覺到我的優先順序可能改變了。」我喝一大口酒，含在嘴裡，在吞下酒之前，讓辛辣濃烈的白酒味道滲入我的味蕾。「天啊，我好生氣。」我說，我因為認命了而整個身體癱軟，意志消沉。不只是因為工作，是因為我的人生陷入這樣的無力感。所有的事都失控。先是我無法做任何事來留住黛爾不……，不去天堂。然後我沒能保護泰根不受她的外公外婆傷害。我被迫產生母性，義不容辭的收養泰根。現在我的工作，唯一永遠能使我保持理性的事情，我相信它應該會保持不變的事情，也生變了。我不再是我自己命運的女主人。環境無情的打擊我做了最好的安排的所有計畫。我無法控制我人生的任何部分。我甚至無法抱怨。無法告訴想聽我說，我錯得多離譜的人，每一件事多麼不公平，我必須忍受這一切並閉嘴，打落牙齒和血吞。

「那麼，新任的行銷總監是什麼樣的人？」

「路克・維斯曼?他是個有野心的人。」泰得委婉地說。那更糟。「他是被挖角過來的。」很糟。「從一家管理顧問公司跳槽來的。」非常糟。「他自哈佛商學院畢業。他有很多想法，那正是安琪拉需要的。」

「我想你說得對。」

泰得背靠到椅背上，在透露了關於我的工作上的改變之後，他現在放鬆了。「照顧孩子的滋味如何？」他的眼睛亮著趣意地問。泰得和艾娃沒有小孩，是他們的不孕破壞了婚姻。艾娃無法懷孕，卻又反對領養孩子，可是她希望泰得生小孩，所以她一再離開他，好讓他去找別的女人生

小孩。

「還好。」我說。我不能告訴泰得說我掙扎得多辛苦。他會為了和我交換處境，擁有一個就睡在隔壁房間的孩子，知道他將能夠照顧她，而付出任何代價。

「還好的意思是，妳幾乎無法應付嗎？」

「不，沒有那麼糟。只不過是有一大堆事情要處理。」

「泰根媽媽的後事？」

「是的，還有其他事情。」

「妳想談嗎？」他棕色的眼睛如同我們親吻那晚，蘊含著關心。

「老實說，我不想談。告訴我所有關於計畫搬去義大利的事，最重要的是，我什麼時候可以去拜訪。」

幾個小時後，我送泰得坐上在外面等候的計程車。我們友善地短暫擁抱。

「妳會是個好媽媽。」我們放開對方時，泰得說。

我對他回以淺笑。「謝謝。」

「妳會的。我知道妳會。我對妳有十足的信心。」

「謝謝你，泰得。幾個禮拜後見。」

「是的，妳要來看我。」泰得走下樓梯，然後停步。「喔，」他轉回頭說。「我忘了告訴

妳，妳還在倫敦的時候，有人打電話給妳。聽起來是個討人喜歡的年輕人。他想知道妳會不會去參加葬禮。他叫什麼名字？」泰得彈手指發出卡嗒聲，企圖回想那個人的名字。他不必麻煩了，我很清楚他將說出誰的名字。

「喔，對了，奈德・透納。」

第十四章

我的牆壁。我美麗的白色、帶點奶油色的牆壁。

牆壁是在這次的變動中最令我難過的。客廳沒了還不至於太糟，至少我因此從無到有改造個房間出來。失去我曾經花了好多好多時間粉刷的牆壁才叫人心痛。我自己砌的磚、抹灰泥，然後粉刷牆壁。現在它快完蛋了。

泰根站著，手裡拿著一把油漆刷。一桶紅色的油漆在她穿著運動鞋的腳旁邊。她小小的臉上混雜著快樂、興奮和不安。我把一條藍色和白色的頭巾綁在她頭上，以保護她的頭髮。她為她穿著粉紅色長袖上衣和藍色牛仔褲工作而不安，我叫她放心，大人在裝飾房間時就是這麼穿的。為了證明我所言屬實，我拿出很久沒用了的全套油漆配備：腿邊有大口袋的深藍色寬鬆工作褲，粉

紅色運動衫，和一條黃色和白色的頭巾。

「我真的可以在牆上畫嗎？」泰根再問一次。過去幾分鐘內她已經問過我五次。

「是的，妳可以漆上任何妳喜歡的顏色。」

昨天我們去ＤＩＹ的商店，買了許多模版：動物、星星、月亮、太陽、海豚、魚等，以及各色油漆：紅色、藍色、棕色、黃色、綠色等。這樣的花費比重漆整個房間便宜多了。少花一點錢並不重要，能夠少花一些時間和精神，才是我主要的考量。

「我可以在那裡漆上一條魚嗎？」

她指向窗戶下的牆壁。我必須躺到窗戶下的地上不動，才能就正確的位置，掩蓋那個地方的舊油漆。現在那裡將會綴上一條魚。「妳想漆什麼顏色？」

她往下看已經打開的紅色油漆罐，它的油漆味在燥熱的房間裡飄盪。窗子大開，可是掛在那裡的奶油色布窗簾，因為連一點風都沒有，一動也不動。「紅色。」

「那就漆吧！」我說。我拿起魚形狀的模版，把它用膠帶貼在牆上，然後退開，讓藝術家來發揮。

泰根再看我一眼，確定那麼做不會有事，然後朝模版內的魚身中間畫一筆。她的每一筆都短短胖胖的，顯示出她的緊張和遲疑，她小心翼翼地塗滿模版內的空間，不超出邊緣，直到一條魚成形。

牆上的魚看起來有點寂寞，單獨一隻在米色的大海上戲水。

「好了，再來是什麼？」我問。

「大象。」泰根決定。

「什麼顏色？」

「藍色？」她問。

「小姐妳想漆藍色就漆藍色。」我跪下來，拿起螺絲起子，插到藍色油漆罐蓋子下面，把蓋子撬開。濃豔的深藍色對我閃動光澤。我小心地把蓋子放到鋪了報紙的地上。

在泰根漆大象模版的時候，我走到音響前打開收音機。我找到一個聽起來感覺滿輕鬆的電台，能夠配合陽光流洩進敞開的窗子，和溫暖潮濕的空氣。當我先前開窗時，我突然發現空氣多麼芳香，我閉上眼睛，深吸外面的空氣。我忘了這裡的空氣與倫敦多麼不同。我很喜歡倫敦，喜歡到不容有人當我的面詆毀它，喜歡到當我匆忙間換個環境到里茲來生活時，還把倫敦當成我的「家」。但身為首善之都的倫敦，快速的步調造成空氣污染。里茲也是個都市，但它的問題沒有那麼嚴重。

彼得・蓋布瑞爾（Peter Gabriel）的歌《索斯貝里山丘》（Solsbury Hill）前奏響起，我把收音機的音量轉大幾格，讓他的樂聲裝滿整個房間、整間公寓。昨晚當泰根在我的房間睡覺的時候，我把所有的家具都搬到房間中央。我拆掉桌子，把我的蘋果電腦放到臥室角落的地上。用白色和奶油色的舊床單覆蓋家具。此刻我瞄向泰根，她的小身體向前弓，小心謹慎地在漆大象。我不看她的臉也能感受到她很專心。我可以想像她的小舌頭伸出粉紅色的雙唇，她的眉毛皺著，她的眼睛因為專心在牆上漆藍色的大象而微瞇。我微笑著再把音量轉大一兩格。

花了大半個下午用動物環繞房間。泰根特別要求，她要每一種動物占有的空間都一樣，牠們離地的高度也要一致，那意味著我必須拿尺來量，確定每一隻動物的距離和牠的鄰居相同。就我個人而言，我可以住在不完美的地方，但泰根不行。她幾乎對每一件事都要求精準：每天晚上，她必須睡在床的同一邊；她從盤子中間的食物往外吃；她每一次進門脫下鞋子，會把它們放在廚房門邊的老地方擺整齊。我通常把脫掉的鞋子隨便往旁邊放，只要不會被它們絆倒就好。

我們站到用舊床單蓋著的家具旁，欣賞我們的手藝。很漂亮。泰根的方舟載著多采多姿的動物。我必須說，她漆得很好。可能遺傳自她媽媽。可是她爸爸也很有藝術天分。奈德常會在紙上信手塗鴉。我們如果夜晚到酒吧去坐坐，他會在啤酒墊上畫吧台對面的某個人。在家裡，當我們在看電視，他也會拿起筆和紙來隨便畫東西。那是他消除緊張的能量的方式。有的人抽菸，有的人咬指甲，奈德畫圖。

自從在葬禮看到他，奈德就進駐我心房。我腦中任何沒有被泰根和黛爾，還有我該如何處理事情塞滿的空間，全都充斥著奈德。自從我在倫敦把我的東西搬出他的公寓，我沒有多想他，把他塵封到我心裡的某個角落不去理會他，可是現在他鑽出來，自由地在我心裡亂竄。他打過電話給我。他得知黛爾過世後，打電話給我。他希望跟我再續前緣嗎？或利用這個機會當藉口，想開始再跟我來往？或者他只是單純地想知道我是否會去參加葬禮？

收音機傳出《宛如處女》（Like A Virgin）這首歌，使得我把穿黑西裝的奈德的影子推開，換成音樂錄影帶中的瑪丹娜，穿著白紗放蕩地扭擺著，一點都不像處女。我扭大音量，直到瑪姊的歌聲大得瀕臨失真。我低頭看泰根，她用困惑的表情凝視著我。這首歌適合五歲的孩子聽嗎？

我懷疑。喔，來不及了，她已經聽了一大部分了。當我多年前第一次聽這首歌的時候，我是個少女，還不瞭解歌詞的意思。

我把手伸向泰根，她把沾有藍色、紅色、綠色和黃色油漆的手放進我掌中。我開始扭腰擺臀，頭也隨著音樂晃動。我同時搖著她的手，要她跟著做。我們的身體隨著音樂扭擺，在悶熱又有油漆味的房間裡舞著、跳著。我把她的手舉向空中，帶領她轉幾個圈，然後我握著她的兩隻小手，搖動她的手臂。意外地，她頭往後仰愉快地笑，那笑聲介於咕咕和咯咯的聲音之間。我心情為之大好。我抓著她，把她摟進我懷裡，抱著她繞著房間跳舞。她在我懷裡感覺好輕，但比前些天顯得結實了一點。

她笑得更開心，在我懷裡扭動頭，擺動身體，好似她也在跳舞。

《宛如處女》播完了，接著是辛蒂・羅波（Cyndi Lauper）的《女孩們只想玩樂》（Girls Just Wanna Have Fun），我放泰根下地，然後我們兩個都自動地雙手擺向空中，並排扭動身體。泰根甚至知道一些歌詞，會跟著合聲唱幾句。

「這是我媽咪最喜歡的歌。」泰根笑著說。然後她僵住，彷彿發現她做了什麼：她提到她媽咪，在過去的一個禮拜裡我們兩個都沒有提過她媽咪。

我也停止跳舞，我的心在胸腔裡擂動如鼓。辛蒂繼續賣力的唱著，可是我和泰根靜靜的站著凝視對方，每一句歌詞都像是玻璃碎片，割破我們的肌膚。

我僵硬地走向音響，把它關掉。四周突然變得寂靜，令人難以忍受。我不知道該如何處理像這樣突然憶起黛爾的時刻。我已經盡力看過該如何幫小孩度過失去至親之痛的書，可是閱讀無法

取代經驗，而我毫無經驗。那些文章也沒有提過，當突然回憶起亡者時該怎麼辦。或者，雖然你媽媽或你的摯友離開人世，你還是可以玩樂。那些文章沒有解釋，如何處理愧疚與憤怒同時並起的兩種情緒。愧疚你一時忘了發生那麼可怕的事，而享受了一點點樂趣；憤怒你所愛的人棄你而去。然後你會因為憤怒而更感愧疚。再因為愧疚而更憤怒。它是個螺旋體，我待在它的外面，把它看作你會繞過的路上水坑般走過去，你知道它在那裡，可是你不靠近它。我能夠瞭解自己的這些感覺，可是，我無法用適當的言語對泰根說明。我不知道該如何向她解釋有這種感覺是正常的，她可以生氣、可以沮喪、可以困惑、可以心痛。而儘管有這些痛苦包圍我們，哀傷也不必二十四小時都籠罩我們，我們還是可以歡笑。

我指向壁爐的煙囪凸出於牆面的那塊米色的牆。「我們要在那裡漆什麼？」我在我的聲音裡增添虛假的勇氣。我們兩個都沒哭，所以我們必須壓抑，等到我們準備好了，才會讓我們的情緒發洩一些出來。

泰根聳聳她瘦削的肩膀，坐到油漆罐旁，一隻腳彎到另一隻腳上交叉。

「嘿，加油，妳可以做得更好。」我坐到她旁邊哄她。我該如何向泰根解釋，快樂一下沒關係？其實我自己有時候也會和那個觀念掙扎。

她抬起蒼白的心型臉，寶藍色的大眼睛閃動眸光凝視著我。幾秒鐘前還向上揚的嘴角，現在往下拉。

「漆個大太陽怎麼樣？」我說。她瞄牆壁一眼，再看回我臉上。「一個黃色的大太陽。或許畫上一間房子？」她搖頭。「好吧，黃色的大太陽。要畫山丘嗎？一些綠色的山丘。」她點頭。

「好，一個黃色的大太陽，一些綠色的山丘。還要別的嗎？」

「一棵樹。」她輕聲說。

「好，一棵樹。我想我可以畫樹。還要別的嗎？」

「巧克力花。」

「沒問題。我們要畫上一顆黃色的大太陽、綠色的山丘、樹和巧克力。妳介意我把花畫成像漩渦型的紅白色棒棒糖嗎？畫了樹枝後，剩下的棕色會不夠。」

她注視了牆壁幾秒鐘，然後看著我點頭表示同意。

「我想妳媽咪會喜歡太陽和山丘和樹和花，畫起來會很可愛。」我說。我們不能假裝黛爾不存在，我們必須想辦法談她，不管那有多痛苦。「讓她來畫的話，一定會比我畫的好看。」我補充說。

泰根以濕潤的、好奇的眼神，安靜地凝視我好一下子。「我媽咪畫了很多畫。」她終於說。

「是啊，她畫了很多。她很會畫畫。來，我們加油吧。」我說著站起來。「我們把這個畫好，就去給妳買一張床。」

「這真的是我的房間嗎？」泰根站在門口問。我站在她背後，看著她慢慢轉動頭，小心不讓目光錯過她新房間的任何地方。我們又花了一個禮拜才把她的房間打點好。泰根的單人床送到後，跟我同辦公室的同事貝西派遣她弟弟布雷德——一個老是繃著臉的十五歲男孩，他不知怎地

對貝西唯命是從——來幫我搬家具。奶油色的沙發搬進與廚房連接的飯廳，沙發椅背靠到門邊。我的懶骨頭豆椅放在牆壁凹處用來放書架的那一頭。布雷德也幫我把二十八吋的電視搬進飯廳，放在沙發的對面。貝西感恩地接受我飯廳裡原本的大餐桌，即使是我以前自安琪拉用折扣價買的，還是花了一大筆錢。它是楓木桌腳，毛玻璃桌面，配備六把別緻的毛玻璃椅背的椅子。現在在飯廳必須兼做客廳的情況下，我沒有空間可以留住它，必須換成一張小木桌。電腦、印表機和其他相關設備都收進我房間。真正造成問題的是我的書，超過五百本書，放在客廳的三個白色書架上。我花了將近十八個月的時間才看中那些書架，用來展示我的藏書，我不甘這麼快就拋棄它們。最後，放不進壁龕書架的書，全堆在電視旁邊的地上，成了一座傾斜的書塔。電視的另一邊，堆著我的錄影帶和ＤＶＤ，那是我的另一項收藏，在走廊上沿著牆擺了五個櫃子來貯藏還不夠放，現在有半數已裝進黛爾的紙箱。原本放在廚房的小電視現在擺進泰根的房間。

她正在凝視她的房間。她的床上鋪著單人的羽絨被，被單的一面是淺藍色的天空和白雲的景色，搭配相襯的枕頭。窗邊是一座小型的木製衣櫥，窗下有個與衣櫥同款的五斗櫃，讓她放些內衣褲、襪子和摺疊起來的衣服。我用地毯膠帶把兩張紅色和白色的大地毯固定在木紋貼皮地板上，一張放在電視架下面，另一張放在床前。壁爐的另一邊擺著一個大玩具箱。她也要求一個書架放書，我知道她喜歡閱讀，也喜歡別人唸書給她聽。她的房間布置完成後，我用鮮豔的彩色字母，在她的門上貼拼出她的名字「泰根」。

「對，這是妳的房間。妳可以在裡面做任何妳想做的事。」我回答，不言可喻當然是「合理的事」。

「真的真的嗎？」她還杵在門口沒有動。

「絕對是真的。妳要進去嗎？」她試探性地踏進房間，坐到床上。

「我想妳今天晚上可能想在自己的床上睡覺，可是如果還是想跟我一起睡的話也沒關係。」

「我喜歡這張床。」她說。「它給泰根睡夠大了。」

「是呀！很酷的床。我要弄杯飲料喝。妳何不試試看妳的電視和放影機？」

泰根急切地點頭，跳下床，然後在房間裡小跑步到小電視機和我為她新買的放影機前。

我最近買了很多東西，每一樣都貴得嚇人。我不是個用錢很理智的人。我會準時繳房貸，通常也能準時付清帳單，但我出門經常花太多錢。雖然我的職位頭銜好聽，但收入並不高。我老是透支，欠卡債。（談到錢，奈德是個理智的人，他少數幾個節約方式影響了我。）現在我要負擔兩個人的食物、衣服等花費，我的經濟恐怕更加困難。

我雖然愛黛爾，但她的財務狀況令我驚愕。她臨終前不久才讓我知道，她對錢那麼漫不經心。我必須說，她非常不負責任。是的，不負責任。我的確那樣認為，黛爾不負責任。無庸置疑，她愛她女兒，可是她並沒有為她留下任何遺產。她們住在我和黛爾剛搬去倫敦時租的公寓。當黛爾的病況趨於嚴重，她們退租那間公寓，搬去跟她爸爸和他太太住。

她沒有積蓄，只有一大堆衣服等東西。在她的職業生涯中一直都是個自由業者，因為她的工作時間必須有彈性，以便照顧小孩，所以她沒有壽險或其他的財務後援計畫來因應這種可能出現的狀況。她所做唯一理智的事是，投保信用卡險，所以在我把她的死亡證明書寄給保險公司後，他們會幫她付清卡債。

我想，她和我一樣，以為她多的是時間來開始做理財規劃。以前要不是奈德「恐嚇」了我整整三個月，我也不會開始投保個人養老年金。在不瞭解有那個必要之前，我也以為我會永遠無病無災，打算等到我老一點時，再來接受我不會長生不老的事實，到時再投保養老年金、再來儲蓄、再開始閱讀報紙的理財版，當報紙提到ＩＳＡ（個人儲蓄帳戶）時才不會茫然無知。

我還沒有積極理財。黛爾也沒有。

我和泰根要靠我的薪水過活，勢必相當拮据。

我慢條斯理地泡飲料，給泰根時間去熟悉她的新領域，等到我回到她的房間，她已經把瑪格送上床蓋好被子，也把她所有的書按高矮順序擺在她的書架上。

「我喜歡這個房間。」她從我手裡接過一杯我為她泡的好立克時告訴我。她坐到房間中央的地上，我坐在她對面，環眼四望。這個房間不如她在吉爾福德的房間那麼大，然而這是她的新天地，沒有附著惡劣的記憶。說到記憶……。

「泰卡，我很高興妳喜歡這個房間。」我說。「我有個東西要給妳。」

「禮物嗎？」她的眼睛一亮。

「差不多。」我說。我起身去廚房拿昨晚在泰根睡著後找出來的紀念品。

「我知道妳看到這個一開始可能會難過，可是我想妳還是應該保存它。」我拿出黛爾放在醫院病床旁的，她和泰根的合照。照片上她們兩個人的頭靠在一起，泰根的手臂摟著媽媽的脖子，她們在樸實的玻璃相框後笑得很燦爛。

泰根遲疑著，她張大含有懼色的眼睛凝望著我手裡的照片。終於，她放下好立克杯，從我手

裡接過相框。她用兩手捧著相框，在她低頭看照片的時候，她鬆散的頭髮下垂，幾乎掩藏了她的臉，不過我還是可以看到她拉下嘴角。

「妳媽咪好漂亮，是不是？」我冒險地問。

她點頭，沒有抬眼看我。

「甜心，妳可以不必擺著，」我擔心會不會太快就逼她太甚。「如果妳以後才要擺的話，我可以先幫妳收起來。」

我到底在想什麼？我不想整天看著黛爾，她又怎麼會想？

泰根站了起來，走到電視機前面，把相框放到上面。「我想它應該放在這裡。這樣好嗎，玲媽咪？」

我點頭微笑。「太好了，甜心。」

第十五章

校長在翻閱文件，發出沙沙的聲音。我沉默地坐著注視她，泰根當然也是沉默地坐在我旁邊舒服的椅子上。

女校長顯然意識到我們緊張的目光望著她，她看到某一頁，沒有繼續翻，即使臉上戴著眼鏡，她還是瞇起眼睛看了看，然後抬起頭，深深地覷我一眼。我感覺我的臉因為焦慮而僵硬，她拋給我一個熟練的職業笑容，那使得她橢圓型的臉顯得更寬，然後她低頭，重新研究眼前的資料。當我跟著她的視線，看她閱讀自一個米色卷宗裡拿出來的文件時，我的心跳加快了一點。我還沒有填資料，沒有提供他們多少訊息，怎麼會有這麼多文件？哪來這麼多資料？事實上，當我打電話到學校，詢問我該如何註冊，讓一個小孩從下學期開始就讀時，他們要我告知小孩的名字、以前的住址、先前就讀的學校。我無須填任何表格。

「完全不必寫資料嗎？」我那時在電話裡問。

「不必。」對方回答。

「那不就表示任何人都可以隨時出現來說，『我有個小孩，我想讓他來上這個學校』？」

「孩童必須住在這個學區，我們當然需要知道孩童的住處。」學校的祕書回答。

「所以任何一個住在這個學區的人，都可以在任何時間出現說，『我有個小孩，我想讓他來上這間學校』？」

「原則上，是的。」

「這樣好像不對。」我說。

「為什麼？」

「因為要申請超市的集點卡都比進貴校就讀還困難，萬一有冒充者出現呢？」

「冒充的小孩？」

她說那句話的口氣好像認為我瘋了，但基本上，那樣似乎是錯的。在我的成長過程中，要參加任何團體好像都很難，女童軍、學生會、銀行開戶、應徵工作等，老是要填一些表格，提供一些資料，隨便就向全世界揭露自己的部分隱私。上學應該更困難。結果，我要求見校長，因為我必須為自己把生活弄得困難一點，也因為我想瞭解這個地方，我不能沒有親自來看，就隨便把泰根丟到一個新環境，一個會成為她世界中一大部分的地方。我必須先親眼目睹，等她將來告訴我她那天做了什麼，我才有具體的場景可以想像她所談的事。我要審查我所看過有關於這間學校的資料，眼見它是不是真的是個嚴謹安全的學校，是否確實沒有敞開的下水道人孔蓋，牆上也沒有水流下來。我一個禮拜前提出要求，當時我還相信必須檢查學校是否符合我的標準。隨著一天天過去，那個感覺消散了，而我開始擔心我們可能被拒絕。擔心我做了什麼，使得他們終究決定拒收泰根。那樣的恐懼感越來越強烈，直到它在我的心裡凝固成不只是可能性，而且是必然性。今天早上我們兩個換了兩次，呃，或許十次衣服。最後，我終於決定穿黑色的裙裝，搭白色背心，而給泰根穿紅色的牛仔背心裙，裡面再穿白色運動衫。我用直髮器把我的鬈髮弄直，梳成平日的鮑伯頭髮型；我把泰根的頭髮往後梳成一根馬尾，用紅絲帶綁起來。

我們從公寓走到學校時，我必須一再放開泰根的手，以便擦擦我手心的汗。我不記得自己曾經為了和某人見面而如此恐慌，當我們被領進校長辦公室，我的胃像被騾子踢了一腳，那證實了我還可能更加害怕。

從校長侯勒比太太橢圓型臉上的皺紋和灰白頭髮纏繞成一個低髻看來，她大約五十歲左右。她的衣服和長相不協調——白色運動衫，上頭有一個亮色潑漆印刷的學校名字，以及經過石磨水

洗處理過的鬆緊帶腰頭牛仔褲。她的打扮也讓我覺得自己的穿著不合時宜，過度講究。

我坐直，逼我自己散發出在安琪拉工作時，說服常務董事們同意我的雜誌構想的自信。我的眼睛可能出賣了我，它們洩漏了我在焦慮，她從哪裡弄來那些檔案，而那些文件揭露了哪些私密。裡面有沒有記錄黛爾過世了？裡面載明了泰根的爸爸是誰嗎？裡面有沒有提到那個曾經跟她們母女親如家人的女人拋棄過她們？

「馬提卡太太……。」侯勒比太太抬頭看我，開始說。

「是馬提卡女士。」我插嘴。

「女士？」她以聲音中的輕微轉音質疑我的婚姻狀態。我離婚了？還是那種堅持不婚的自由派女人？

「女士或小姐，都無妨。」我回答。「我沒有結過婚，可是我不想讓別人知道。那不關他們的事。我的意思是，男人不必用稱呼來公告他們的婚姻狀態，不是嗎？」我加上緊張的笑聲，那笑聲在房間裡聽起來空洞沉悶，更證實了我的精神不穩定。

「我瞭解。」她說。

「請叫我凱梅玲。」

她的臉堆擠出另一個熟練的職業化笑容，那並沒有產生讓我放心的作用，反而令我的背脊發寒。「凱梅玲。」她叫我的名字聽起來像是在發表宣言。「很可惜妳的伴侶無法一起來。」

「我沒有伴侶。」我平靜地回答。

侯勒比太太皺眉頭。「可是，妳是泰根的家長？」

「是的，我是。」

「她唯一的家長？」

「是的。」我說。

沙沙聲、沙沙聲、啪啪聲、啪啪聲。她又翻文件，企圖搜尋她面前這位小姐或女士的玄機，想找出答案來解釋，金髮白膚的泰根的家長，為什麼是黑髮棕膚的凱梅玲。

我注視著她瀏覽那些文件的要點，猶豫了一會兒，不知道我是否該讓她像個剛起床還沒清醒的女人，尋找電燈開關那樣，在這種情況下的黑暗中摸索。我當然不能。我必須幫她開燈，她是校方的負責人，為了泰根我必須讓她知道出了什麼事。

「我是泰根的法定監護人。」我清楚又精簡地說，讓她明白我不想在泰根面前討論這些。為了向她暗示，我瞄泰根一眼。她坐在椅子中間，雙手圈抱著瑪格，她的眼睛熱切地盯著校長看，好像被她迷住了，不過也可能是因為，她發現了一個新類型的人。

校長瞭解我的言外之意，伸出她的長手拿話筒。我看著她按一個電話鍵，然後要求某人進她的辦公室。幾分鐘後，一個棕髮及腰的年輕女人，穿著和校長一樣鮮明的學校運動衫和藍色牛仔褲，進入校長室。她和侯勒比太太短暫的交談後，蹲到泰根面前，自我介紹說她叫美亞。她問泰根要不要去和學前遊戲班的其他小朋友一起玩。

泰根轉頭看我，她的眼睛睜得大大的，顯示出警戒之色。

「妳不想去的話可以不去。」我消除她的疑慮。

她的眼睛睜得更大一點，可是在她寶藍色虹膜裡的黑色瞳孔仍然張大，那表示她並不怕，她

想去，可是自信不足使她無法在兩個陌生人面前說出來。

「妳想去的話可以去。妳想去嗎？」我給她一個鼓勵性的微笑。

她點頭。

「那就去玩。」我說。「我等一下再去找妳，好嗎？」

她的雙唇彎成微笑。「好。」她在滑下椅子前就急著回答。然後她讓美亞牽著她的手離開校長室。

我目送他們的背影，突發的恐懼使我差點喘不過氣來：要是我永遠再也見不到她呢？我一點都不瞭解美亞這個人，要是她把泰根拐出學校呢？

「她不會有事的。」侯勒比太太對著我的後腦杓說。

我重新面對她坐好。「我知道。我就是愛擔心。」

「看得出來。」她的臉掛上得體的關心表情。

我在內心的一隅嘆氣，呼出肺裡所有的空氣，預備讓一個完全陌生的人進入我的人生。自從發生奈德和黛爾有染的事件後，我從來沒有對別人敞開心胸。泰得知道一點我的心結，但我小心地不揭露太多。你與人分享太多，別人可能傷害你。「我是泰根的法定監護人。」我開始說。我深吸一口氣。慢慢來。我必須慢慢地講。「她媽媽是我最好的朋友，她最近過世。我收養了泰根，負起養育她的責任。」

校長起身，繞過桌子，坐上泰根剛才的椅子。那張椅子泰根坐起來好像很大，換成大人坐似乎變小了。她兩隻大掌互握，端詳著我，如同她研究泰根的檔案，她搜尋我的臉，彷彿敘述我的

故事，文字會慢慢浮現在我的五官上。她擺出想擁抱我的姿勢，我的身體稍微往後仰。「我答應她媽媽要領養她。」還沒有人知道這件事。大家都以為我只是照顧她，沒有人知道我會讓她改姓馬提卡。「她媽媽才剛離開我們幾個禮拜，可是我必須開始辦理領養的手續。」

「這對妳來說一定很艱難。」她說。

「有那麼明顯嗎？」我聲音中的虛張聲勢全都被抖音毀掉，隱藏情緒比我想的還困難。

她流露出關心的神情，眉毛皺在一起，唇角漾出同情的微笑。我轉開眼睛，不想接受她的憐憫。我不需要別人的憐憫，當面對陌生人的善意時，我會感到乏力。我把目光固定到她肩膀後面的地方，到大窗子和外面的世界。今天所有的一切都充滿希望。明亮燦爛如陽光。夏天到了，萬物都欣欣向榮，被陽光親吻得歡欣鼓舞。

「妳和社工人員聯絡了嗎？」校長問。

「我，呃，還沒有時間，」我還是不看她。「我最近忙著整理公寓，讓泰根有她自己的房間。還要幫她選購洗髮精，我還沒研究該選什麼牌子。我到目前為止只有時間油漆牆壁、搬家具、隨便買洗髮精。還有到學校幫她註冊。我想如果帶她到學校來，妳或許可以推薦一個學前遊戲班或安親班，當她放暑假而我必須要工作的時候，我可以將她送去。我會跟社工人員聯絡。我保證。」

她輕觸我的手，我詫異地一震，然後神經緊繃，擔心她會擁抱我。「凱梅玲，我不是在責怪妳。我問妳是因為，我想他們可以幫助妳。他們的工作就是做像這樣的事。不只是辦理領養手續，妳有任何問題都可以找他們談。他們也會幫妳找能和泰根談的人。」

泰根必須和別人談什麼？我感到納悶，警鐘在我耳中響起。「每個人都很難度過哀傷期。」她說。「如果泰根有抒發情緒的障礙，她可能需要某個人跟她談話。不論如何，妳還是需要一個社工人員幫妳辦理領養手續。」

「是的。好。我想我知道。」

「那健康訪視員呢？」

「泰根沒生病。」我回答，警鐘又在大響了。

「健康訪視員會和妳談談可能會遇到的各種問題。他們是為了妳和妳的小孩而存在的。如果妳對如何做家長有任何疑慮，他們會幫助妳。」

「好。」

「妳只需要開口便可以得到幫助。」

我無法要求幫助，要我解釋自己的情況，揭露我內心在掙扎什麼是不可能的。

「我們這裡有另一個家長也經歷過領養程序。」校長說。「我可以跟她談談，看她是否願意與妳分享她的故事。」

我又想退縮了，不確定哪一種比較可怕，擁抱或想到要被安排和另一個人見面，像是家長版的盲目約會。

「我想妳是不習慣與人分享的人，是嗎？」她精明地觀察。

我微笑。「是的。我不善於分享。」

「很好。」

「那，我們，我的意思是，那泰根可以來上課嗎？她可以入學嗎？」

她點頭。「是的，她住在本學區，我們很樂意接納她，她看起來是個可愛的孩子。」

「她是的。那關於學前遊戲班？」

「喔，我們這裡有學前遊戲班。從早上八點到晚上六點半開放。我們會給孩子吃早餐和午餐，下午在他們被接回前會吃些小點心。我們會安排一些活動，和閱讀、畫畫，以及午睡。」

「要花不少錢，是嗎？」

「是的。」

不管要花多少錢都不會比請一個全天候的保母貴。我必須精打細算，咬牙度過財務難關，節衣縮食到每隔一年才能買衣服，除了義大利麵和自製的番茄醬之外，就不能吃別的了，那樣恐怕還會有財務赤字。學前遊戲班是我唯一可以負擔的，我還必須每天在午餐時間工作，並且把工作帶回家，等泰根睡著後再做，那樣我才能每晚準時下班來接她。「你們還有名額嗎？」

侯勒比太太微笑的時候皺紋加深。「我們會為泰根挪出名額。」

我伸出雙手圍繞她脖子，身體輕壓著她以表示感激，一邊叫道：「謝謝妳！非常感謝！」這件事進行得很順利。雖然只是一件小事，可是意義重大。侯勒比太太被我抱著的身體顯得僵硬，我隨即意識到自己在做什麼，自制地放開她。「我的意思是，謝謝，太好了。」我恢復平靜說。「我們現在可以去找泰根了嗎？」我問。我在校長室裡感覺不對勁，因為泰根不在那個封閉的世界裡。過去幾個禮拜來我已經很習慣她在我身邊，或越過房間便可以看到她。在她醒著的時候，我們分開的時間從來沒有超過淋浴所需的長度。她不在場我就會覺得不安。

我們沿著走廊走，奶油色的牆，藍色的橡膠地板。大窗子之間的空間排列著一個個布告欄，欄上貼著許多色彩鮮豔的美術作品，全是孩子們的創作。我經過的時候禮貌地匆匆瀏覽那些作品，愉悅的從那些傑作裡認出一頭牛或一匹馬或一條龍或一個人。

在我越過門檻踏入戶外遊戲場時，陽光幾乎刺瞎我的眼睛，外頭亮到我必須瞇著眼睛。我掃描遊戲場上的角落。我知道她應該是單獨一個人抱著瑪格，祈禱我趕快來接她。我看不到她。我的目光再次掃過遊戲場，她不在飲水器那裡，也不在攀爬架那裡。她不在遊戲場的邊緣。也沒有孤伶伶地站著看紅色的磚牆。我的心恐懼地狂跳。美亞對泰根怎麼了？她把她偷走了嗎？就在我即將抓住校長，要求她還我孩子時，我看到泰根和四個女孩站在一起。她們五個人正全神貫注地熱烈談話，她們的聲音低低的，她們的表情像審判謀殺案兇手的陪審員那麼嚴肅。泰根的同伴都和她一樣高，兩個黑髮，一個金髮，另兩個是紅金色頭髮。我覺得泰根是她們之中最漂亮的小孩，即使她的同伴中有兩個我只看得到她們的背影。她不需要時間來長成美麗的容貌，就已經美得引人注目。泰根抬起頭來，好似感應到我在心裡給她戴上校園美女的冠冕。我們的目光相遇，她對我露出笑容，然後等不及我回以微笑，她立即又投入女孩們的對話中。

「看起來她適應得很好。」侯勒比太太說。

「我認識了好多人。」泰根說。她握著我的手搖啊搖的，一邊沿著人行道蹦蹦跳跳。被泰根的另一隻手抓著的瑪格也跟著搖搖晃晃。

「那很好啊。」我說。我低下頭，發現她盯著我看。

「我認識了克莉絲朵。她有個弟弟叫寇斯莫。他長得比她小。我還認識了英格麗，她有個哥哥叫拉西連。我沒有兄弟，是不是？」

「是的。」我回答。

「我還認識瑪蒂妲。她有很多哥哥姊姊。她有個姊姊叫瑪琳，另一個叫瑪玲。」

「她們的名字聽起來一樣。」

「不，不一樣。一個叫瑪琳，另一個叫瑪玲。不一樣。」

「喔，不一樣。」

「她還有個哥哥叫達利爾。」

「她的確有很多哥哥姊姊。」

她點頭，馬尾擺動。「是啊。瑪蒂妲問我明天會不會再去。玲媽咪，我明天會再去嗎？我明天可以再去嗎？」

「妳會再去，不是明天，是下禮拜。妳喜歡那裡？」我問。

「嗯，喜歡。」

「妳不介意再去那裡嗎？」

「不介意。我想再去那裡玩。」她興奮地說。「我交到很多朋友。有克莉絲朵、英格麗和瑪蒂妲。」

我還是個孩子的時候，從來不曾那麼快就交朋友，我長成大人後也不曾那麼快就交朋友。泰

卡的社交能力顯然比我強。

「好，妳可以再去。」

她開心得笑逐顏開，令我嫉妒得心頭刺痛。我非常難過，因為她才離開我十分鐘，就等不及再次離開我。

「妳下禮拜也都要在那裡陪我一起玩嗎？」泰根問。

「不行，我要回去工作。」

泰根在人行道上停步，不再蹦跳，也不再搖晃我的手。「妳為什麼不去？」她恐慌地問，害怕我不在她身邊。我希望她感覺需要我，至少會想念我，但不是如此恐懼。

「我必須去上班。」

「妳為什麼不跟我去？」

「因為我是大人，大人必須工作。妳可以跟妳的朋友玩一整天，然後告訴我你們玩什麼。」

「妳晚一點會去接我嗎？」

「會，等到我下班後。然後妳可以告訴我，妳又認識了誰，還有他們的兄弟姊妹。」

「妳保證妳晚一點一定會去接我？」她問。

「我保證。」

「永久加倍保證，阿門？」

「是的。」我回答。她緊盯著我，逼我再說：「是的，我永久加倍保證，阿門。」

泰根對我微笑，又開始蹦蹦跳跳。沿著人行道，一腳放在另一腳前面：輕鬆地跳、單腳跳、

單腳跳，輕鬆地跳。她赤裸的腳穿著紅色的露趾頭涼鞋，蹦跳如舞。

「等一下我們要不要去買些東西，到公園去找個地方坐下來吃？」我問她。

「好，」泰根說。「可是我們要先回家，是不是？」

「為什麼？」我問她。

「因為妳必須換掉妳的漂亮衣服。」

「對喔，我想我們還是先回家好了。」

泰根張開嘴唇，笑得露出一口小白牙，雙頰因而鼓得圓圓的。她微眯的眼睛閃動光采。她雙頰煥發的玫瑰色容光和眼中的神采，令我想到黛爾，令我想到她對我綻放的第一個友善的明媚笑靨，她那真誠的笑容多麼令我動容。然後我意識到泰根剛才說的：「我們先回家。」她不需要我提醒就有了「家」的意念，可見她感覺在我的公寓安頓下來了。她跟著我安頓下來了。

「妳知道嗎？」泰根問。

「知道什麼？」

「克莉絲朵有一隻貓。」

他看起來不像怪物

he doesn't look like a monster

第十六章

我遲疑地站在九樓的辦公室外面，舉起手要敲門。門的另一邊是路克・維斯曼，安琪拉連鎖百貨新的行銷總監。我回到安琪拉上班的第三天，他用電子郵件叫我到他的辦公室「聊聊」（那是他的用語）。

一想到要回來工作，我的情緒就像鐘擺，經常在害怕與興奮之間擺動。每次我想起自己已經離開好幾個禮拜，說不定會忘記怎麼做，心裡就害怕。但想到因為我離開了那麼久，可能忘了怎麼做，所以工作會有另一種挑戰性，鐘擺因此會搖向興奮。然後我又會害怕，因為我會離開泰根好遠，送她去參加學前遊戲班後，我已經過了兩天沒有陪著她的日子，可是我一旦回到市中心工作，就不能像只是走過街角去接她，何時能去陪她得視大眾交通工具和交通狀況而定。然後我又會興奮，因為我不必再看幾個小時的兒童電視節目，不會再不知不覺地像節目主持人那樣，用誇張的方式說話和思考。

在焦慮和期待間，我明白我將與路克・維斯曼見面。他是我的上司，在工作上和我接觸最頻繁的人，他也是我工作上的第一個仇敵——他搶了我本來有機會晉升的職位。他空降到安琪拉來剝奪了我升遷的機會，使得我臉上無光。

我回來工作的第一天，也是泰根去學前遊戲班的第一天，她一點都不緊張（她那天早上要去上課的途中很興奮，那天晚上回家的路上很多話），在校門口給我一個特別熱情的擁抱，對我說：「祝妳上班玩得愉快。」彷彿我是小孩，而她是大人。

火車一進里茲市區，我的神經就開始緊繃，我所能想的只是不要受路克・維斯曼的脅迫。抵達我在十樓的辦公室，我緊張得想嘔吐，也決定一看到他就給他一巴掌，讓他知道誰是這裡的老大。十分鐘後我才發現他去倫敦了，禮拜五才會回來。

禮拜五，就是今天。

那天我一得知不必被迫應付我的頭號大敵，便放鬆下來工作，享受同事們過來跟我打招呼，聊些我缺席時錯失的公司內部新聞，他們問我最近在忙些什麼。和我同辦公室的貝西，她在我們的辦公室裡落單了將近兩個月，她看到我時表現得好像我出國去住了一年回來。她那一整天不時自願幫我泡茶，或繞過桌子來給我熱情的擁抱。「妳可以告我性騷擾，」她有一次說：「我好想吻妳。」

「我也想念妳，夥伴。」我回答。我有點驚訝，可是非常非常高興有人想念我。我和貝西是朋友，但我一直以為我們只有工作上的關係。現在知道她是真的關心我的感覺很好。「不過我不想吻妳。」

泰得昨天以他一貫莊重低調的作風離開。午餐時他要我陪他去三明治店。去到那裡後，他招認他不回辦公室了，他受不了安琪拉的員工們通常為離職者舉辦的招搖歡送會。「再見，凱梅玲。我會跟妳保持聯絡。」就那樣，我的人生少了泰得。

現在我必須征服路克。我做個深呼吸，把自己武裝起來，然後敲門。幾秒鐘後，一個男中音

出聲喚我進去。

走進那間寬敞的白牆辦公室前，我再做一次深呼吸。辦公桌後面窗子的百葉窗放下來，以便保護電腦不受陽光的照射。我四下看看，研究路克如何改變原本是泰得的辦公室。絲蘭花的大盆栽仍然擺在角落，辦公桌的位置也一樣，百葉窗依然是奶油色，另一邊的會議桌還是圍繞著四張藍色的椅子。他沒有給這間辦公室註上他的記號，幾乎好似沒必要展現這是他的領地。

如果這是我的私人辦公室，我會張貼《生活的安琪拉》雜誌的一些封面，我會多擺幾個盆栽，我會……。停！我喝叱自己。得到這個職位和這間辦公室的人是路克，妳必須接受事實。

我進門的時候，坐在辦公桌後的男人並沒有站起來。事實上，他往後靠向他的椅子，伸展他高大的身體，無意隱藏他在評估我的事實。我更謹慎地打量他。他的五官深刻，輪廓分明，看起來好像是藝術家花了好些時間雕刻出來，再輕抹上乾淨曬黑的肌膚。他的鼻子高隆挺直，眼睛部位端正，嘴巴下面的線條平順地彎到下巴。他黑色的頭髮剪得很短，使得他的臉更顯英俊出色。繞著濕潤的嘴唇周圍，是一道細細薄薄的髭，線一般的髭自臉的兩邊往下延伸，形成短短的鬍子。不過，最引人注目的是明亮清澈的淺褐色眼睛，令我想起光澤極佳的棕色琥珀。他穿著白襯衫，最上面的釦子沒扣，袖子捲到手肘上，下身是時髦的米色長褲。從他伸展的肢體看起來，有一副在健身房練出來的體格。我瞭解這種男人，過去多年來我和許多這類型的男人共事過，他是以事業為重的男人。他有活力，有幹勁，野心勃勃，跟他一起工作的人都必須鞠躬盡瘁地賣命，否則他會當你是在侮辱他，要你滾蛋。

我在打量他的時候，維斯曼先生的褐色眼睛也上上下下地審視我，把到下巴長度的烏黑短

髮、深棕色的眼睛、沒有化妝的嘴唇、細緻的脖子、掩藏在簡單紅色襯衫和直統黑長褲的身軀、沒有擦指甲油露在船型涼鞋外的腳趾頭等，全看進眼裡。在他把我從頭看到腳後，他的目光變得冷酷厭惡，顯然並不欣賞他所看到的。

「坐下。」他命令。

「為什麼，要花很久嗎？」我配合他敵意的聲音回答。

他突然微笑，驀地展現出令我猝不及防的魅力。「凱梅玲，」他指向他桌子對面的椅子，溫和地說：「請坐。」現在假惺惺已經太遲了。我看到你眼中的嫌惡了，我知道你是怎麼看我的。

「我寧可站著。」我回了一個魅力指數絕對不下於他，百分之百的假笑。「我還有很多事情要做。」

我的回答使得他燦爛的微笑黯淡了些。他盯著我看了一下，顯然在研究該如何應付我。「妳今天晚上要做什麼？」他問。

「你說什麼？」我大吃一驚。他要跟我約會？我完全看錯他了嗎？他的表情真的只是掩飾擋不住我的魅力的方式嗎？

「我跟所有的部門主管吃過飯，以瞭解他們對安琪拉行銷手法的看法，聽聽他們是否有能使我們改進的意見。妳是我的名單上的最後一位，而且直接隸屬於行銷部門，所以我想，如果妳今天晚上有空的話，我們可以把這件事情做完。」

我對他這一小段獨白所加諸於我的侮辱之多印象深刻。

一、「名單上的最後一位。」我不由得懷疑自己可能是他所有名單的最後一位。

二、「如果妳今天晚上有空的話。」當然，我看起來星期五晚上一定沒有約會也沒有朋友的聚會。

三、「把這件事情做完。」他讓我覺得像是子宮頸抹片檢查：做了會讓人感覺不舒服，卻非做不可。

「今天晚上一起吃飯應該沒問題。」我假笑著說。

「我六點半在門廳等妳。」他試著對我顯露笑容。

「應該會滿有趣的。」

我把門在我身後關上時，聽到他喃喃說：「可不是嗎？」

服務台上面的大鐘顯示，我六點三十二分抵達門廳。六呎二吋高的路克已經等在那裡，他在時髦的衣著外面套上米色雨衣。當我走出電梯，他抬起手臂看錶，然後對我拋出另一個假笑。任誰看到那個動作，都會以為我遲到了幾個鐘頭。

「我沒有遲到吧，有嗎？」我在他面前停步時說。

「只有幾分鐘。」他簡略地回答。

「是。搭電梯的時間比我預期的久一點。」

「我不認為是妳的錯。」他說。

「我很高興你如此瞭解我。」

「我給我們在轉角的餐廳訂位，時間是……。」他停頓一下去看他的勞力士手錶。「七分鐘後。如果我們不想遲到太久的話，最好快點去。」

「好。」

我們自百貨大樓轉角右轉，走上黑德洛街，過馬路到維卡巷，然後再左轉到愛德華國王街。空氣渾濁、沉悶又潮濕，我們在街上經過的每個人似乎都無精打采，昏昏欲睡，彷彿他們預備在某個安靜的街角蜷曲起身體睡覺。我把我的紅色雨衣搭在手上，抗拒向睡意讓步而即將下垂的眼皮，將它們使勁拉向理智。我們抵達一家我曾路過幾次，但從來沒有進去過的法式小餐廳。空氣中有大蒜和番茄的香味，我們走進燈光幽暗的餐廳，裡頭播放輕柔的音樂。這個地方散發著親密的氣氛。那令我相當訝異。我半預期他會帶我到令人厭惡的漢堡店，在那裡幫我點菜單上最便宜的漢堡，然後告訴我如果想要喝碳酸飲料得自己買。

把我們的雨衣交給服務生的領班後，我和路克坐到擁擠的餐廳中央的兩人座。我們兩個一接到菜單，便都把頭躲到菜單後，不讓對方看到。我掃描象牙色菜單後決定，既然必須跟這個男人在一起打發時間，那麼他得付最高的金額。我找到菜單上最貴的一道菜：龍蝦，就是它了，還有螃蟹開胃菜。

侍者來點菜，路克點一瓶昂貴的紅酒，值得嘉許。但他既沒有問我要不要喝酒，也沒有問我喜歡什麼顏色的酒，有損他的形象。我討厭紅酒，所以點了一瓶礦泉水。我們點菜，我點的其中

一樣令路克的眉毛彎起來，點完菜把菜單交還給侍者，我們的背靠回椅背上。

「凱梅玲，請簡單自我介紹。」路克說。我在心裡研究他的聲音，試著猜想他的腔調屬於哪個地域。如果我沒有聽錯的話，那混合著美國東部，可能是紐約的腔調，和英國南方，可能是倫敦或英格蘭中部的伯明罕腔。

「你想知道什麼？」我問。我避免接觸他的眼神，將目光集中在我的酒杯杯腳上。我每一次瞥他，都會看到他臉上赤裸裸的嫌惡表情。我不知我哪裡引起他的反感。是我的長相嗎？還是我的身材？或僅因我繼續存活在世上？我不確定我是哪一點如此激怒他，或他為什麼會在這麼短的時間內如此討厭我，尤其他還搶了我渴望的職位，而且他無意隱藏他對我的厭惡。事實上，他討厭我的表情就像一個徽章，上面他可能想寫道：「我叫路克，凱梅玲令我反胃。」

「妳想告訴我什麼都行。」

「好，我三十二歲。為安琪拉工作七年了。五年在倫敦，兩年前來到這裡。我和泰得一起創立《生活的安琪拉》，那其實是我的主意，可是我不喜歡吹噓。呃，差不多就是這樣。此外，我還想說，我喜歡我的工作，我對泰得必須離開感到很難過。」

維斯曼先生慢慢地彎起眉毛，拿他討厭一個流著口水的綠色外星人同等級的神情睇我。「我的意思是，告訴我關於妳自己，」他自以為高人一等般傲慢地說。「妳的生活。不是妳的工作。妳結婚了嗎？或和某人有長期的關係嗎？妳有小孩嗎？」

你不說清楚，我怎麼知道你是什麼意思？我想。「沒有，我沒有結婚，」我嘲諷地回答。「我沒有男朋友，沒有……。**啊！天啊！**」我驚惶地跳起來，撞翻椅子。其他的用餐者都停止吃

東西、喝酒、談話，詫異地注視我。我不理會他們，笨手笨腳地在桌下摸索，直到尋獲我的包包。我抓住它，跑出餐廳，連一句話也沒對路克說。

泰根。我忘了她！我竟然忘了她！

我跑到人行道上，一邊伸手進我的灰色皮包裡搜索手機。我的手指一碰到它，立即抓出來打學校的電話號碼。我按通話鍵，可是沒有反應。手機沒電了，顯然那就是我為什麼沒有接到他們的電話。

我恐慌得不得了，跑到維卡巷，直往火車站的方向跑去，在心裡計算要多久才能到那裡。

他們會拿她怎麼樣？他們會把她丟在學校外面的人行道上，讓她自己等人來接她嗎？我不知道其他家長的電話，無法央求他們先幫我去接她。她會坐在那裡等待，難過地以為我忘了她，而我真的忘了她。

我看到一輛車的上頭閃著黃色的計程車燈，我大叫：「計程車！」我衝了過去，差點慘死輪下。計程車發出刺耳的緊急煞車聲，停到我面前，我跳進後座。告訴司機我要去哪裡。加上一句：「如果你能在十五分鐘內載我去那裡，我會付你兩倍車資。」

「緊急狀況，是嗎？」胖司機問。

「該到學校接我的小孩的笨女人忘了去接她，所以她現在還自己一個人在學校裡等。我必須趕快去接她。」

「該死！」他加快車速。

我們在街上橫衝直撞，一有機會司機就超速，我緊張地咬著下唇，手裡抓緊無用的手機。

「不會有事的。」司機安慰我。

我無法回答，快被我的罪惡感噎死了。我竟然忘了泰根。*怎麼會這樣？我怎麼可能忘了她？怎麼會有這種事？*

我們抵達時，學校莊嚴的紅磚建築前杳無人跡。沒有車子停在外面，沒有小孩或家長在那裡來來往往。金屬大門關著，害怕刺穿我的胃。我遞給司機二十五鎊，那是我身上所有的錢，然後下車踏上人行道。愧疚壓迫著我的胸，害怕擠壓我的心，我幾乎無法呼吸。我跑向學校的大門，試著推它，發現門沒有鎖。我進了鐵門後，衝刺一小段距離，到建築物的藍色大門前，輕輕一推，它也開了。

「泰根？」我喊叫。我的聲音在空蕩蕩的建築物裡發出回音。我又恐慌了。*萬一她不在這裡呢？萬一有人看到她站在外面，已經把她帶走了呢？*「泰根？」我再大聲叫。

她金色的頭從走廊盡頭的一間教室探出來。她看到我時，整張臉亮了起來，高興地微笑，然後她的笑容消失，她的臉垮下來，失望地繃緊。我跑向她，蹲跪下去抱她。

「對不起，」我對著她的頭髮說話，好感激我還有機會這樣抱著她，感激她的小身子能夠安全地偎在我懷裡。「很抱歉，非常非常對不起。」我懷裡的泰根緘默不語，也不動。

我們第一天探訪學校時帶領過泰根的教學助理美亞，從教室裡走出來。「她以為妳出了什麼事。」美亞解釋。「妳的手機我們一直打不通。」

「電池沒電了。真是對不起，我被工作耽誤了。實在很抱歉，這種情況不會再發生了。我沒有注意到時間，發現的時候已經太晚。對不起。」我放開泰根一點，以便看到她的整張臉。「泰

卡，我很抱歉。」

美亞蹲到我們的高度，輕撫泰根的頭。「我們也還好，是不是，泰根？我們畫了一些圖。」

「我很抱歉占用了妳的時間。」我對美亞說。

「這種事情難免會發生。」美亞回答。從她的聲調裡聽得出：可是最好不要再發生。

「好了，泰卡，來，我們回家。我們去買披薩，回家看DVD。這是不是個好主意？」

她機械式地點頭，彷彿要做什麼她都不在乎。美亞把泰根粉紅色和淡紫色的書包交給我，然後和我一起站起來。

「謝謝妳照顧她。」我說。

「她一點也不麻煩。」

泰根把手交給我，對美亞微笑，她跟我們說再見，我們走向走廊的另一頭。在我開門之前，我停步，再次擁泰根入懷。「泰根，真的很抱歉。我今天晚上犯了很大的錯誤，我保證、保證、保證，不會再發生這種事了。好嗎？」

她點頭，但沒說話。

我凝視她五歲的臉龐，藍色的眼睛含著憂傷和恐懼。那是我造成的，我嚇壞她了。讓她以為自己被遺棄了。「我答應妳，我永遠不會再這麼做。」

她沉默。沉默得像我帶她離開吉爾福德那天，那時她不知道是否可以信任我。她再一次怕我。懷疑我是否會讓她失望，懷疑我是否會走開拋棄她，尤其她還曾經要我加倍保證，每天晚上絕對會去接她。泰根不確定，當她需要我的時候，我是否靠得住。她也不確定她這一部分的人生

是否會瓦解，就像她們搬去吉爾福德之前，她跟她媽媽本來在一起過得好好的，卻無端變化成她在吉爾福德被虐待那樣的惡夢。泰根突然漂浮在這樣的新生活中，她不確定可有能安穩踏在地上的一天，那全因為我一向不習慣讓別人知道我打算做什麼。長久以來我都不必跟任何人交代我的行程，我壓根兒沒想到……，我的習慣必須改變，以確保這樣的事情不會再發生。

我在泰根的額頭上親一下，然後站起來，展開回家的旅程。

第十七章

我把乾玉米片倒進白色的碗裡，放到泰根面前時對她說：「我很抱歉，好嗎？」她不說話，只是瞪著她的早餐，等我把牛奶倒進去。我倒了牛奶後，她拿起湯匙，把穀片舀進嘴巴咀嚼，好似我並不存在。

她不過才五歲，已經是冷戰專家。她拿固執的下巴和傲慢的沉默對待我，已經超過十四個小時了。她的怨懟、傷痛、怒氣全藉由默然不語來傳達。我很難過，昨天晚上內疚得睡不著，可是我無法取得泰根的諒解。不管我說什麼，似乎都無法傳達我有多抱歉，那種事不會再發生。這種沉默我連一個小時都無法再忍受，遑論整個週末。我看著她吃早餐時想：要是她永遠都無法原諒

我呢？未來的十五年左右，我們都要活在這種氣氛下嗎？十五個小時我就受不了了。

「泰根，」我拉開她身旁的椅子坐下。「很抱歉。我真的真的很抱歉。那不會再發生了，我保證。我……我道歉。我上班的地方有個討厭的傢伙叫路克，他不喜歡我。那沒關係，因為我也不喜歡他，可是我必須和他一起工作，他是我的新老闆，所以我心裡充滿恐懼。」

泰根滿不在乎地用湯匙舀牛奶和橙黃色的玉米片進嘴巴。「我必須跟他一起吃晚飯。他很可怕，非常自大。他是個恐怖的人。」

「像怪物嗎？」她問，終於回應我的話。我顯然說了她感興趣的話。

一個長著毛茸茸的眉毛，手指如爪，張著嘴流口水，露出巨大獠牙的路克影像閃過我腦中。

「是的，就像個怪物。」

「喔。」她點頭，對我的處境大表同情。

大門的敲門聲使得我們兩個都嚇得一震，我們面面相覷，心想會是誰在敲門。從泰根搬進來後，我們不曾有訪客，而且沒有人事先打過電話說要來。門外的人又再敲門，我匆匆去應門。

高大的路克，氣宇軒昂站在我的公寓外面。他穿著寬鬆的藍色牛仔褲和包覆健壯胸膛的白色運動衫，義大利名牌太陽眼鏡則掛在領口上。

「路克！喔，該死！」我完全忘了我點了一客昂貴的晚餐後，把他丟在餐廳裡呆坐。

「是的，我就喜歡女人對我有如此反應，特別是她太喜歡我的陪伴了，喜歡到衝出餐廳。」

他的腋下夾著一件紅色雨衣，從袖子掉了一顆釦子看來，它非常像是我的紅色雨衣。

在我開始解釋之前，泰根出現在我旁邊，她的手臂抱我的右大腿，盯著路克看。

「這是誰？」路克問，他蹲下來遷就泰根的身高。

「這是泰根。」我回答。「泰根，這位是路克，我的同事。」

路克微笑，真誠的微笑，使得他的眼睛變得和善，他不曾那樣看過我。泰根會對大人產生這種效果。他們會看著她，對她微笑，因為她的眼睛藍得很奇特，她的皮膚是完美的奶油白，她的嘴唇是棉花糖的粉紅。人們看到泰根會身不由己，自然展露笑容。「很高興認識妳，泰根。」

泰根眨著眼睛看他，研究他的臉，他剪得很短的頭髮，深刻的五官和褐色的眼睛。然後她抬轉頭看我，額頭微微皺起，對我說：「玲媽咪，他看起來不像怪物。」蹲著的路克也抬頭看我，揚起質疑的眉毛。我轉開眼睛，整個人被羞愧感燒灼著。

「妳昨天晚上突然離開，我只是想來看看妳是否沒事。」路克站起來，再度屹立在我面前。「我試著打妳的手機，可是打不通，所以我找妳的朋友貝西問妳的地址。希望妳不介意。喔，還有，我想我該還妳這個。」

我接過昨晚匆忙離開餐廳時忘了帶走的紅色雨衣。「謝謝，我們很好。」

「我們要去動物園。」泰根高聲說，她的眼睛注視著路克。

「是嗎？」路克問她。

「哦，我們有要去嗎？」我說。

「妳說過我們可以去動物園的。」泰根指控我。

「是的，改天，不是今天。」

「那麼，我讓妳決定。」路克說。

「玲媽咪，」泰根說：「路克可以用他的車載我們去動物園。」

「不行，他不能。」我立即回答。

「我為什麼不能？」路克微慍地問。

「你可能連車都沒有。」

「你以為我是怎麼來的？」

「我相信你在星期六，一定有比載我們去動物園更重要的事情要做。」

「沒有什麼不能等的事。」

我必須這麼做，不是嗎？我必須答應她這件事，因為我昨晚把她嚇壞了。看一整天的動物是我起碼能做到的。「謝謝你，路克，你願意載我們去動物園真是太好了。」我設法裝得真心誠意一點。

「路克，你最喜歡的動物是什麼？」泰根高興的問。

「大象。」他說，他的眼睛在我臉上停留得久一點，幾乎有點不禮貌。

「玲媽咪，動物園裡有大象嗎？」

「我想應該有。」

「路克，你可以去看大象。」她輕笑著說，不過她還是抱著我的大腿，利用我當人肉盾牌。

「我相信路克有比跟著我們在動物園裡逛更重要的事情要做。」我不抱多大希望地重複。

「就像我剛才說的，沒有什麼不能等的事。」

這個小人兒深諳勒索我之道。我提醒自己絕對不要再令她沮喪。我讓步，對路克說：「你最

好先進來，等我們做好出門的準備。」

在離約克約十五分鐘路程的動物園，如同暑假的晴朗星期六應有的景況，人潮一波波湧現，還不到中午路克就把車開進停車場，但那裡已擁擠不堪。

人們都穿著夏裝，到處都呈現柔和粉嫩與明亮螢光的色彩，剪掉褲管的毛邊牛仔褲、短褲、背心、運動衫。遊客交織穿梭，當他們沿著動物園欄外的小徑走時，造成奇特的圖像。我給泰根穿上面印有淡紫色蝴蝶的寬鬆粉紅色長褲，搭配粉紅色運動衫和粉紅色涼鞋。她握著我的手，快樂地在我和路克之間蹦蹦跳跳。她暴露在衣服外的每一吋肌膚，我都給她抹上一層厚厚的防曬乳液。她的頭髮綁成一個高高的馬尾，在束髮圈那裡纏上一朵紅色的絲花。她對自己的打扮很滿意，不時興奮地跑到我房間的鏡子前去看看她自己。她不知道如此打扮是有用意的，萬一我們在人群中分散了，我可以立即看到她頭頂的鮮豔絲花。

在我們開車到動物園的九十分鐘車程裡，大多是泰根在講話，她問路克一大堆關於動物園的問題。我安靜地坐在副駕駛座，試著別因為必須和這個白癡共度一整天而生悶氣。我和路克只有在絕對必要時才說話，那也只不過是我要求他停車，好下車去買些飲料，還有在我們下車時跟他道謝。

泰根的手裡拿著蓬鬆的粉紅色棉花糖，當她凝望著玻璃和高欄後面的動物時，她飄遊在自己的世界裡。

「我想她就是妳昨晚突然離開的原因。」靠著將我們與深窟內的獅穴分隔的玻璃牆休息時，路克喃喃說。

「是的。」我回答。

他注意一下，泰根沒有在聽，他便傾向我，他的身體壓著我的，對著我的耳朵輕語：「妳忘了她？」

我點頭，他嫌惡似地拉開他的身體。「我想妳扮演這個角色可能沒多久。」

我轉動頭，跟他面對面，我已經對一個五歲的小孩感到羞愧萬分，他不可能使我感到更糟。

「你猜對了。」我說。

他同樣直視著我，眼神穩定直率。在孩童的笑聲、大人的談話聲、嬰兒的哭聲和動物的吼聲背景下，我們對彼此的反感增生。昨天下午厭惡的種子已經種下，昨天晚上我的落跑事件不啻是澆水灌溉，現在強壯的根破土而出，長出綠芽。再過幾個小時，我們之間的感覺會茂盛地長成滿園的仇恨樹。

「玲媽咪。」泰根用力拉我的手，迫使我中斷與路克的眸光交鎖對峙戰。

「什麼事，小親親？」我說。她吃完棉花糖了，能夠證明它曾經存在的痕跡是，她手裡棉花糖棒上粉紅色的殘餘物。她的嘴巴或臉上沒有污跡，她的上衣也完全沒黏到棉花糖。

「我們可以去看猴子嗎？」

「好啊。」我回答。

我們向遠在動物園另一頭的猴子圍欄出發，循著環繞園區的石頭小徑向左走。

「關於工作。」路克在我們走路的時候說。

「嗄？」我回答。

「妳介意我們現在談話，當成我們昨晚被打斷的談話的延續嗎？」

「當然不介意。」我低喃。其實，我介意，非常介意，因為現在是泰根的時間。可是我不能那麼說。我必須向我的新上司證明，一個孩子不會使我鬆懈工作，我是能幹又有效率的員工。

「妳和泰得有很親密的工作關係……。」路克打住，讓他的話懸在空中，一個指控的大污點令我想奮力擦掉。

「是的，我們的確很親近。」我一點也不羞於承認。

「喔，我明白。」他沒有受到感動，因為我的回答顯然證實他的懷疑。

「當然，大部分人以為我們一有機會就在一起，」我低聲說，不讓泰根聽到。路克的眼睛凝視著我。「有些人甚至以為，在我搬到這裡之前，就靠床第關係得到這個職位。」

「我從來沒有指控妳什麼。」路克辯解。

「我沒說你有。」

「我只是關心泰得走了以後，行銷部門的運作會不如以往順暢。」

「你的意思是，你聽到卑鄙的流言說，泰得如何幫我爭得我的職位，所以假設我做了某些事來換得我的工作。」

我們在黑猩猩的柵欄前，泰根的眼睛幾乎張成兩倍大，滿臉好奇。「猴子。」她用氣音說。

「有你做我們公司所有行銷部門的龍頭，我預期你會想盡辦法，與你的副手相處融洽，而不

是在你還沒有見到他之前就先評判他。」我壓低聲音說。

「如果我見得到妳，或許我就不必靠第三手的故事，和關於妳的道德流言，來做評價。」他壓低聲音回答。

「是，你說得對。」我承認。他訝異地瞇起眼睛，試著破解我話中的輕蔑。我並沒有別的意思。他說得對，可是我不會利用黛爾當我的病假單。

「你要知道謠言中最離譜的部分嗎？泰得一向都對他太太非常專情。」我說，我上上下下打量路克。「他是個正派高尚的人。」

路克試著要逼我再跟他的眼神交會，但被一個叫聲打斷「喔，倒掛！」我不理他，蹲到泰根旁邊。

黑猩猩的柵欄裡有很多樹，濃密昌茂的枝葉高聳入雲。一邊有一間像洞穴的茅草棚。五隻黑猩猩坐在樹枝上，牠們是兩對和一隻落單的。有伴侶的專注地互相照顧，尋找牠們的伴侶濃密黑毛上的蟲卵。第五隻坐著不動，凝視著空中。

「小猴子。」泰根指著說。我跟著她的手指，看向棚架那裡有隻母猩猩手捧著一隻小猩猩在輕搖。猩猩媽媽低頭看著她的孩子，我想像我看到她猿臉上的笑容。

「那是她媽咪，是不是？」泰根說。

「是的，甜心。」我回答。所有的東西開始向我包圍過來。我察覺到：動物強烈的體味，天氣悶熱黏膩，我的皮膚濕濕黏黏的，所有的感覺蜂擁而來。我快溺斃了，被我對摯友的記憶和她出了什麼事淹沒。我想起看到她灰色瘦弱的身體躺在病床上，我認識的那個會發光發熱的女人的

光采消失了。她走了。

「她媽咪沒有去天堂和耶穌和天使在一起，是不是？」泰根呢喃，她的聲音低沉平淡。

「沒有，甜心，她媽媽沒有。」

小金髮美女深吸一口氣，當空氣充滿她的胸部時，她小小的肩膀抬高。在她長長地吐氣時，肩膀降低。她的目光變得呆滯，好似心裡在做什麼打算。我希望她肯跟我談，告訴我她的感覺。我剛才想起黛爾過世所引發的窒息般的強烈痛苦，跟她的喪母之痛比起來，可能根本不算什麼。我要她告訴我，讓我知道她的感覺。她是否感覺傷心或生氣或哀戚或痛苦。她可能無法清楚表達她所有的感覺，可是如果她試試看……，我說得好像那對我來說很容易。我上一次主動跟別人分享情緒是哪一年的事？

「我們可以去看蛇嗎？」泰根用敬畏的口氣問。

「我們必須去看蛇嗎？」我哀鳴。

「是的，」她回答。「我喜歡蛇。」

她是何時，怎麼樣看夠了蛇，而做成有根據的決定？我不知道。「好。」我站起來。「我們可以去看蛇。」我低頭看手中的遊園導覽地圖，在心裡規劃從目前的位置到爬蟲類區的路線。

「我去買冰淇淋。」就站在我旁邊的一個男人說。在我想起說話的路克與我們同行之前，輕嚇了一跳。

「玲媽咪要巧克力冰淇淋。」泰根告訴他。「她喜歡巧克力。」

路克給我一個含損人意味的一瞥。「喔，看得出來。」

「對。蛇的王國在那邊，」我說：「往前走。路克，帶我們去見你的大王。」

第十八章

我們一整天大部分的時間就是那麼過的，泰根發號司令，我們就去找動物看。我跟路克低聲討論工作上的事，一有機會就互相打冷槍，彼此暗損對方。泰根對陪伴她的兩個大人之間的氣氛不以為意，她快樂地被非人類的動物包圍。

在返回里茲的路上，泰根想到一個要到公園野餐的主意。已經接近傍晚了，她還活力充沛不想直接回家，她要盡可能在一天內塞滿興奮。

「甜心，我們把野餐留到下一次怎麼樣？」我說。「我們回家後可以來個迷你野餐。」回家就可以擺脫我身旁的男人。

「好，好吧。」她失望地回答。「路克可以來嗎？」

「如果他想的話。」我知道他會的。我明白要他悄悄的滾蛋簡直是奢望。

「你要參加我們在家裡的野餐嗎？」泰根對著路克的後腦杓問。

他的眼睛轉向後視鏡，他的臉再一次被真誠的笑容點亮，他對穿著粉紅色和淡紫色，頭上有

朵紅花的女孩微笑。「那一定很好玩，謝謝妳，泰根。」他說。

我領頭走進我們的公寓，泰根帶路克去飯廳。我忙著準備野餐，泰根和路克坐在餐桌旁玩。他們一起拼百片拼圖，然後泰根帶路克去看她收藏的十輛古董玩具車。接著，泰根拿出一盒紙，和她紅色塑膠筆筒裡的彩色筆和鉛筆，一起畫我們剛才在動物園裡看到的動物。他們玩得很投入，忘了野餐那回事。我把三明治、沙拉和汽水放在桌上，然後坐到沙發上去看電視。我不時瞟他們一眼，他們這一對：他，一個大男人，身體向前傾，手裡拿著彩色筆專心在畫圖；她，一個小女孩，認真得像個藝術家在創作。他是嚴肅地在看待這件事。他陪泰根玩，就好像在為安琪拉策劃新的行銷企畫那麼全力以赴。如果是別人，他對泰根的關注會討人喜歡，可是因為是他，我決定有個心智年齡和泰根一樣的人跟她一起玩，對她而言是好事。

時鐘一走到八點，我啪地把電視關掉，站起來宣布：「好了，泰卡，該睡覺了。」

「我一定要睡覺嗎？」泰根在打個大呵欠之前哀鳴。她的小臉因為疲憊而顯得蒼白，她的眼睛已經快閉上了。

「妳的眼睛都快張不開了。來吧，上床睡覺了。」我轉向路克。「你該走了，泰根真的該睡覺了。」

「好。」路克放下紅色的筆站起來。

「你明天會來嗎？」泰根問路克，她疲乏的眼睛望著他。

「如果我可以來的話。」路克回答。

兩對眼睛轉向我。「時間到了。」我指著我的手錶說，巧妙地迴避那個話題。我不想做壞

人，因為我不想花私人時間跟同事混在一起，更何況我並不喜歡這個同事。

「你得問玲媽咪你明天可不可以來。」泰根指導路克。她張開嘴巴，打個呵欠。在她伸懶腰時，小手握成拳頭。「她不會生氣。玲媽咪從不生氣，連我在牆上畫圖她也不會生氣。」

「我明天可以再來嗎？」路克問。

「如果你真的沒有別的事要做的話。」我回答，沒有看他。

「沒有不能等的事。」他堅定地說。

老兄，別對我們施恩。我想。「好，那就這樣。再見了，路克。」我走向泰根，把她從椅子上抱起來。她雙腳夾住我的腰，雙手圍繞我的脖子，她的臉偎著我的脖子。

路克不情願地走向門口。「泰根，再見。」他說。

「再見。」泰根小聲地說。「明天見。」

等到門在路克背後關上，我把泰根放到她床上。在我幫她脫衣服，換上紅色和白色棉布睡衣時，她像個鬆軟的布娃娃。我拉開她床上白色的被子，送她鑽進被窩裡。她的臉偎靠著白色的枕頭，她的頭髮在臉周圍散開成波浪型。

「晚安。」我說。

「晚安。」她輕語。

我的手伸向床邊的燈，預備關掉照亮房間的橙黃光。

「妳不喜歡路克。」泰根說。我的手拉一下燈繩，切掉光線。或許她不像我以為的對我和路克的敵意視而不見。「他還好。」我說。

「我喜歡他。」她說。

「泰卡，我知道妳喜歡他。」

「他可以做我的朋友嗎？」

我想說，如果有必要的話。不過，我約束自己的舌頭。等待又等待……，很快地，她的胸部緩緩上下起伏，她睡著了。我再等幾分鐘，只為了確定她睡熟了，然後溜出她黑暗的房間，把門拉到幾乎關上。

我們今天玩得滿愉快的。她似乎忘了我昨天令她多麼失望。我癱軟到沙發上，頭枕在扶手上，閉上眼睛。撇開路克不談，今天是自從黛爾離開我們後，我們第一次拾回歡樂。我再想到路克。高大、英俊，不可思議地迷人，對泰根而言。我必須承認，她因為有路克陪伴而非常快樂。泰根幾乎立刻對他產生好感。她一看到他就決定要他陪伴她，彷彿一見鍾情。在他妄自尊大之下的某處，或許仍有某些優點，即使他討厭我，他也可能是個值得尊重的人，可能是我會感興趣的人。如果泰根喜歡他，那麼我也可能喜歡他。

我醒來，公寓裡籠罩著半夜的靜寂。人們都從酒吧和俱樂部和其他他們去玩樂的地方爬回家，安頓下來過夜了。外面的世界平和安寧，靜謐沉默。我眨眨眼，渾身無力，非常疲倦，一時感到困惑，不知道我在哪裡。我知道我的臉是濕的，我抬手摸臉，抹掉黏濕的淚水。我又在睡覺的時候哭過。幾秒鐘後我才能勉力消除睡眠時的躁熱，瞭解為什麼：黛爾。

我坐得筆直。泰根呢？屋裡和世界如此安靜，會是因為她發生什麼事嗎？我站起來，離開客廳，走向泰根的臥房。我小心翼翼地推開門，探頭進去看。泰根的睡姿和我先前離開她時一樣，側臉壓在她印著白雲的枕頭套上，頭髮散在枕上，手擱在她的頭旁邊。她安寧地睡著。至少她看起來像是在睡覺。也可能……，我瞇起眼睛認真地看她，用意志力叫她移動，弄出聲音，讓我知道她還陪著我。終於，她吸進一口氣，然後慢慢地吐出。我也吐氣。她沒事，還在這裡。我把頭自她的房間移開，把門拉回原來的位置，然後蹣跚地回客廳關燈。

做家長好累。這個世界充滿危險，我不知道其他有小孩的人晚上怎麼能閉上眼睛睡得著。你會時時憂慮，可能有事發生在你的孩子身上，如何能放鬆一秒鐘？我搖搖晃晃地走到走廊盡頭的浴室，看著水槽上方的鏡子。我的眼睛因哭過而浮腫，右頰的肌膚因為靠在被淚水弄濕的沙發扶手上太久而緊繃。我用冷水洗臉，然後拿起浴室玻璃架上的洗面乳，擠一點到手掌上，雙掌互搓，搓出白色的泡泡，洗去臉上的悲苦痕跡。當我站直，看到鏡子裡的自己。我的臉洗乾淨了，但還能感覺淚水滑過臉頰，殘餘的痛苦在我睡覺的時候洩漏。

我必須停止在睡夢中哭泣。那對眼睛不好，也對皮膚不好，對心情更不好，因為我醒來時會覺得比睡前還累。

淚水如河，流淌下我的臉頰、額頭、鼻子，流過嘴巴到下巴，到那裡匯流，再滴到我的白襯衫。當然，在睡夢中哭泣不是我能控制的。我一旦進入夢世界，便不能專注於別的事情。無法忽略隱藏在我所有思維裡的罪惡感。我讓黛爾至死還無法解開我們之間的心結。我讓她至死也無法對我說明。每當我想起黛爾在世上的最後一刻，可能多麼希望我讓她解釋，極度的痛苦便折磨著

我。我每次想到都非常難過，當她要求南西告訴泰根她愛泰根，並交代要跟我說再見時，那一剎那，她可曾懷疑，我是否還恨她，我是否還怪她。

想到由於我的驕傲和固執，使得她的最後一刻可能浪費在那些懷疑上，我就悔恨難當，無法再去回想，必須把它推到旁邊去，推遠一點，把它埋在工作，和如何使我們的錢做最好的運用，和看電視，和打掃公寓的忙碌之中。我願意做任何事來逃避良心的極度譴責，因為我過於苛責我的摯友，我嚴重傷害我至為關心的人。

即使無法原諒她，我至少可以傾聽，讓她解釋。我其實從來不相信，當她跟他上床的時候她愛他。她不喜歡他那種男人。在黛爾眼中，奈德這個人太好。她喜歡可以讓她馴服的壞蛋，而她所瞭解的奈德太過溫順。

我關掉水龍頭，從浴室架上的捲筒拉下幾張衛生紙，由上而下地按摩，擦乾我的臉。

我做了很糟糕的事，不給黛爾解釋的機會。我不再看鏡中的自己，無法再注視一個這麼可惡的人。我是個壞人。不管我做任何事想補償，我還是個壞人，很壞的人。

第十九章

「原來這裡就是所有的酷小孩玩耍的地方。」路克斜倚在我的野餐毯上說。他把一個用棕色麵包做的雞肉沙拉三明治掰成兩半，再塞一部分進他的嘴巴。

路克並不誇張。暑假的最後一個星期六，幾個泰根的學前遊戲班的小朋友一起在霍斯弗思公園野餐。他們玩一種原始的棒球遊戲，吃東西、喝汽水，在新學期開始之前，他們都先輕鬆享受一下野餐的樂趣。我因為泰根相當受同學歡迎而心情愉快，與有榮焉。我從來都不是能引起別人的興趣或受歡迎的人，但泰根是。其他小孩，克莉絲朵、瑪蒂妲和英格麗，是那一夥的核心人物，還有他們的兄弟姊妹，總共將近有二十個小孩。我本來滿期待這個野餐會，直到泰根問我路克的電話號碼，她要邀請他參加。

「我們一定要請他去嗎？」我哀鳴。

「是的，他一定會喜歡去。」她回答。他當然接受了，說他會帶食物去。他的錢顯然比理智多，因為看起來他到他住處附近的特易購大賣場，把好多樣三明治都搜刮來，法式醬汁、洋芋片、香腸捲、迷你香腸，巧克力小點心和餅乾，全裝在一個食籃裡。那些足夠給參加野餐會的所有人吃，吃剩的還可以給我們吃上一個禮拜。

儘管如此，那並沒有讓我喜歡他。不管我的上司做什麼，恐怕都很難討得我的歡心。他似乎也有同感，我甚感欣慰。我們相處的時間越長，我們之間的關係越糟。「我從來沒看過和你們兩個一樣，如此討厭彼此的人。」貝西在一次和路克一起開完會後評論道。

「那麼，那就不是我的想像，而是雙向的囉？」我問。

「對極了！而且不是用悶燒的憎恨來愚蠢地掩飾彼此性吸引力的那種，你們兩個是真的厭惡對方。」

「是的，我知道。」

「妳上輩子跟他結仇，還是怎麼的？」貝西沉思。

「我不記得了。」

「他對我們其他人都滿和氣的，他為什麼這麼討厭妳？」

「他覺得我看起來像隻狗。」我回答。我說出那個想法的時候胃在翻攪。我一直都知道答案，我們第一次見面的時候，他的眼神就那麼告訴我了，我只是沒有說出來。現在我說了，我無從否認，他唯一不喜歡我的理由是：他認為我長得很醜。

最糟的部分是，我在工作上無法跟他分開，無法找到將他完全逐出我的腦海，把他丟到安琪拉邊陲的辦法。而且泰根還常常要求他來。一連三個星期六和兩個星期日，他順道來訪，和泰根一起畫畫或拼圖。他不能來我家的那個禮拜天，他以接下來的那個禮拜的晚上來訪作為補償。我懷疑他開始來訪是因為想看看我是否虐待泰根，可是現在他純粹只是喜歡來看她。就我印象所及，泰根從來不曾如此喜歡任何人，所以我無法拒絕他上門。我跟他黏住了。我對他和我五歲孩子的友誼產生敬意。一點都看不出來他出入我們家有其他深藏不露的企圖，而我沒有讓他們兩個人單獨在一起，主要是因為我在公寓裡也沒有別的地方可去，而不是我怕他會做什麼。儘管他很討厭我，我也明白，路克是個好人。我們只在工作時間內互打冷槍，只限於從早上九點到下午五

點這段時間，此外，我們很少講話。或者不講話，像現在。

我躺在紅色、綠色和藍色的格子花紋毯子上，雙腿伸直，手肘擱在毯子上撐著頭，這樣我可以看到孩子們在周圍跑來跑去。其他家長大部分都參與遊戲，和自己的孩子組成一隊，打球、追球、努力得分。對於那種事，我是個作壁上觀的家長。「原來這裡就是酷小孩玩耍的地方。」路克再說一次。

「是的，我的孩子很酷。」我回答。路克沒說什麼，我們陷入沉默，我們在工作時間外的相處經常是這個模式。幾分鐘後，他再試著說：「原來……。」

如果你再說：「這裡就是酷小孩玩耍的地方。」我會揍你，我想。可是他沒那麼說。他只說了那個詞。那個簡單的詞：「原來。」

「原來什麼？」我轉頭去問他。他柔軟的身體穿著膝蓋高度的斜紋棉布短褲和白色運動衫，和我一樣背靠著毯子，手肘撐在毯子上支著頭。他的名牌太陽眼鏡掩住他的半張臉。

他的臉色短暫地掠過尷尬。我們沒什麼話好說，連無聊的話也不想跟對方說。我把注意力轉回球賽。泰卡穿著紅色運動衫，藍色旁邊有白色條紋的運動褲，她的藍色棒球帽牢固地戴在頭上。她站在靠近一壘的地方，身體隨時準備接球，尤其是當投手丟球給打擊手時。這個時刻我為她感到驕傲。她不只精於這項運動，而且是個天生的，能與人融洽相處的人，她會完全投入活動中。對泰根來說，沒有半吊子的事，她做每一件事都百分之百全力以赴。

「泰根為什麼叫你玲媽咪？」路克問。

我看回他臉上。「因為我是玲媽咪。我不是她的親生媽媽，可是她把我當作媽媽。」

「我是指玲的部分。為什麼叫玲而不是凱梅玲或凱？」

「當泰根還很小的時候，別人常叫我凱，我討厭人家那樣叫我。」我一講出來就知道，他會叫我凱，直到我死掉那天。「我一向都會提出糾正，對他們說：『我的名字叫凱梅玲。』她可能常聽到我加重『玲』的音，因此當她開始講話，她就叫我玲。後來成為習慣。」

「那是個好故事。」路克說，他甚至設法浮現真誠的淺笑。「她的朋友們叫妳什麼？」

「我不知道。說不定是『那個跟泰根住在一起的怪女人』？」

路克放聲大笑，他五官擠在一起的笑臉令我發噱。我們兩個相視大笑。或許他並不是個太糟的人。「妳知道嗎？妳應該常常笑。」他若有所思地說。「妳很適合微笑。如果妳再減重一點……。」

我的笑容消失，表情變冷。我猛地坐起來，彎起膝蓋，身體向前弓，雙手抱膝，企圖隱藏我的身體。我死盯著毯子，臉因為尷尬而發熱，眼睛因為拚命強忍住淚而發燙。他覺得我又胖又醜。可是我不懂我為什麼會如此在乎他這麼說。我這輩子已經聽過太多次那種話，不知有多少男人曾公然或委婉地那麼說過我，我都當作是收音機沒調好的噪音，讓那些話對我起不了作用。可是這個男人的話不如他們惡毒，卻能傷害我。是因為近幾年來沒有人如此露骨地討厭我嗎？還是因為我太專注於對別的事堅強，而疏於防備這種攻擊？

「我的意思不是像它聽起來那樣。」他調整說法，而不是撤回他的話。他可能無意說得那麼直接，但他還是那個意思。

我隱藏我的臉和傷痛不讓他看。我不要再走回頭路。我花了很多年才建立起一些自信，相信

我有我的價值，我不會讓這個男人毀了我的自信。

我試著將他逐出我的心，我抬頭看，剛好一顆黃色的網球颼地破空飛向我。我低頭躲開，可是路克的動作沒那麼快，球擦過他的臉旁邊，在球掉落到毯子之前，將他的眼鏡打歪。很不幸地，那只會使得他略微不舒服而已，並沒有造成更大的傷害。

在打棒球的每個人都張大眼睛等待，他們的身體呆立不動，等著看路克會如何反應。他摘下太陽眼鏡，另一隻手去摸臉，然後他對球員們露齒而笑。在玩棒球的每個人都放鬆地笑了，路克跳起來，撿起球，對我的方向丟下一句：「我只是去還球。」他加快速度越過草地去加入球賽。他一走，我繃緊的神經立即鬆開。他對我有影響力，我每次跟他在一起都很緊張，等待下一個侮辱，等待下一個不屑的眼神。我側躺下來，手肘擱在地上，手掌托著頭，注視著泰根。每隔幾分鐘她的眼睛會離開球賽尋找我。等到我們的目光接觸，她臉上會漾出露齒的微笑，她抬起右手，迅速地對我揮一下，等我回以揮手，她的注意力才回到球賽。

過星期六可能有更好的方式，可是那一刻，我連一個也想不起來。

球賽結束後我想：我們得走很遠的路回家。泰根跪著幫我收拾剩下的食物，看起來好像快睡著了。我開始懷疑，沒有路克幫忙的話，我們如何能將這麼多東西帶回家。球賽結束時他說：「我馬上回來。」然後他朝公園的廁所走去，我急著要在他回來之前離開。

或許我該留下食物籃。在泰根專心幫忙把食物重新封好放回籃子時，我瞟向她，她的頭髮亂

了，零零落落地從藍色棒球帽下掉出一些髮絲。她不可能讓我丟下路克的東西不管。

「對不起，布萊儂太太。」一個女性的聲音從我們上方響起。我和泰卡都抬眼往上看。我們後面站著一位同來野餐的太太，我去接泰卡放學時常看到她，我們以前目光接觸時，只是互相微笑示意。她有一張瘦長的臉，顴骨突出，溫暖的棕色眼睛和及肩的的烏黑頭髮。她是泰根的一個朋友的大人版。

「布萊儂太太。」她再次說。

我站起來，拍掉我手上的幾根草和乾掉的泥土。「我不是布萊儂太太。我是馬提卡女士，凱梅玲・馬提卡，泰根的監護人。」

「喔，瞭解。」她回答，不過她眼中仍有困惑不解的矛盾。

「說來話長，」我說：「請問妳是……？」

「凱依太太，黛拉・凱依。」她頓一下。「我在想……。呃，瑪蒂妲，喔，我是她媽媽，她一直問泰根可不可以去她家，我的意思是，我們家。」

「當然可以。」我說完才發現我答應得太輕率。這個女人是誰？他們家在哪裡？「我的意思是，泰根從來沒有提過……。」泰根凝望著凱依太太，她的眼睛充滿憂慮，任何沒有聽到這段對話的人，會以為她是挨了校長的罵。「泰根？」她懼怕的目光轉向我。

「我知道妳的工作真的很忙。」泰根傾著頭說。

「我不介意妳去朋友家。」我說。「妳隨時都可以去。」我轉向凱依太太。「泰根想去就可以去。妳什麼時候方便呢？」

「我在想，」凱依太太說。「瑪蒂妲和泰根是最好的朋友，如果我每天下午去學校接瑪蒂妲的時候，順便把泰根接到我家，和瑪蒂妲玩幾個鐘頭，直到妳下班回家前來我們家接她，妳覺得怎麼樣？等下禮拜學校開學，家長必須四點就把小孩接回家，那樣妳會比較輕鬆。」

「喔。」我被她善意的提議劫持。

「真的，一點都不麻煩。我們很希望泰根能來。」

「妳不會介意嗎？」

「我已經在照顧六個小孩，多一個沒什麼差別。」

泰根看起來還是滿害怕的，或許她不想去瑪蒂妲家，那可能是她之前沒有提的真正原因。

「我跟泰根討論過後再給妳回話，好嗎？」

凱依太太似乎對我的回答頗為滿意，留下他們家的電話號碼，說了再見後，便走開了。

我目送她離開，嘴巴裡有一種沉重的、鉛一般的感覺，直壓迫到我的胸口。泰根為什麼不直接問我？她還有什麼沒跟我說？

我打開毯子，坐上去，然後拍拍我旁邊的位子。「我們坐一下，談一會兒。」我試著不讓難過流露到聲音中。泰根咬著下唇坐下來，彎起左腿到右腿上。

「泰卡，妳知道什麼事情都可以跟我說，是不是？」我說。我想了想剛才說的話，我要告訴她，她不必怕我。「我的意思是，泰卡，我不介意妳下課後想去妳朋友家幾個小時。我的意思是，在某些時候，妳，」我舔舔唇，「妳甚至可以在他們家過夜。妳只要先告訴我，我們就可以安排。」

「可是我知道妳很忙。」她小聲地說。

「那沒有關係。我們可以想辦法。我的意思是，如果妳想去妳朋友家或……。」我的聲音淡掉，因為我想到，她不敢告訴我，或許已經錯過幾次她朋友的慶生會。「或任何事情。妳只要告訴我，我們會想辦法送妳去那裡。好嗎？」

泰卡想了一秒鐘、兩秒鐘、三秒鐘……，然後點頭。「好。」她說，她的聲音比剛才平靜。

「我沒有生氣。」我澄清。「連一點點都沒有。」

她的肩膀突然下垂，因為她放鬆了。

「那麼，妳下課後想去瑪蒂妲家嗎？」我問。如果她願意的話，那可以使我們省下一筆安親班的錢。再說，我下班後也可以放鬆一會兒，不必急匆匆趕去接她。我不想占仁慈的凱依家便宜，但我不想每次火車稍微誤點就抱怨整個英國鐵路系統。這麼一來我會有喘息的空間。

「我可以嗎？」她問。

「可以，甜心，妳想去的話就去。如果妳不想去，妳只要告訴我，就可以如同我們原本計畫的去安親班。」

「好，我要去。」

我對她微笑。我非常希望她除了我以外還有朋友。不只是路克。連我都看得出來，泰根需要在我們的小圈子之外的人。我滿足於我只有少數幾個朋友，和以前以工作為重心的生活，但是對喜歡群體生活的小孩泰根來說，要她仿效我那樣，簡直是犯罪的行為。我必須使得她信任別人，在她被我放過一次鴿子後，那並不容易。

會再忘記去接她。

「好，我很高興。」我讚許她決定下課後去瑪蒂妲家的決定。

「妳不難過嗎？」泰卡問。

「如果妳會快樂的話，我就不會難過。我會跟凱依太太說，讓妳每天四點半一定要打電話給我。」這是我忘了去接她那次的意外後，我們的約定。她每天會打電話給我，問我幾點可以去接她，我們晚餐要吃什麼，她會告訴我到那時候為止她那天做了什麼。換句話說，以確保我永遠不會再忘記去接她。

「好了，來吧，」我說著移向野餐籃。「我們在路克出現前把這些收拾好。」

「路克可以去我們家吃晚餐嗎？」她問。

「如果他想去的話。」我回答。

「我相信他會想去。」泰根堅定地說。凡跟路克有關的事，她會展現出一種不尋常的大膽，她不敢問我能不能去朋友家，可是她對路克會到我們家吃飯毫不遲疑。

「就像我說的，看他要不要去。」

「他喜歡去我們家嗎？」泰根問。

「我想他應該喜歡吧，才會常常去。」

「那麼他會想去吃晚餐。」那是合乎邏輯的推論，我必須提醒自己這個孩子只有五歲。

「我們再看看他是否想去。」

「你們要看誰是否想幹什麼？」路克問，嚇得我的心臟歪斜。因為我把頭埋進食物籃裡，那樣我才能做鬼臉不讓泰根看到，因此沒有聽到他接近的聲音。

我抬起頭看他。即使打過棒球，他的外表看起來仍完美無瑕：他的運動衫依舊非常潔白，他的短褲連沾過一根草的痕跡都沒有，他的腿覆蓋著金屬絲般淺棕色的腿毛，在夏日夕陽的餘暉下曬黑了一點。

「呃，嗯，我們在猜你想不想到我們家吃晚餐。」

路克的臉綻放出無意掩飾的歡喜，我可以想見，當他還是個孩子，收到他渴求的聖誕禮物時是什麼樣子。他的雙頰一定鼓起來，豐滿的唇瓣往後拉出笑容，淺褐色的眼睛凝視著他的父母時，一定盛滿快樂，高興得說不出話來。我懷疑，出了什麼事，使得一個單純愉悅的男孩轉變成這個非常自大的男人？

「我真的可以去嗎？」路克問。

「真的，有何不可？」我回答。

「太好了。」他喜形於色。他的笑臉轉向泰根，她也對他眉開眼笑。

「你知道的，我們只是吃你的野餐剩下來的東西，沒有別的美食。」我警告，他高興得像預期有特別美味的料理。

「我知道。」他愉快的聳個肩回答。「來，讓我幫忙。」他跪下來，幫忙收拾。等我們收好東西——收好籃子、摺起地毯、收集我們所有的垃圾——我們站起來，他把柳條籃吊掛在肩膀上。「我已經把車子移到靠近公園的邊緣，那樣我們比較方便把東西放進去。」

我點頭，把手伸向泰根。她的手溜進我的手裡，她的另一手握著棒球棍和其他東西。在我們開始跟著路克經過草地之前，泰根用力拉我的手，示意我蹲到她的高度，讓她可以在我耳邊說悄

悄話。

「妳看吧，」她說：「我告訴妳他會來吃晚餐。」

第二十章

從我一開始回來工作就注意到，我與貝西分享的辦公室，成為我們百貨公司內，其他不必直接面對消費者的女同事的交誼中心。我想應該是在我請長假的期間開始的，她們經過的時候便順便進來陪貝西閒聊幾句，至今沒有終止。尤其當她們發現，我已經不是以前那個像工作機器的我，即使她們逗留久一點，話題與工作無關，我也不會顯得不高興。我和現任的上司不像和泰得那麼親近，所以我不太可能是新總監在這一層樓的眼線。而且，我改變了。我不再那麼拼命工作。我並沒有漫不經心或怠惰，我的工作表現依然亮眼，如果我表現欠佳，我知道會突然被解雇，路克一定會公事公辦，不留情面。我只是不像以前那樣，把所有心力都投入工作。行銷總監的職位被路克搶去只是一小部分原因。其他主要的百分之九十，是因為我覺得工作上的成就不再那麼重要，沒有太大的意義。我知道自己心態的改變與黛爾有關，但我不容許自己去細究。我繼續工作，成績過得去，不像以前那麼在乎從工作中得到滿足感。工作長期以來曾是我生活的重

心，現在我工作是為了支付帳單和撫養泰根。那意味著，如果有人在上班時間提供娛樂，即使只有一點點，我也樂於享受。

「事實是，」貝西在泰根學校野餐後的星期一說：「我想我可能愛上他。」她談的是一個禮拜前認識的男人。她剛剛給最常來我們辦公室的訪客之一，會計部門的露比，看一段那個男人寄給她的電子郵件。我已經看過三次，不管我看了幾次還是覺得它下流。「我們之間有一種感應。」貝西繼續說：「我以前從來不曾對任何人有這種感覺。」

兩個禮拜前，她也是那麼說一個她剛認識的人。在那之前的另一個男人也是。對一個精明敏銳，又有商業頭腦的人來說，貝西卻也令人深感輕浮，反覆無常。貝西深棕色的眼睛飄忽地望向遠方，她食指纏繞一綹她閃亮的及肩黑色秀髮，轉動著玩。「我想他可能就是我的真命天子。」

我看著貝西，回憶刺痛我的胸口。黛爾不止一次用那樣的表情，說過那樣的話。我們以前做過許多次這種談話。「他好帥。我從沒遇過像他那麼帥的男人。」黛爾也會說像那樣的話。

「喔，拜託，妳老是那麼說。」露比吐她的槽。

「我沒有！」貝西抗議，把腳懸放到她桌上。

「妳有。喔，我的上帝，我從來沒見過一個像妳這麼常常愛上別人的人。妳每認識一個男人就開始策劃婚禮。」

「凱梅玲，告訴他我沒有老是那樣。」貝西抗議。

「我沒有老是那樣。」我嚴肅地對露比說。

「你們兩個！人家會以為妳們兩個都沒有戀愛過。」

「別因為我們不像妳那麼花癡，就奚落我們。」露比回答。

我的辦公室夥伴雙手在胸前交叉，下唇突出噘嘴，顯得有點生氣。

「喔，我祝福妳。」我微笑道。「我知道妳在說什麼，男人長得帥就像蛋糕上的糖霜。可是外表並不是一切。」我頓了一下加強效果。「他的靈活和想像力才重要。」

「很高興知道妳利用公司的時間討論重要的行銷議題，凱梅玲。」路克低沉的聲音突然響起。我們三個都沒聽到他接近我們的辦公室的聲音，也沒發現他進來，因為他根本沒敲門。他不知道是從哪裡冒出來的，幾乎像朵幸災樂禍的黑雲，等到你離開屋子，沒穿外套或帶傘，就把整個雨季的雨水倒到你身上。當我看到站在我們辦公室門口的深灰色人影，我的心臟翻了過來，胃像被冰刀刺穿。多年來我第一次在工作時間說那種話，第一次在安琪拉的牆內踏出我的工作角色，居然就被他親眼目睹。這會成為另一項我不專業、不適任的證據，他勢必要開除的下屬。

貝西趕緊把腳放下桌子，在座位上坐直，露比跳起來抓起一張文件，假裝那是她來我們辦公室的目的。她們兩個都對我投以同情的目光，她們都知道接著路克會怎麼做：最好的情況是挖苦我幾句，最壞是口頭警告，要我保持敬業精神並管好我的職員。

露比一言不發地逃出辦公室，貝西僵直地坐著凝視我。「貝西，妳介意讓我和凱梅玲單獨談一會兒嗎？」路克說著對她綻放一朵魅力十足的微笑。

貝西看起來好像快哭出來了，她勉強站起來，離開我們的辦公室，沒有關門。路克進入寬敞的玻璃牆辦公室，站到我桌邊，氣勢十足地矗立著。我知道我站起來的話，會直接挑戰他在這間辦公室頭號渾球的地位，也會招來不必要的更惡毒的訓斥。我坐著會讓他感覺佔上風。我選擇第

三個選項，站起來，走到門口關上門。

等我轉回身面向他，他以雙腿張開，雙手在胸前交叉的姿勢站在我桌旁，似乎占滿整個空間。和平常一樣，他的眼睛用一種不尊重的態度瞧著我，讓我頓時感覺自己衣冠不整：我黑色的頭髮像鋼絲那樣怒張，我穿著黑長褲和黑色絲質上衣。這件上衣沒有拉鍊或鈕釦，只靠腰帶繫緊，看起來奇形怪狀，令人不敢恭維，我的身材因此顯得臃腫毫無吸引力。路克總是能使我覺得自己邋遢又缺少魅力，和他在一起總令我想起學生時代，同學批評我的那些刻薄言語似乎又在耳邊迴響。我覺得那些說我又醜又胖的話語像浮水印一樣，已印在我的皮膚上，不容易看到，但確實存在。

「有什麼事？」我問，雙手在我胸前交叉，身體挺直散發自信。這是我的辦公室，在他上任之前，兩年多來這裡是我的城堡，沒有人可以讓我在此感到自卑。

「凱梅玲，」他說：「我們認識時有個壞的開始。」

我愣住，訝異地瞅著他，在心裡重播他剛剛說的話。我心裡拒絕相信我剛剛聽到的話，我說：「對不起，你說什麼？」

「我說我們有個壞的開始。」

「是的，我想我們的確有個壞的開始。」我回答，猜想他何時會開始狠狠責罵我。「那是誰的錯？」

他吸一口氣，頓一下，才說。「我。」

「我想我也不是完全無辜。」我承認。

「我們必須一起工作，並且在工作之餘見面，因為泰根喜歡我陪她。」

我沉默，謹慎地凝睇著他。

「在上禮拜六之後，妳請我去妳們家共進晚餐，我非常感動。我不由得回想這一切，覺得真的很愚蠢。我希望我們能夠解決我們的問題，看看我們是不是能找個可以相處融洽的辦法。」我看起來一定滿臉狐疑，因為他說：「好吧，或許不必融洽，但也不必搞得劍拔弩張。」

「好。」我回答。

「那好。」他打住話，做個深呼吸。「我很抱歉表現得好像妳無法做好工作。先前我聽到很多關於妳的事，使我誤以為妳只是年輕漂亮的活躍花瓶，渴望討好別人。但是……。」他的聲音淡掉，稍微做個鬼臉，好似他不敢相信會再次開始暴露未經審查的思想。

「喔，拜託，現在不要停，我想聽全部。『但是……』？」

「但是，妳出現，而妳似乎是個古怪的人，根本和我預期的不一樣。所以，對不起，我不該那樣評斷妳。」

我沒說話。

「我也很抱歉，我聽信了那些關於妳和泰得的無稽謠言。我通常不會那樣。」

「謝謝你告訴我這些，那是很高尚的行為。我也要向你致歉，因為我曾經指責你是個心胸狹窄、狗眼看人低、傲慢自大的討厭鬼，是靠舔大老闆的屁股，而不是靠努力工作得到這個職位。」我口是心非地說。路克所說的話很傷人，我討厭自己在意他的話，讓他的話刺傷我。

「妳從來沒有那樣說過我。」他說。

「喔，有的，在我的心裡。很多次。事實上，對不起，我又那麼做了。」

路克的表情柔軟了一點，他的唇角勾出一抹饒富興味的微笑。「白目的人不只是我。」他批評道。「我們第一次見面時，妳也不太友善。」

「沒錯，不過我相信如果我是個金髮女神或棕髮尤物，你早就不介意了。」

他盯著我的臉看，我知道那意味著，他很想阻止自己和以前一樣只是草草瞥我一眼。「妳的孩子很酷。」他改變話題。

「那是個嘲諷嗎？」我問。「我不酷，泰根才酷？」

「妳一向都有被害妄想症嗎？」他問。

「人們不會因為你有被害妄想症就放你一馬。」我回答。

「我只不過是在陳述事實。妳的孩子很酷。你會不由自主地喜歡她，那並不是嘲諷，而是陳述事實。」

「是的，她是個可愛的女孩。」我同意。

「好了，我最好讓妳回去工作，讓貝西和露比不必再忐忑不安。」我們兩個都瞄向辦公室外面，貝西絞著手假裝在和坐在辦公桌前的露比講話，但其實她們都密切注意我們的辦公室。看到我們瞟向她們的方向，她們兩個都趕緊溜轉眼睛，佯裝在注視別的東西。

「那，我們把過去一筆勾消，重新來過？」他在門口轉身說。

「好，我相信我們都不會再犯。」我微笑道。

路克回以微笑，但不是那種迷人的微笑，而是譏諷的微笑。「妳知道的，我會說到做到。」

我回以微笑。「我也是。」

那天稍晚我和兒童部門的主管開完會回來，發現一盒巧克力棒和一張紙條在我桌上。

泰根說妳喜歡巧克力。

路克

妳也該親吻他

you have to kiss luke too

第二十一章

我一睜開眼睛，光線就強力淹沒我的感官。我立即又閉上眼睛。太痛苦了。即使我的眼睛閉著，似乎也有幾加侖的光線倒進我的頭，塞進我的腦中，不把我害死不甘休。

我伸手要抓一個枕頭來蓋臉，可是我的手指找不到枕頭。奇怪。我的床上通常有很多枕頭。我慢慢地瞭解到我的手根本沒有動過。我的四肢似乎都失去作用。我的嘴巴和我的頭和我的眼睛，全感到腫脹虛弱。痛苦令我覺得想吐。我的偏頭痛快要開始了。我還能想到這點，那表示偏頭痛還沒正式發作。

我沒有時間偏頭痛。我有個孩子要準備上學，我也必須準備去上班，但是我的太陽穴附近在抽搐。

*或許凱依太太能來接泰根去上學？*我立即撇開那個想法。她有六個小孩要照顧，她不可能臨時再多接一個。我必須硬著頭皮撐下去，強迫自己暫時把偏頭痛拋到腦後。

當頭痛的抽搐一陣緊過一陣，我難過得喘息起來。

*或許可以找路克？*他可以過來接泰卡去上學，他一定願意為她做任何事。他似乎也願意為我做。他說重新來過的話好像是真的，野餐後這兩個禮拜來，他沒有再找我的碴，或立刻駁回我的主意。他也建議我們每天在他的辦公室開會，討論我們的行銷策略。我開始期待與他會面，因為那幾乎和同泰得一起工作一樣好。我感覺像團隊的一分子，再度有參與感。沒有意義和徒勞無功的感覺緩和下來了。我恢復成以前那個能專注於工作的凱梅玲。我和路克並沒有成為朋友或發展

其他關係，只是同事。他開始相信我的意見，接受我的確能勝任工作的事實，如果我有機會申請，我可以成為競逐他職位的強勁對手。我們在工作場所之外見面的時候，談的都不是工作。這樣一直下去的話，我們很可能產生友誼。以我們最近協調過後的和平與和諧看來，我確信如果我拿起電話，他會馬上過來帶泰根去上學。我所必須做的只是伸手去碰電話，拿起話筒。

時間過去了。我還是無法動，當然也無法拿起電話。鬧鐘響起，我的身體痛苦難當，甚至沒有力氣去把鬧鐘關掉，只好等它自己停止。我後來一定又睡著了，因為當我再次清醒，泰根站在我床邊。

「玲媽咪。」她握我的手臂，拉動它。

「嗯。」我回答。

「我們該起床了。」她用平板的聲調說。

「我……我起不來。」我回答。

「可是我必須去上學。」

我設法張開眼睛，聚焦到穿著紅色格子睡衣的女孩身上。她用深感不以為然的眼神看著我，有點生氣，就和我以前該上學了還賴床時，我媽媽看我的眼光一樣。

「我不舒服。」我設法將聲音逼出沉重的舌頭和腫脹的嘴巴。

「妳生病了？」她問。

「是的，泰卡，我生病了。對不起。」

她的眼睛張得好大，轉身逃走。在我說出：「等一下。」之前，她已經跑出我的臥室。雖然

我幾乎抬不起眼皮，我還是必須去找她，看看是怎麼了。

我使盡渾身的力氣抬起手臂，抓住我的被單邊緣，將它拉開。原本毫不費吹灰之力的動作，竟使得我的頭痛像被刺傷。我必須休息幾秒鐘才能將我的腳移到床下，坐起來。腳碰觸到地上，柔軟的地毯絨毛讓我感覺腳底像被許多針扎著。我搖搖晃晃地站起來，必須抓著床頭櫃才能穩住自己。

我扶著牆，走過我的臥室，靠手掌貼著牆慢慢移動，保持身體挺直，將自己往前推。當抵達窗子，我必須抓著暖氣機來移動自己，然後我又摸到涼涼的白色牆壁。加油，加油，我催促自己。終於抵達門口，抓住門框，將我自己推出臥室，進入走廊。

我沿著走廊走，幸好從我的臥室轉個彎後都是直路。我抓著壁櫥的正面時，我的目標，泰根的房間，像暗夜裡閃亮的燈塔，進入眼簾。

再一步，再往前一步。我舉步維艱，但終於辦到了，離開了牆，站到泰根的門口。

她盤著腿坐在床上，身體前後搖擺，小臉痛苦地扭曲著，眼中噙著淚，雙手抱緊瑪格，彷彿不抱緊她就活不下去。

「泰根，怎麼了？」我倚著她的門框，保持站直。

「妳生病了，」她說，依然搖晃著身體，眼睛盯著地上的某處看。「妳生病了，妳要去天堂和耶穌和天使和我媽咪在一起了。」

「什麼？」我問。

「妳要去天堂了，像我媽咪一樣。」她指控。

「泰卡，我沒有，我只是偏頭痛，那是一種頭痛，它會消失。它……。」我的話被門鈴聲打斷，那個聲音使得我的頭痛得像快爆炸。我無法忽視它，如果它又響起，可能會要了我的命。

「等一下。」我對泰根說。

「喂？」我對白色的對講機說。

「我是路克。」自另一頭傳來的聲音說。

*天才剛亮他跑來做什麼？*我剛才雖然想過，但是我並沒有打電話給他。我打開大門讓他進來，再為他打開我的前門。

幾秒鐘後他出現，穿著他昨天上班時穿的，同樣的藍色襯衫黑西裝，打藏青色的領帶。他春風得意的笑容和熠熠閃亮的眼睛在向我炫耀。

「嗨，我到附近來見一個人，我想妳們可能需要搭便車到學校，所以……。唷，妳看起來好狼狽。」他在我退開讓他進門時說。

「我以為我們已經度過你認為我是一隻狗的階段。」我開玩笑道。泰根聽到路克的聲音，從她的房間出來。

「凱梅玲？」路克的聲音聽起來好似從一條長隧道的盡頭對我耳語。「妳要……。」

我的頭痛得幾乎爆開來，世界突然成了一組跳動著粉紅色、藍色、綠色和黃色的閃光。然後所有的一切全都化為白色。

我慢慢睜開我的眼睛，不到瞬即又立刻閉上。光線沒有像稍早刺穿我的頭那般令我痛苦。我的右眼後面依然痛楚不堪，但已經不會噁心想吐。某種濕濕涼涼的東西橫在我的額頭上，消除偏頭痛的灼熱。我伸手去摸它，是一條毛巾。

「喔，妳醒了。」路克坐在我床邊的一張，想必是從飯桌旁拉來的椅子上，他手裡拿著一本書，一隻腳踏在床下的木質底座上。他把書放到床頭櫃上，用關心的褐眼審視我。

「泰根呢？」我沙啞地問。

他指向我床邊的空間。我轉頭看，她穿著睡衣，像一隻貓蜷曲在我旁邊，她雖然熟睡著，仍然抱緊瑪格。

「她不肯離開妳。」

「我昏倒了？」

路克點頭。「當妳突然倒下去的時候，真嚇了我一跳，她則歇斯底里。她不斷尖叫說妳像她媽咪一樣要去天堂了。她不肯去上學，說她如果離開妳，妳會丟下她，自己去天堂。」

我凝視著泰根，她熟睡的小臉仍掛著憂愁。她的眼睛突然睜開，令我全身一震。她坐起來，眨著眼睛看我。

「妳好一點了嗎？」她問，她的臉和身體緊繃著等我回答。

「好一點了。」我回答，我試了，但失敗，沒能使我的聲音聽起來正常。

「嘿，泰，妳去廚房給凱梅玲拿杯飲料好嗎？我已經放在桌上。」路克說。他再對我說：

「泰說妳偏頭痛，所以我打電話給醫生，她說妳應該喝很多流質的東西。」

泰根轉向床尾，然後轉身，一腳踩到木質底座上，另一腳踩到地上下床。她跑向廚房，用力地在地毯上發出聲音。

她一消失，路克就在他的座位上將身體向前傾。「我猜泰根的媽媽最近才過世？」他壓低聲音說。

我點頭。

「多近？」

「很近。」

「凱梅玲，妳可以跟我談。」

我們已經化解敵意，愉快地談過，在某種程度上，我和他可以成為真正的朋友，可是現在我不想多說。

泰根回到房間，兩手各握著一個直筒玻璃杯，她的舌頭探出嘴角，一小步一小步，小心翼翼慢慢地走，留神不讓杯子裡的東西潑出來。我掙扎著坐直，坐起來時毛巾從我額頭上掉下來。路克撿起毛巾離開。幾秒鐘後，浴室的水龍頭發出流水聲。我接下泰根遞給我的玻璃杯，低下頭喝。水流進嘴巴和喉嚨，令我頓感舒服涼快。我又大口大口地喝了幾口。「謝謝。」我說。

「妳會再好一點嗎？」她的腳輪流搖晃著，兩隻小手扭絞在一起。我從來沒想到她會把我生病和死亡聯想在一起。我也從來沒想到她以為我會循著和她媽咪同樣的模式離開她。她怎麼會不那樣想？大部分的夜晚，我醒來，突然恐懼得衝向她的臥室，一再檢查她是否安然無恙。見證過死亡後，尾隨而來的非理性的恐懼，其實並不那麼非理智，而且當然不只是大人才會擔心。

「蓋了濕毛巾又喝了這些水，我很快就會好起來。」我說。泰根的嘴歪向一邊，狐疑地望著我，我的話顯然無法說服她。我看到泰根對我的回答的反應時明白，她需要能夠信賴的人。某個當我不在的時候可以陪她的人。路克帶著橘色的毛巾走回來。他好似要把它平放在我的額頭上，然後又打消那個念頭。「喏。」他把毛巾遞給我。

「我會好起來。」我向泰根保證，把空著的手伸向她。她的小手溜進我的掌中，讓我回想起葬禮那天。那天我握著她的手，突然被這個新的責任嚇壞了。那是一輩子的責任。我必須撫養她長大成人，在她的成長過程中讓她快樂又健康並發展智力。單親經常被說成是社會上的賤民，其實他們應該被當成是英雄般喝采。能夠靠自己的力量，沒有崩潰，而把孩子養大，對我而言是個奇蹟。我只做了幾個月，還在努力奮戰。我需要別人幫助，雖然那麼說會激怒我的自尊心，但我還是必須承認。

路克拍他的腿。「上來，泰，我們可以在凱梅玲睡覺前讀些東西給她聽。」泰根依言靠近他，路克打開我的書，巴拉德（J. G. Ballard）的災難小說《沉沒的世界》（Drowned World），翻到我塞了一張書籤的地方。

他開始唸書，鼓勵泰根用手指著他唸的地方。我閉上眼睛。他的聲音相當柔和，將我最喜歡的作者所寫的文字轉化成聲音。在我往被窩裡溜下去的時候，路克從我手中拿走玻璃杯，我感覺自己又漂浮進睡夢中了。我的眼睛顫動了一下，泰根坐在唸書給我們聽的路克的大腿上，她的眼睛凝視著書，那個畫面伴我入眠。

當我再醒來，路克還坐在我的床邊，他在看書。我拿下額頭上的濕毛巾，這個動作令他警覺到我醒了。他的臉展露出他平常都保留給泰根的溫馨笑容。「嗨。」他說。我移動手臂去摸，但泰根不在我身邊。

「我說服她去看電視。」他發現我在做什麼之後說。「不過我必須待在這裡她才同意，而且她每隔幾分鐘就來看看妳有沒有跑到哪裡去。」

尖銳的痛楚此刻已經鈍化，與早些時候折磨我的劇痛比起來，只有和緩的抽痛，可是我坐起來時還是略顯僵硬。「謝謝你，路克。謝謝你所做的一切。」

他傾身向前，拿起水杯遞給我。他看著我喝下，等我喝完再把杯子接走。

「我稍早之前打電話去泰根的學校，解釋情況，我也打電話到公司說我們這兩三天不會進公司。妳生病了，所以我要在家裡工作。」

「為什麼？」

「妳們兩個需要人照顧。」

「我不需要任何人。」我怒道。

路克抿抿嘴，沒有再說會更加刺激我發怒的話。「那，如果可以的話，我想留在這裡。」

「公司裡的每一個人都會以為我們現在發生性關係了。」我把被子拉高到脖子，我沒有穿胸罩，只穿著一件白色運動衫，而我面前的男人曾批評過我的身材。

「他們還可能想得更糟。」

「還可能更糟嗎？」我問。

路克尷尬地低下頭。我想到一個蹊蹺。他住在里茲的歐伍德勒區，一間兩個房間的公寓裡，他要到我住的霍斯弗思區，與他要去上班的方向相反。「你說你是為什麼到這附近來的？」

「我，呃，是來拜訪某個人。」

「你穿著和昨天同樣的衣服。」

「是的，我沒有回家。」我們的目光接觸，我立即明白他的意思。

「金髮女神還是棕髮尤物？」

「金髮，很漂亮。身材一級棒。無畏於利用她的好身材。」

「豔福不淺哪！」

「我想我們應該談一談。」

「我們現在在做什麼？」

「凱梅玲，我很清楚妳認為我是個豬頭，可是妳也不是個好相處的人。現在我開始瞭解為什麼了——妳還在哀傷。」

我轉開眼睛，去看我關著的電視。

「我不想假裝瞭解妳經歷了什麼，可是我知道壓抑著它對妳沒好處，也對泰根沒好處。」他的話觸動了我的某根神經。我不願正視我的情緒是否傷害了泰根？我隱藏我的痛苦使得她也痛苦嗎？

「我一直以為泰根是妳沒有想清楚就領養的小孩。我們的同事似乎也沒有人知道妳的這一段故事，那很奇怪，因為妳已經在那裡工作了好幾年。泰根也不說。妳的朋友貝西口風很緊，不過

我得到的印象是她也所知不多。」

「那麼，你為什麼以為我會告訴你？」

「妳欠我。」

「欠你什麼？」

「嘿，妳昏倒的時候我扶住你。我把妳抱到床上。我讓泰根平靜下來。我打電話給醫生問她該怎麼辦。我甚至告訴公司的人妳生病了。如果我所做的那些不值得嘉獎的話，我就不知道還有什麼值得了。」

「我改天會請你喝杯酒。」

「說真的，妳可以跟我談。我不會講出去。」他打住話，等我吐露心聲。我靜默不語。

「好吧。」他嘆氣。「我訂婚了，就快結婚了。我在哈佛大學認識她。我經常旅行，所以我們分分合合十年了。每當我回紐約我們就復合。上一次維持了三年。」路克伸手進內口袋裡，取出皮夾，打開來，翻出她的照片給我看。她當然很漂亮。金色的長髮，無瑕的肌膚，很有型的眉毛，柔軟的粉紅色嘴唇。她不只漂亮，簡直美呆了。她棕色的眼睛對著相機的模樣顯露出，她深愛幫她拍照的人。她顯然和我的上司在談戀愛。他收起皮夾，放回口袋。「她叫妮可，事實上我們已經訂好結婚的日子。然後有人給我一個在倫敦的工作。我以為她會跟我來，可是她不肯。當我打算拒絕這個工作時，她告訴我，她之所以會說不，倫敦不是重點，她對我的感覺才是。她愛我，可是，她不能承諾跟著我越過世界移居。她不確定我們會幸福美滿。所以，我自己一個人來。我們每個禮拜通電話，我還帶著她的照片，如同妳剛才看到的，而……。」他停止說話，凝

視了地毯幾秒鐘。然後他抬起淺褐色的眼睛。「而我還抱著她會改變心意的希望。就是這樣。全英國沒有別人知道這件事，我相信妳不會說給別人聽，我雖然已經跟她分手十八個月了，還是會傷心。我還是想要跟她和好。」

他在講話的時候，我必須隱藏我對他這番自白的恐懼，路克，我的上司，在我眼前表現出他人性的一面。他跟我分享他的故事。在所有的人當中，他居然只告訴我。他說出這些一定需要很大的勇氣。而他說出來是為了要我也說出來。

然而要打開往事，令我害怕莫名。尤其是對他。可是他已經對我坦白了。還有，這不是關於我，是關於泰根。她愛路克這個男人。今天的事證明我需要一個支援的人，如果我不在，我可以信得過會照顧她的人。他就是那個人。我凝視了他一會兒，我的心在胸腔裡狂跳。這是為了泰根。「好吧，」我開始說。我告訴他這個不堪的故事。從我發現黛爾和奈德有過一夜情那天晚上，說到路克走進我們的生活。路克不置一詞，沒有問問題，也沒有要求我說得更清楚，有時候撫撫他唇下的溝那裡的細薄線鬍。等我說完，他點點頭。

「妳都自己一個人艱苦地承受這所有的一切嗎？」他問。他吹個低沉的長口哨。「我很訝異妳沒有完全崩潰，難怪妳會成為那麼易怒的潑婦。」

「那你像個自大的渾帳的藉口是什麼？」我回答。

「那是我的天性。」他還擊。

我暗諷地假笑。

他還以微笑，說：「我很快就能弄好晚餐。」

「你不必那麼做。你可以走了，我已經覺得好多了。」

「我不必那麼做，可是我想做。如果妳容許的話，我樂意幫忙。」他的誠意令我訝異。是的，他的故事使得他具有人性，甚至有弱點，可是那也使得他變成一個好人。

「為什麼？」

「因為我喜歡泰根。」

「一定還有更多原因。」

「或許有，或許沒有。我有一天會告訴妳。」

泰根蹦蹦跳跳的進房間，跳上床，解了路克被更多問題攻擊之圍。

「妳好些了嗎？」她爬到我旁邊問。

「好很多很多了。我甚至可以下床去客廳。」

泰根眉開眼笑。「真的真的嗎？路克說妳會好起來。」

「我不會常常這麼說，不過路克說對了。」

她溜到地上。「我可以放我的ＤＶＤ看了。」

我揭開被子站起來。我必須讓她看到我好多了，我不想再嚇到她。路克起身，身體向前好像要扶我，但是我對他皺眉，強迫他退後。

泰根拉我的手，慢慢領著我去客廳，我們兩個一起倒向沙發。「路克，你既然想做點事，請你燒開水。」我說。

「對，燒開水，路克。」泰根咯咯笑。她依偎著我，我伸手攬著她。

「妳的上一個奴隸是怎麼死的？」他照辦時喃喃嘀咕。

「回嘴。」我回答。

他轉頭瞥我，我設法微笑。他瞅著我，展開笑顏。那一刻我明白，我會漸漸喜歡上這個男人，我會變得非常喜歡他。

第二十二章

「請妳到另一個房間等一下，讓我和泰根聊聊天。」社工人員深諳說話的技巧，她的口氣雖然像客氣的請求，但我們都知道那是個命令。

我離開客廳，那裡就像今天我公寓裡的每個地方一樣，幾乎擦拭抹亮到了極限。雖然家庭訪問排在下午，但我請了一整天的假，以便利用早上的時間打掃。打掃乾淨後我換上一件淺粉紅色的絲質洋裝，那是我的衣櫥裡最昂貴的服裝，我知道這件洋裝很適合我穿，我出色的打扮會使得社工對我產生好感。為了今天的訪談，泰根的頭髮綁起來，穿著她最喜歡的服裝：A字型的牛仔布連身背心裙穿在白色的長袖上衣外面。她的腳上穿著毛茸茸的室內兔子拖鞋。

我在自己的房間裡，坐在床上，將膝蓋彎到我胸前。社工必須來探視泰根，她要查訪我是否

會虐待我想領養的小孩。她必須知道泰根是不是喜歡跟我一起住在這裡，我對她好不好。如果我也在場，她不便問那些。可是，我如果不在場，泰根會說什麼？她有趣、友善，而且合群，但是也不可思議的自我封閉。這一點我們兩個很像。她媽媽老是說她自己「說太多」、「太坦白」，相反的，泰根戒心甚重。她非常小心，不肯洩漏心事。她從來不提在吉爾福德出了什麼事，她在外公外婆的淫威下忍受了些什麼，她會承認跟我在一起不快樂嗎？

我的胃翻攪了一下，擔心那個女人會問什麼問題。她會問些引導性的問題，想從泰卡口中挖出內幕，瞭解做家長的我每天的忙亂可是合理的？像忘了她的存在那一次？雖然只有一次，可是我忘不了，我懷疑泰卡也忘不了。還有我幾個禮拜前昏倒，把她嚇得半死那次呢？我不是故意要那樣的，可是那仍然可能令她的心理終生蒙上陰影。

我咬著下唇。要是泰根討厭跟我在一起呢？我從來沒有徹底考慮過這一點。我一直擔心她會想念她媽咪，但要是一直以來她其實是不想跟我在一起呢？要是不管我怎麼做或怎麼說，她都寧可去任何地方就是不想跟我住呢？在她的生活中，她唯一會選擇的是路克。在她的堅持下，他成了她的人生，也是我們人生的一部分。沒有人強迫他照顧她，不像我是被黛爾逼的。她愛他。他在她身邊的每一秒她都興高采烈。他就像是暑假，代表了樂趣和自由；我就像是上學日，代表時間表和守紀律。她會那麼告訴社工嗎？

經過三十分鐘的折磨後，我可以回到客廳。我坐到沙發上，泰卡對我笑。她爬到我腿上，拿

瑪格親吻我的臉頰。「瑪格今天愛妳。」她說。她爬下我的腿，走出房間。我的注意力轉向社工，她沒有把剛才泰卡和我的互動寫進她的筆記本。事實上她已經收拾好筆記本和筆，正在凝視我。她大約三十幾歲，留著棕色的短直髮，嘴唇薄薄的，眼睛扁平。我從她臉上看不出她心裡在想什麼。她嘴角掛著似有若無的淺笑，棕眸射出的目光牢牢盯著我。從她的肢體語言也觀察不出什麼來，她兩手在大腿上互扣。這些可能都沒有任何意義。

「我通過考核了嗎？」我問。

「那不是我來拜訪的原因。」她回答。她的表情從模糊不清，進步到暗含她看得透我曾有過的每一個邪惡想法。

「那麼妳是為了什麼原因來拜訪？」她被指示過避談泰根是白人而我是黑人的問題嗎？黛爾在遺囑中要求我照顧泰根，這一點他們無權置喙，但他們可以駁回我申請領養泰根。他們可以阻止泰根改姓馬提卡，而絕不言明我們的膚色有別其實是主要的原因。

「妳覺得這一切怎麼樣？」她反問，技巧性地避開我的問題。

「很好。」我回答。

「沒有壓力嗎？」

「沒有，很少。」

「凱梅玲，如果有壓力的話我們能理解，這對妳來說一定很困難。」

泰根說了什麼？「我遭遇的困難不會比別人多。」我回答。

「妳覺得妳全職工作能同時照顧泰根嗎？」

「沒問題。」

「一定很累吧？」

「會很累嗎？」我開玩笑似地回答，想起她是誰急忙加了一句：「還好啦，沒什麼問題。」

「妳工作的時間和去學校接泰根的時間沒造成問題嗎？」

「沒有。她放學後到一個朋友家，我下班後去那裡接她。」

「小孩常常吵架，如果她跟她的朋友吵架呢？那要怎麼辦？」

「學校有放學後的安親班。我只要連午休的時間也工作，就可以提早下班，趕在六點之前去接她。」

「妳不介意那麼做嗎？」

「妳是想要叫我不要工作或怎樣嗎？我不能不工作，我如果只做兼差，我們的生活會比現在更拮据。」

「妳的經濟有困難嗎？」

「現在這個年代誰沒有呢？」我被她惹火了。這個女人存心扭曲我說的每一件事嗎？她是故意讓我覺得我所做的好像都不夠好嗎？

「路克是誰？」她圓滑地改變話題。

「他是我的上司。」我小心地回答。「從泰根第一次見到他，他們就很合得來。」

我看到她的眉毛抽動了一下。

「他是個好人，」我急忙補充。「如果他有任何危險性的話，我一定不會讓他靠近泰根。」

「泰根說他是她最好的朋友。」社工說。

「嗯，他們的確處得很好……。」哦，他是她最好的朋友？我嫉妒地想：那我呢？我是狗臉多毛的怪物嗎？

「她也說妳從來不會生她的氣。」

「她那麼說的嗎？」我問。「那樣不好嗎？」

「沒有不好，只是不太尋常。妳真的從來不會生她的氣，還是壓抑著不生氣？」

「泰根是全世界最乖的小孩，她沒有做過任何會惹我生氣的事。從來沒有。」我停頓，想了一下。「是真的，她真的很乖。」

「妳覺得她會壓抑嗎？」

「或許……，」恐懼感刺痛我。「我沒想過這點。叫她做什麼，她就做什麼。不發問，不回嘴。我沒想過她沒表示不同意是因為怕我的可能性。妳認為她怕我，對不對？我不會傷害她。永遠都不會。」

「我壓根兒沒想過妳會。」社工說。「我只是在想她是否需要心理諮商師來幫她驅除媽媽死亡的陰影。」

「那不只是個想法，而是個命令，是不是？」我說。

她的微笑可以是友善的，如果她蒼白的臉上那對眼睛不那麼銳利的話。「我沒有那麼說。」

「那妳想說什麼？如果我不讓她看心理諮商師，妳就不推薦我領養她？」

「妳何不考慮看看？」她不直接回答我的問題。故意的，她又一次故意不回答我的問題。她

站起來。「我會安排在兩三個月內再來訪談，看看妳們相處得如何。今天和妳們談得很愉快。」

陰險的女人！我想站在我的客廳中央用盡全力大聲尖叫，直到心中所有的怨恨全都發洩出來。壞女人！爛人！狡詐鬼！她雖然沒說，但她的意思就是我不夠好，我沒有好好照顧泰根。我們必須把更多人納進我們的生活中，例如心理諮商師。如果我沒有順從她的意思，那我就等著瞧吧。在我比較理智的時候，我當然知道她只是在為泰根著想，心理諮商師多少可以幫助泰根。可是自從那個女人離開後，大部分時候我都漲滿了想吼叫「賤貨」的衝動。我知道在她出現之前，我的表現不是很出色，但現在我知道自己做錯了。我沒有幫助泰根面對她媽咪死亡的傷痛，我沒有將泰根導向做個健康快樂的大人，我讓她壓抑，那會潛在性地傷害她。

「玲媽咪。」泰根叫道。

「什麼事？」我聽到我自己沒好氣的聲音，立即住嘴，做個深呼吸，不再茫然地盯著放罐頭食物的櫥櫃，轉身去看她。社工走了後，她便坐在桌邊畫圖。現在她手裡拿著一支畫筆看著我，瑪格掛在她的另一隻手上。她看起來沒有受到傷害，她的身體沒有緊繃，她的眼睛沒有充滿恐懼，她的皮膚沒有不快樂的灰暗。可是誰知道表面底下的暗流是什麼，誰知道我引發的傷害有多深。「什麼事，泰卡？」我重述。

「路克什麼時候會來？」

「大約十點。」

她放下畫筆，悄悄地用手指頭數：「八、九、十，」然後抗議道：「可是那已經過了我上床睡覺的時間。」

「我知道，可是他要從倫敦開車回來，沒辦法早一點來。」

「那不公平。」

「他可能明天才會過來。」

「可是我給他畫了一張圖。」

「如果他來的話，我會拿給他看。我相信他一定會很喜歡。」

「可是我想自己拿給他。」

「那就明天再拿給他。」我搜尋櫥櫃裡的東西，看著那些罐頭、調理包、瓶瓶罐罐，等待靈感來襲。我聽到我後面傳來用拖鞋走路的聲音，是已經爬下桌的泰根。

我想她可能過來陪伴我，和平常一樣坐到廚房的吧台前，在我開始做晚餐之前，我們凝視著櫥櫃裡的食材，考慮要吃什麼。但今天她問：「他明天要是沒來呢？」

「他可能會來。」我往後丟一句話：「他禮拜六通常會來。」

「他要是沒來呢？」

我不知道！我幾乎大聲叫。我做個深呼吸，提醒自己，這不是她的錯。我心情不好不是她的錯。我轉身面對她，發現她並不是離我還有一點距離，而是就在我後面，手裡抓著一缽她洗畫筆的髒水。當我轉身，我的腳撞到她的手，把她手裡的缽撞離她的手指。缽裡的水濺出來，灰色的髒水潑濕我的腿，水漬擴散成帶著捲鬚的八字形。泰根驚愕地發出一個短促的抽氣聲，然後嚇得

噤聲。

我低頭看我的洋裝。這是花了好多錢買的洋裝。是我離開奈德和黛爾搬到里茲後，第一次買的東西，它代表我重新出發，代表我恢復正常，能夠再做像逛街這種簡單的事。我愛這件洋裝。現在它毀了。就像我的餘生一樣。毀了。完了。我無法做任何事來挽救。

「**我受夠了！**」我尖叫。「**妳快把我逼瘋了！**」

我感覺泰根在聽到我的吼聲時全身戰慄了一下，然後她僵住，簡直像被我的怒氣嚇成石頭。我要她走開。我需要她走開，我要她在我說出無法收回的話之前快點離開我。

「去妳的房間。」我控制著聲音，小聲地說。

泰根一點也不抗拒，我聽到她離開的腳步聲。我沒有動，我恐懼到不能動。恐懼我幾乎說……，我幾乎說出，如果不是她，我不會被社工人員瞧不起。如果不是她，我會是安琪拉的行銷總監，現在去倫敦出差的人會是我，不是路克。如果她不在這裡，我能自由地做任何我想做的事，而不是永遠都先考慮到如何安排照顧她的事宜。我的日子不必繞著她轉，我不必永遠懷疑我會不會在下一次遇到困難的時候倒下去。我的眼睛蓄滿淚水，沾濕我的睫毛，然後滴到地上。我沒有感覺我的膝蓋碰觸到地上，但我的人已經在地上了，我的絲質洋裝急切地吸收地上那灘洗畫筆的髒水。我用雙手掩臉，試著搖晃身體安慰自己，想著還有多少我可以把事情搞砸的方法。

過了好一會兒後，我推開泰根的房門。「泰卡，」我輕語。「泰卡，對不起。」

她坐在床上，膝蓋拉到她的胸部，手抓著瑪格。

「我不是故意的。我真的……。」我停止說話，注意到她平常相當乾淨的房間呈現一種亂得整齊的狀態：她的抽屜和衣櫥都空了。一疊疊折好的衣服擺在抽屜和衣櫥前。她色彩繽紛的旅行袋從床底下拿出來，打開著放在地上，裡面已經裝了幾件衣服。我心跳加速，我的胃翻攪。是社工跟她說，如果她不想跟我住，可以去別的地方住嗎？她要離開我了嗎？

「這是怎麼回事？」我驚慌地問。「為什麼要收拾行李？」我越過旅行袋，跪到泰根面前。「對不起。」我在她心型的小臉和藍色的眼睛找尋一些諒解的蛛絲馬跡，或一點暗示，不管那有多細微，我可以說服她留下來。「我不是有意要對妳吼叫。我氣的是我自己，不是妳。我很抱歉。」她沒有動，只是抱著瑪格，好似我根本沒說話。「泰卡，請妳相信我，我很抱歉。我真的，真的很抱歉。」

「拜託……。」她小聲地說，隨即終止，顯然害怕接下來會發生什麼。

「拜託……？」我重複她的話，引她接下去說。

「請不要叫我去住穆麗兒婆婆家。」她說完蜷縮著，低下頭盡量和瑪格靠在一起。

「我為什麼要叫妳去住穆麗兒婆婆家？」我問。在我所有想得到她會說的話裡頭，那不包括在內。

「因為我頑皮。」她回答。「我不要去穆麗兒婆婆家。我要跟妳住在一起。」

「所以妳把衣服都拿出來？」我問。

她點頭。我從來沒想到泰根會把回到吉爾福德的地獄當成一個選項。我以為她知道不管我們

過得好不好，她都跟我黏在一起了。那就是她為什麼都那麼乖的原因嗎？從不問問題，從不爭辯，從不發脾氣？因為她以為我可能把她送回去，讓她挨餓或挨打？

「泰卡，我和妳……。」她的臉布滿了絕對的恐懼，我頓住話，她在等我宣判要如何處罰她。我重新說，我的聲音柔軟得像在祈禱：「泰卡，妳會跟我住在一起，直到妳長大。」

她臉上的皺褶和線條鬆開了一點。

「妳永遠不必再見到穆麗兒婆婆。即使妳真的頑皮，妳也會跟我住在一起。」

她眼中的懼色鬆懈，終於大膽看我。

「我會永遠永遠照顧妳。」我說。那個想法再一次將恐慌戳印到我胸上。「泰卡，這是妳的家。即使妳長大了，不管我在哪裡，我所在的地方就是妳的家。我會永遠照顧妳。妳明白嗎？」

「即使我太頑皮？」她問。

「是的，」我說。「但我並不鼓勵妳頑皮。」我急忙修正。「如果妳頑皮，我們會找個方法來解決。可是妳還是會跟我住在一起。」

「對不起，我太頑皮。」她說。

「妳沒有頑皮，那只是個意外。」

「對不起。」

「那只是個意外，妳不是故意的。我很抱歉對妳吼叫。」

「現在路克看不到妳的漂亮衣服了。」她說。

我困惑了一下，觀察她的表情，看她是否察覺。她是否注意到，我對她最好的朋友——我的

上司——的感覺改變了。她不以為意地回望著我。

她不知道從我四個禮拜前偏頭痛，我和路克之間的某些事情已經從根本上改變了。他不僅有了人性，也成了我眼中的男人。我們工作時的會面成了聊天，週末在泰根上床後，他通常還會留下來，我們會喝茶談天，一直聊到清晨三、四點。泰根不知道我開始會對他有些混亂的想法。關於我和他，和……，好吧！坦白說，性。他看不到我穿著漂亮的洋裝，那是好事。我不會鼓勵自己的那些胡思亂想，更不會縱容自己再想下去。「那樣或許最好。」我對泰根說。

「妳要跟我住在一起嗎？」我問她，努力將維斯曼先生逐出腦海。

泰根皺皺鼻子，點點頭。

「好。我真的真的很高興。」

泰卡伸出她手上的瑪格，拿布娃娃親我的臉頰。「瑪格今天很愛妳。」她解釋。

「我很榮幸能得到她的吻。我們可以脫掉妳的衣服嗎，親愛的？」她又點頭。泰根滑下床。

「今天特別優待，妳可以晚一點睡，等路克來。」

她高興地張大眼睛。「真的真的嗎？」

「真的。」我心裡篤定她八點半之前就會睡著，最晚九點。

第二十三章

對泰根來說，能見到路克的誘惑力，是最有效、最強烈的興奮劑，她非常清醒，直到十點十五分他按門鈴。我先傳簡訊給他，說泰根保持清醒在等他，請他在回家之前過來一下，他回說沒問題。

我把自己剝離沙發去應門，疲倦像一塊鐵砧重壓著我，而穿著漂亮紅色格子睡衣的泰根，爬上沙發，開始在沙發上蹦蹦跳跳。

路克帶著禮物進來，像一個懷著愧疚離家去出差的爸爸，他認為玩具和其他小玩意兒可以當他缺席的補償品。路克每次遠行回來，即使只在外地過夜一晚，也總是會給泰根帶點東西。這次他拿著他帶來過最大的禮物——兩隻大手各提著五個看似沉重的袋子。

「天哪，你花了多少錢？」他匆匆經過我的時候，我問他。

「呃，不多。我一個朋友在玩具公司工作。」

我對他挑眉。「哦，是嗎？她聽起來像是個很好的朋友。」我說。

路克在我說「她」的時候，目光有意避免再瞥向我所在的方向。他顯然心虛。

「來吧，泰，」他說：「我們來看看袋子裡有什麼東西。」

泰根停止在沙發上跳躍，她抓著路克的手臂下地，走到袋子前面。她眼中閃動快樂的光彩，亮得像暴風雨中的兩盞燈塔。我對他如何讓她那麼雀躍所引發的嫉妒，全被感激取代。泰根需要這些，需要有人寵愛她，買禮物給她，讓她覺得自己很特別。

路克一樣一樣地把袋子裡的東西拿出來給泰根看，大部分的玩具是有教育性的，我可以因此親吻他。如果不是有教育性的，那也有很多書，有些是遠超越她年紀的小說，不過她會喜歡的，因為等她成長到完全能瞭解故事時，越複雜的故事越好。還有畫本和彩色筆、簽字筆、蠟筆、彩色鉛筆，幾隻玩具熊和一種兒童拼字遊戲。

「這些都是要給我的嗎？真的真的嗎？」泰根問。

「不然是要給誰的？」他回答。

「我可以要嗎？」泰根問我，她寶藍色的眼睛閃現擔心我會說「不可以」的憂慮。

「當然可以，甜心。」我回答。

「謝謝！」她尖叫著撲向路克，他沒提防，被她撲得往後倒。路克跟我對她的反應都感到有點意外。她開始在他的肚子上跳上跳下，似乎沒注意到她每次接觸到他的肚子時，他都會發出「喔」一聲。

「玲媽咪，妳看！我在跳路克！」她咯咯笑。我微笑。這是原本的泰卡。充滿感情、活潑、生氣蓬勃。路克引發出她深藏的那一面，他像個能恢復她原始個性的時光機器。難怪她老是喜歡跟他在一起，他使得她又快活起來。「玲媽咪，我可以親吻路克謝謝他嗎？」她說著增加她的彈跳率。

「如果路克不介意的話。」

泰卡看著路克。「我當然不介意。」他喘著氣說：「只是不要再跳上我的肚子，好嗎？」

「好。」泰根失望地回答。她傾身向前，在他的額頭中間親一個響吻，就像他每次跟她說再

見，或跟她道晚安時那樣。她坐回去，期待地望著我。

「怎樣？」我問，不知道她期待什麼。

泰根誇張地嘆氣，好似我是故意裝傻。「妳也該親吻路克。」她用有點惱怒的聲音說。

我嚇得退後一步，無意間目光和路克對上。

「我不介意。」路克的眸子亮著幽默。

「他不介意。」泰根鼓勵我。

「呃，嗯，我相信他不想讓我的吻破壞妳特別的親吻。」

「懦夫。」路克用唇語對我說。

「不過，泰卡，我想妳應該為我給他多跳幾下。」她的臉因而發亮，而他的臉恐懼得扭曲。

「對，用力多跳幾下，就在他的肚子上。」

「好！」她以令人敬佩的熱情執行任務。

「妳剛才哭過了嗎？」過了一個小時後路克問我。他給泰卡唸了四個故事，又聽她閒扯了十分鐘，直到她上緊的興奮發條終於鬆掉，她才睡著。現在他拿起沙發上我還沒收拾好的書，讓它溜到地上，然後他坐到沙發上。我坐在長沙發的另一頭。當路克和泰卡在她房間的時候，我心不在焉地看電視，注意聽他們講話，一邊想著我該去洗盤子。

我轉向路克。他看起來累壞了：他的眼神極為疲憊，藍色襯衫皺巴巴的，三十五歲的臉上皺

紋似乎比平時更顯眼。我沒有回答他的問題，因為他那麼問令我錯愕。

「有沒有？」他再問。

在他抵達之前，我對鏡子檢查過我的臉，我的眼睛並沒有血絲或浮腫。他怎麼會知道？「你為什麼這麼問？」

「妳的眼神看起來像哭過了。我們剛認識的時候，妳的眼神常常那樣。我之前以為那是輕蔑的眼神，後來我瞭解那是因為黛爾剛過世，妳常常哭。現在那種眼神又回來了。」

我不能告訴他原因，我不想向任何人透露。尤其是他，他能讓泰根非常快樂。我不想讓他知道，我取悅泰根的本事不如他。

「你去倫敦跟她銷魂的女人是誰？」我問。

路克猶豫著，臉上數種情緒一起湧現，羞愧、欣喜、尷尬、內疚。「我想社工人員來訪進行得不太順利。」他繼續挖我的話，決心要逼我坦白吐露。

他想避而不談的決心一定沒我強。「從她準備這一大堆禮物看來，我猜一定是你的新歡。」

路克沉思了一下，眼睛一直盯著我看。「我不是有意要跟她怎樣，」他似乎承認他的意志力挫敗。「我，嗯，我有點……，妳知道的，有時候你會頭腦混亂不清。我喜歡她，可是她不是我平常會喜歡的類型，呃，妳知道的，我最近常常在想，我喜歡的是什麼類型，如果我只喜歡一種類型的女人，是不是太死板了？我想我混淆了自己的情緒和邏輯，一件事導致另一件，真的。寫信回家沒什麼事可說，可是……。」

「我對泰根吼叫。」我脫口而出。我受不了了，不想再聽他講下去。

「所以妳哭過？」

我點頭。

「沒關係，妳知道的，我們偶爾都免不了會發脾氣。」

「你不瞭解，我失控了。我對她說我受夠了，我說她快把我逼瘋了。我還差點說她毀了我的人生。」

「可是妳沒說，那才重要。」

「我那樣想不重要嗎？」

我的問題令他為難。「玲……，」自從我們成為朋友後，他也叫我玲，我喜歡他那樣叫我。「妳所做的這一切並不容易。一個人有計畫地想養一個孩子已經不容易，何況妳並沒有計畫，那會難上百倍。那是個可怕的事實，不過她真的毀了妳的人生。妳以前的人生被破壞了，被推翻了，被摧毀了。但那不見得是壞事，也有好事。以古希臘雅典衛城的神廟為例，人們得付不少錢才能看到它的遺跡，它雖然毀了，但卻是好事。」

感謝他企圖安慰我。

「社工人員說什麼？」

我扼要地說個大概。

「賤人。」他聽完後口出穢言。喔，我或許該讓他聽聽凱梅玲版的粗話。

「或許她沒有那樣明說。她沒有真的說，因為泰根沒有別的選擇只好喜歡我，她也沒有肯定地說，泰根只是哀悼她媽媽，所以心理諮商可能幫她走出哀傷。」我承認。

路克微笑。「我不認為她說得很肯定，不過顯然加重了妳先前的沮喪，所以我罵她賤人。」

過去幾個禮拜來，我得知更多路克的故事。他在伯明罕長大，到倫敦唸大學。大學畢業後搬到波士頓，在哈佛商學院唸書，然後到紐約在銀行界工作一段時間。他回到倫敦，然後搬去蘇格蘭幾年。他也在日本工作過一年，然後決定再去紐約，在管理顧問公司工作。然後他調職回倫敦，和妮可分手。接著他被安琪拉挖角。從他的經歷聽起來，在三十五年的生命中，有一大半時間並不安定，老是在搬家，嘗試新事物。我半羨慕他的開創精神，但也想問他到底在逃避什麼。我不能那樣問他，我們最近才消除敵意，不便問太私密的問題。不過，我可以支持他。他也在支持我。

「泰根很害怕。」我搖頭，企圖搖走我腦中她臉上恐懼的表情。「那是我造成的。我幾乎害她崩潰。」

路克在沙發上移動位置，手捧我的臉，阻止我繼續搖頭。

「不會有事啦。」他保證，他以貼在我臉上溫暖的手強調他的話。「妳是個好人。」他的聲調降低一點。「妳是個大好人。」

我的眼睛探詢他的輪廓，將環住他眼睛的平滑弧形，創造他嘴巴的坡度線條，形成他鼻子的堅實形狀，全納入眼底。我喜歡他。我對他有過性幻想，我以為那是因為，他是我現在的人生中唯一的男人。但這不只是性的吸引力。我喜歡他。他的手撫在我臉頰上，令我心跳加快。我喜歡這樣肉體上的接觸，讓我覺得舒服又安慰。

路克也用眼睛在探詢我臉上的輪廓。我不知道他是否看出了，現在的我和我們初識時的我有

什麼不一樣。現在我的黑髮比較長了，剪成層次，瀏海從右邊越過我的額頭掃到左邊。我棕栗色的眼睛和當時一樣，只是當時有些黑眼圈；我的鼻子還是一樣小小的，有點扁有點寬；唇瓣依舊豐滿。我沒有多大的改變，改變的是他看我的眼神。沒有厭惡的神色了。取而代之的，不知情的人看起來會像是情意，這樣的眼波交換，在我們兩個當事人的接觸史中，是不曾有過的。

期待中的沉默，曖昧得嘶嘶有聲。我們就要親吻了。他的頭移近了一點，他的唇將與我的唇相遇，我這不順遂的一天將有個完美的收尾，或是以嚴重的災難結束！我相當確定他並沒有被我吸引。他樂意和我做朋友，他甚至可能跟我上床，可是我對他的吸引力不如他對我那麼強。而且他還愛著妮可。不管現在發生什麼事，他還是愛他的前女友。

「我該去洗盤子了。」我猛地轉開頭站起來。我走去廚房，他沒有動。「你吃過了嗎？」我問，沒轉頭去看我逃離現場後他的反應。

「喔，沒有。」他回答。我聽到他起身的聲音。

「還有義大利麵，你要吃一點嗎？」我從櫥櫃裡拿出一個大餐盤，上面堆著許多淋了自製番茄醬的斜管義大利麵。路克從我手裡接過他的晚餐，然後走向桌子。他想用叉子吃卻發現沒叉子，他轉回來，剛好我已拿出一支叉子要給他。我們交換親密的微笑，是那種情侶間會交換的微笑，我再一次感覺那太曖昧了：比情慾還多，比情愛還少。放任一時的意亂情迷，結果會享受美妙的性，後果會惹出一堆麻煩。

兩分鐘後，我戴上橡皮手套，把盤子拿出來。我把不鏽鋼水槽的塞子塞好，轉開熱水。在我把盤子放回水槽裡時，路克拿著只剩殘留醬汁的空盤子出現在我身邊。

「你是用吸的還是怎樣？」我問，從他手裡接過盤子，把它浸入水中。

「我開始吃才知道我有多餓，雖然妳的義大利麵應該慢慢品嚐，可是我停不下來。我從來都停不下來，每一次吃都覺得吃不夠，不夠快，必須狼吞虎嚥。」

什麼？我狐疑地斜眼睇他。「那是你說我是個好廚師的方式嗎？」

路克轉身完全面對我，現在他沒留鬍子了，他的表情顯得單純可愛。「不是好廚師，是個了不起的廚師。」

他在跟我調情，我在心裡假笑著想。他會跟我調情本來就是一件滑稽的事，加上他的演技拙劣，所以變得非常可笑。

我沒有回答他荒謬的問題。他問：「我該幫忙洗還是擦乾？」他靈巧的手指解開他藍色襯衫袖子上珍珠般的鈕釦，然後捲起袖子。

「都不用，你一定很累了，你何不回家休息？」他最好現在就走，可以使我們兩個都免除他遜斃了的調情方式的尷尬。

「妳沒聽說過嗎？吃了就該幫忙洗盤子。」

「好吧，你擦乾。」我遞給他一條擦盤子用的乾毛巾，然後回去用一塊綠色和白色的海綿清洗第一個盤子，沖淨，然後遞給路克擦乾。我們默默地合作無間，約三十秒後他說：「妳是個很好的媽媽，我不懂怎麼會有人懷疑妳。」

我再一次斜睇他，發現他拚命用力擦同一個盤子。他在緊張。自大先生想挑逗我，他自己卻很緊張。

「泰根是個非常可愛的小孩，那大部分得感謝妳。妳對她有很好的影響，妳非常關心她，妳鼓勵她。那……。」

「夠了。」我把我洗的盤子放進水槽。「不要再說了。你把我說得像是電影《歡樂滿人間》（Mary Poppins）裡的保母仙女，和電影《真善美》裡的瑪麗亞合體。我不是。我是凱梅玲，老是把事情搞砸的人。」

「妳對妳自己太嚴苛了。」他搖頭批評。「我很早就注意到，妳對自己吹毛求疵，那其實沒有必要。妳是個非常好的女人和媽媽。」

「路克……，」我發出威脅的語調。

「是真的。」他抗議。他直視著我，一派認真的模樣。

「如果你堅持要那麼說的話，隨便你說。」我讓步，拿起盤子又把它泡進洗碗精水裡。我把它沖乾淨交給他。

幾秒鐘後，他又開始說：「妳不知道妳是個多好的家長，妳給自己打的分數太低了。妳不知道妳使泰根的人生多麼不同。妳也使我的人生不同了。我改變了很多，那是因為……。」

「維斯曼先生，你是在跟我調情嗎？」我板著臉插入他的話，滿不在乎地洗我手裡的盤子。「如果你的獨白裡再加入更多恭維，我可能會以為你是在討我的歡心。」

他把一個盤子放到流理台上。「馬提卡小姐，妳是在鼓勵我嗎？」

「當你不斷地對我拋出言過其實的諂媚，你成了很容易辨識的標的。」我說。在我猜接下來他或我該做什麼之前，我感覺路克強壯的手握住我的腰，將我轉身面對他，突然間他的唇落到我

唇上，給我一個快速的、令人喘不過氣來的吻。大吃一驚的我花了幾秒鐘才反應過來回吻他，舉起我的雙手，連接起來環住他脖子。他撬開我的唇，他的舌頭推進我唇內，路克肌肉結實的身體將我往水槽壓去，他的手移到我的上衣，慢慢愛撫我的下背，他的膝蓋滑進我的腿間。橡皮手套接觸他的肌膚，洗碗精滴到我的額頭，可是我們兩個都不在乎，只顧親吻。

我們分開，我們的胸部一致地起伏，我們的目光直勒勒地交鎖。他的眼睛很漂亮，當我還不喜歡他的時候就那樣認為。他那對淺褐色的眼睛原本就燦亮如星，現在它們更如同著火般地凝視著我。我伸長脖子，溫柔地、短暫地用我的唇輕刷他的唇，再縮回脖子。他微笑，他的笑容飽含情慾，然後他低頭用他的唇輕刷我的唇。他稍微退開後，耳語：「到床上？」

我點頭。

路克從他的脖子上拉下我的手臂，脫下我的手套，丟在瀝乾板上。我們又親了一下，他牽著我的手，領我走出客廳的門。我們兩個都直覺地走向泰根的房間，我從門縫往裡瞄，察看一下她是否安好。她趴睡著，臉側靠在布滿雲朵的枕頭上，她的小手臂放在頭兩邊，雙手握緊成拳頭。我等著，直到看見她的胸部均勻起伏，確定她在熟睡。我把門關小一點，然後我們朝走廊另一頭我的房間走去。

我一關上房門，路克就又抓著我，激情地吻我，我的雙手也探索他平滑堅實的身體。每一個撫觸都引爆我的血管，燃起更多慾望。我的性幻想通常就是這樣開始的：當他親吻我時，我愛撫他的身體，然後我們互相寬衣解帶，然後……。

路克脫掉襯衫，展露他胸部和手臂的肌肉，無疑地接下來會發生什麼事。我在心裡抽氣，不

只因為他的身體完美，也因為想到我即將發生性關係。和路克，我的上司。在公司裡流傳的，所有關於他和我的謠言在五分鐘內即將落實。

他爬到我身上，拉高我的白色運動衫，親吻我的肚臍。我的身體因為強烈的愉悅而戰慄，一個男人的嘴唇在我的肌膚上，這次我無法忍住自己的抽氣聲。路克抬起頭，我的反應令他愉悅地笑，然後他把我的運動衫從我頭上脫掉丟開，他的唇回到我的腹部，他的吻往上移，直到他的唇覆蓋我的左胸。我閉上眼睛，弓起身體，嘆氣，向路克・維斯曼帶給我的狂喜投降……。

第二十四章

「妳為什麼穿著衣服睡覺？」泰根的聲音在我耳邊問。

「嗯哼？」我迷迷糊糊地應聲。

「玲媽咪，」她堅持要吵醒我。「妳為什麼穿著白天的衣服睡覺？」

我永遠再也不能睡懶覺了。我絕望地在心裡哀嚎。未來的十年都會像這樣。然後，當她成為少女，我也不能睡覺，因為我會擔心她出去做什麼，她太晚回來，或可能更糟，根本不回家。

泰根的小手指抓我的額頭搖我。「玲媽咪，妳為什麼要穿這樣？妳都穿這樣睡覺嗎？」

我不知道，我有嗎？

我滑下一隻手往下摸我的腿。我穿著牛仔褲。我一定穿著胸罩，因為我感覺到它壓迫我的肋骨。我也穿著運動衫。等一下，路克不是把我的運動衫脫掉了嗎？我睡意猶濃地想。路克！我驀地坐直，把泰根嚇得往後跳。我瞥向我的右方，預期看到他的睡相，可是那一邊的床位是空的，而且沒有睡過的縐褶。看起來我夜裡睡覺時也沒翻滾到那邊過。

「妳都穿這樣睡覺嗎？」泰根問。她展開爬到床上的步驟：右腳踩到床的木頭底座，抓著床單，把自己舉高到床墊上。我心不在焉地扶她上床，一邊搜尋我的記憶。我記得的最後一件事是，路克飢渴地用他的唇印覆蓋我的身體，我們即將發生性關係。但是從我的感覺和床的狀態看來，那一部分顯然沒有發生。

「不是的，甜心，我不是都穿著白天的衣服睡覺。妳看過我穿睡衣。」我說。泰根鑽進我的被子裡。

「那妳為什麼不穿睡衣？」

「因為我太累了沒換衣服。」那是不愉快的事實。我一想到就畏縮了一下：我躺在英俊得不可思議的帥哥身下，他半裸著，而我睡著了，就已經夠糟了，事實是我好幾年沒跟男人上床了，那倍感羞辱。我上一個親吻過的男人是泰得，在旅館的房間裡；上一個發生性關係的男人是奈德，在我發現他和黛爾的一夜情的前一天。那兩次發生的時間離現在都超過兩年了。

那兩年多裡，性從來沒有排在我的行程表上。我汲汲營營於工作，努力做個單身、沒有朋友的凱梅玲・馬提卡，得等我把破碎的自己修補好後，才會再去想性事。而愛，對我來說，通常是

跟在性後面，它甚至不是一件必須考慮的事。容許我自己和某個新的男人親密的第一個障礙會是性，因為曾經有六年的時間，只有一個男人看過我的裸體。容許某人吻我、愛撫我、進入我的身體，容許我自己再次接受肉體的誘惑，我以為那是簡單的，但事實顯然不是。因為當性來敲門，我就昏過去。

「誰寫信給妳？」泰根指著床頭櫃問。一張摺起來的紙，倚立在床邊檯燈的基座，上面寫著我的名字。我拿起它打開來看，其實有兩張紙，下面那一張寫著泰根的名字。我遞給泰根，她大聲唸出來。

親愛的泰，

謝謝妳給我在動物園拍的照片。我會把它放在我家。希望能夠很快再見到妳。請照顧玲，她很累。

愛妳的，路克。

我看向自己那張紙條，沉默地閱讀。

嗨，玲，

我決定我最好還是離開以免泰根進來。她如果發現我們睡在一起，可能得多費唇舌解釋。

謝謝妳的晚餐。改天我們再一起洗盤子，好嗎？

回頭見，路克。

「那也是路克寫的嗎？」泰根問。

我咬著下唇，淺淺地笑著點頭。我每次想到我們的第一個吻就歡喜得好像五臟六腑都要溶解了。雖然昨晚我曾憂慮，但我相信我可以跟路克做，我可以再展開性生活，和他。那是個解放的思想。意思是，我已經朝忘卻奈德的路上跨出一大步。

泰根的嘴歪到一邊，皺著眉頭打量我。「妳喜歡路克嗎？」她終於問。

「喜歡啊，我喜歡路克。」我回答，我的手臂環抱著她，將她摟進我的臂彎。

「妳很喜歡很喜歡他嗎？」她問。

「嗯，是的。」我低頭凝視著她回答。

「比妳喜歡我還多嗎？」她問。

「當然沒那麼多！」我大叫，被她會有那樣的疑慮嚇到。我把她抱得更緊。「泰根，我愛妳。」那是我第一次對她那樣說。「我喜歡路克，可是我愛妳。我不會愛別人像我愛妳這麼多。永遠都不會。」

「真的真的嗎？」

「真的。我保證。妳是我的第一個小孩。我唯一的小孩。」

她開心地笑。「我也喜歡妳。」她證實。「可是我喜歡路克多一點。」

第二十五章

「我們什麼事都不會做。」泰根說。

我對坐在路克腿上的小女孩挑眉，輪到他坐在我的紅色豆袋椅上。我站在客廳和廚房之間的門口，他們兩個都盯著我瞧。

「妳要我相信？」我回答，以免她不瞭解我挑眉是什麼意思。

「我們真的不會做什麼事。」路克用和她一樣的口氣說。離我和路克第一次親吻，卻因為我睡著了，而功敗垂成沒有發生性關係，已經兩個禮拜了。

那天晚上過後的第二天早上，他像沒事人般地出現，彷彿我們之間什麼也沒發生過。他和往常一樣，載我們出去，一路上輕鬆地聊天。我買了冰淇淋，我們在朗德黑公園餵食已經過胖的鴨子。在回程的車上，即使泰根已經睡著了，他也避免談及前一天晚上的事。到我們進入我的公寓，我開始懷疑他是否曾挑逗過我，我們是否曾在髒盤子前親吻過，他是否曾脫過我的衣服。唯一能證明事情發生過的證物，是我藏在枕頭下的紙條，但是經過他一整天的冷靜以對後，那張紙條顯得語意模糊。我的猜疑心越來越重，等到泰根準備洗澡的時候，我決定那全都是我想像出來的。我的幻想擴展到搞不清楚現實與幻想之間分野的程度。

泰根洗過澡，路克在唸過床邊故事，哄她睡覺後，坐到我旁邊的沙發上。「她很磨人，尤其當她累得要命的時候。」他說。

「我知道。」我回答。「呃，我該去洗盤子了。」

在我起身之前，他抓住我的手腕，拉我回去，說：「喔，不，妳不能去。」他推我抵著沙發的扶手，然後親吻我，他的唇堅定急切地壓著我的唇。「我知道今天必須保持冷靜。」他在一個接一個的親吻之間解釋。「如果我提到昨晚，或甚至多看妳一下就不能控制我自己了。」

我放鬆地嘆氣。「喔，天啊。我還懷疑那些是不是全都我想像出來的。」

「不，不是妳的幻想。」他緩緩地深吻我。「我渴望跟妳上床，但不是送妳上床睡覺。」

「你永遠都會拿那件糗事嘲笑我嗎？」

「不是永遠，但至少會有一陣子，我想我有權利那麼做。」

就那樣。我們上床，我沒有睡著，直到路克走了後才睡。我沒讓他留下來，因為我不想讓泰根發現我們兩個在床上同眠。

黛爾對處理她的男人與泰根之間的關係非常小心。很少男人見過她女兒，除非他有長期與她交往的潛力，她才可能介紹給她女兒認識。黛爾希望她女兒的人生盡可能不受到干擾，她不希望當她和某個男人結束一段情後，她女兒還掛念著那個男人。我再一次把事情搞得一團亂，犯了不該犯的錯誤。「我的」男人在我和他上床之前就融入我們的生活。萬一我跟他的情事破局，我們還是得見面，否則泰根會認為世界末日到了。所以，即使已過了兩個禮拜，我們還是遮掩著兩人的親密關係，試著在表面上維持，我們之間除了性以外的其他關係。我不想對泰根說謊，即使是有意的疏忽不說，我也於心難安。可是最好還是別讓她以為我們將成為一個快樂的家庭，結果幾個禮拜後發現，我和路克對彼此的熱情已經冷卻。

雖然所有的跡象看起來都不錯。他一個禮拜至少有三個晚上會在我們家度過。我享受他的陪

伴，和他的身體，和他的吻。我們在床上聊天的時候，他柔情款款，不時愛撫我。當我們獨處時，他把所有注意力都放在我身上。當我們分開時，他也經常傳簡訊告訴我，他在想我。我很享受，我也回應他的熱情，但那不過是性。沒有別的。但完全沒有別的，也不盡然是事實。我們之間不只是肉體的性愛，也有點感情。那是混雜著情慾，和像是排解寂寞的伴侶。當他不在我身邊時我會想他，可是每一個親吻、每一個愛撫、每一句甜言蜜語都會掠過我的心的表面，沒有一次進入我的心。他對我並沒有認真到想瞭解我。不過，能有他作伴還是很棒，尤其像我要洗頭的時候。通常泰根會坐在馬桶蓋上看書或跟我講話，那樣我才知道，在我洗頭時，她沒有獨自去玩火或打破什麼東西。今天路克自己提議要陪伴她。

「你們確定不會有事嗎？」我再次問。

「確定。」他們齊聲回答。他們無辜的眼神和平靜的表情令我緊張。即使在最好的情況下我也會不放心，尤其現在他們兩個好像急著把我趕走……。

「我們不會打破任何東西。」路克再次保證。

他為什麼會這麼說？

「我們保證沒事，」泰根說。「真的真的。」

我沉默地嘆氣，轉身走進浴室。我必須信任他們，不是嗎？如果路克會常常出現，會成為我的人生的一大部分，我必須信任他們。

鍍鉻的蓮蓬頭噴出水來，我看著噴灑出來的許多細小弧形水柱流入浴缸，嗖嗖地噴水聲充滿浴室。我跪下來，把頭放到浴缸上頭，沖濕頭髮。我把蓮蓬頭放進浴缸裡，然後把洗髮精抹遍我

溼漉漉的黑髮上。啊！我在頭頂上搓揉出泡泡時想著：啊！我多麼放鬆。我的內心十分平靜。那是一種幾乎陌生的感覺。

我一向都忙亂急躁：想到泰根時，得試著為她準備很多事情，她晚餐可能想吃什麼，她是不是需要新衣服，她是否安好，她是否無聊，她是否會受傷，我是否該答應她的要求，讓她禮拜六早上開始上空手道的課。放鬆不是我經常能享受到的感覺。在辦公室裡我也不能放鬆，尤其是新的行銷總監（路克）不時提出一堆計畫和點子，那使得我的工作量加倍。我們要擴充《生活的安琪拉》，將這份雜誌獨立於家庭、服裝與兒童部門之外。加上一個網路購物指南。而，既然是由行銷部門負責出版事宜，我就必須監督這些事情。增加了這些所有額外的工作以來，我中午就很少有空休息，在泰根上床後，我花更多時間坐在電腦前工作，直到路克誘惑我上床。有時候我甚至會在他走了後再繼續工作。我的人生是忙亂的，此刻的平靜是我很少經驗到的狀態。

我神清氣爽地沖掉洗髮精，很快地用毛巾擦乾後，再抹上護髮霜。我必須等上十分鐘，讓它使得我的頭髮角質層柔軟滑順，富有光澤、閃閃動人。我看浴室裡的收音機鐘一眼。在心裡打算這十分鐘要做什麼。我可以利用這個時間上床窩一下，或者該去看看那兩個人……。

我赤腳走在柔軟的絨毛地毯上，他們聽不到我接近客廳的聲音，也沒注意到我停步，從門框和鉸鏈之間的縫隙看他們。他們還坐在我離開時同樣的位置：路克坐在豆袋椅上，泰根背靠著他，坐在他身上。她腿上是我的藍色和綠色的地球儀。路克指著什麼給泰根看，他的右手食指按在地球儀上。

「那裡非常熱。」路克說。「很熱很熱，事實上，我曾在那裡中暑。」

「什麼是中暑？」泰根問。

「那是當你水喝得不夠多，而長時間在太陽下，沒有適當的遮陽，妳就會生病。我在床上躺了幾天才慢慢好起來。」

「你差一點死掉嗎？」她問。

「沒有，不過我很不舒服。」

「我媽咪死了。」泰根說。

我的心跳停止。她幾乎從來不曾在我面前提到她媽咪。在社工人員來訪後，我懷疑，她是否避免談到她媽咪，因為她害怕我可能會不高興，而把她送回吉爾福德。我也不確定我是否該提起黛爾。我閱讀的所有關於喪親的小孩的文章，都建議讓小孩來對你說出他們的問題，可是有時候我想看看泰根適應得怎麼樣。想問她是否願意談黛爾，是否有些感覺或回憶想跟我分享。我沒有問她那些是因為，我怯懦，擔心那會令她沮喪，也害怕我自己會沮喪。我連該說什麼都不知道。路克知道嗎？

「她去天堂和耶穌和天使在一起。」泰根補充說。

「我知道。」路克回答。「玲告訴我了。妳想念她嗎？」

泰根咬著內唇，然後點頭。「有時候。」她小聲說。「我想告訴她一些事情，可是我不能。我想給她看，我因為功課做得很好而得到特別的星星。可是我不能，我媽咪看不到了。」

「妳有沒有告訴玲這些？」

「沒有。」她低聲說，我得把頭靠近門才聽得到。「我媽咪去天堂，她常常哭。我不想讓她

傷心。」

她怎麼知道我在黛爾死後常常哭？我從來不在她面前哭。我從來不在公開的場合哭。我只會在夜深人靜獨自一人時哭。我把臉埋進枕頭裡消除聲音，才能放心地哭。我從來沒有大聲哭過。或許我不如自以為的那麼小心。或許，她和路克一樣，是從我哭過後的空洞眼神察覺到。

「我知道玲因為妳媽咪過世而傷心，但是妳如果不告訴她某些會令妳難受的事情，她會更傷心。如果妳想談妳媽咪，那就告訴她。她不會介意的。她愛妳。答應我妳會跟她談，好嗎？」

泰根沉默了一下，然後點頭。短暫而堅定地點頭。

「真的真的嗎？」他問。

「真的，路克。」她說。

「乖女孩。」

泰根旋轉地球儀，再用她的手指按停它。「你去過那裡嗎？」她指著地球儀上一小塊綠色的地方。

「澳洲。」路克說。「沒有，不過我計畫有一天要去。或許我們三個可以一起去。」

「你和我和玲媽咪？」泰根興奮地問：「坐飛機去？」

「是的，如果玲打算去的話。」

泰根一聽，失望之色顯然可見。「不，她不會想去的。」

「她為什麼會不想去？」

「因為她不會弄她的頭髮。」

路克，這個討厭鬼，哈哈笑。

我開始習慣路克六呎二吋高的身軀包裹著我五呎六吋高的身體。他濕黏的肌膚緊貼著我的肌膚，他雕刻品般的修長肢體纏繞著我，感覺很自然。在他用鼻子愛撫我的頸窩時，他的一隻手會懶洋洋地沿著我的額頭輕撫。到了夜晚他會更加黏著我，不時用他的臉愛撫我的脖子。性愛也不一樣了。他會低頭凝視我的全身，大眼睛裡含著悲哀，好似瀕臨噙淚。事後，他會把我抱進懷裡，好似如果他抱得不夠緊，我可能會蒸發。「玲。」他出聲。

「嗯？」我應聲。他低沉遲疑的聲音令我武裝起來，意識到他就要說某些可怕的話。他握住我的手，親吻我的每一個指節。一定是個非常可怕的壞消息。

「我要為我如此對待妳表示歉意。」他說。

「嗄？」我不解。這是我最沒預期會聽到的。我做好心理準備，想聽到絕症或被調職到國外，或甚至我就快被解雇了，但不是「表示歉意」。

「我對妳說過的那些話，我以前以那樣的眼光看妳，我那些錯誤的想法……，」他停頓，畏縮了一下好似在他的腦子裡回答。「對不起。對不起。我大錯特錯。妳很漂亮。內外皆美。我觀察妳對泰根所做的，和妳如何對待我，儘管我像……，我很抱歉，我真的很抱歉。」

「喔，那些都過去了。而且你可能說對了。我的意思是，我是有一點……。」

「別說，」他毅然打斷我的話，把他的手指按到我唇上阻止我說。「別開那件事的玩笑。我

會受不了。我痛恨那個時候的我。」

「沒關係，」我安撫他。「你不是第一個，你可能也不是最後一個。」

「妳怎麼能忍受？」

「我這一生忍受過很多次了，我不讓它困擾我。」路克收緊他摟著我的手臂。「老實說，那不是問題。我已經變得冷漠，不相信任何人講的任何事。那樣，就沒有人可以影響我，因為我如果當作那不是真的，它就不會傷害我。」

「對好事也是一樣嗎？」

我想了一下。我花了好幾年才接受奈德所說的任何事情，他老是對我說最好聽的話。從第一天他就叫我美人。他說可以從我的笑容感覺到我的熱情。他不止一次告訴我，我是他夢想中的女人。可是我花了好幾年才相信他，把他的話聽進去，相信他是真心那樣說，坦然接受他真的愛我，我開始依賴他的恭維，但那使得當那些都消失時更加痛苦。「我想是吧。」

「妳的意思是，妳不讓妳自己有任何感覺。」

「不，我有很多感覺。我只是不讓其他人的看法和態度令我苦惱。」

「所以妳不相信別人會喜歡妳？」他問。

「我沒那麼說，我是說我不會讓別人影響我。如果別人喜歡我，那很好，我還是一樣活下去。如果他們不喜歡我，那也很好，因為我不在乎，我還是會活下去。」

「那樣活得很可悲。」

「路克，如果你從小每天被人家說：你很醜、你很胖、很愚蠢、像男人、像狗，你要不然就

要長出第二層皮膚，要不然就不要讓任何人來左右你的快樂和自我定位，或是你可以讓那些惡毒的話埋葬你。猜猜我怎麼做？我必須保護自己，那是生存的本能。」

「妳再也不需要那種生存的本能了。」

「是的，你現在可以這麼說，可是不久前我才遇到一個傢伙，他討厭我，因為我既不漂亮也不夠苗條。我如果拋棄生存的本能，可能在我必須堅強的時候混亂不堪。」

「對不起。妳很漂亮。妳**美極了**。妳的身材曼妙。妳棒透了。」

「你不必那樣說。沒關係。那對我沒有影響。」就算有影響的話也不會太多。我不會信以為真。我從來不會坦率說出來，因為我從來不期盼那些修飾語成真。如果我說出來，而它成真了，那它會大大地干擾我。

「我是在兒童收容所長大的。」路克說。

那是路克和泰根處得那麼好的許多原因之一，他們有一種隨性聊天的天賦。晚上我送她上床，她會在聽床邊故事之前或之後，從她在學校做了什麼，聊到要是我有一天決定要做一個幻想中的奶油派，我應該放什麼食材，再轉到我為什麼一天要刷兩次牙。現在路克就是那樣。

「真的？」

「所以我知道，靠生存的本能活下去，是可悲的生活方式。」所以你如此熱衷於幫助我。

「喔。」

「你知道嗎？我的父母都還活著。他們把我送進兒童之家。我媽媽是英國人，來自一個非常富有的家庭。她十六歲的時候認識我爸爸，他是西班牙人。三十六年前社會風氣沒有這麼開放，

所以當她懷孕，她的家人把她趕出去。我爸爸那時只有十八歲，他們試著自食其力扶養我。可是實在太難了。我將近兩歲的時候，我媽媽離開我，回去找她父母。我爸爸比她還沒有能力。他試過了，可是他自己也只是個年輕人。他努力了幾年，我們也有過一些好時光。他會逗我開心，我們做過一些有趣的事。我記得他帶我去過動物園。我們會去看他一些住在附近的親戚，吃美味可口的西班牙料理。那很神奇，妳知道的，所有的語言，笑聲、食物的香味，讓我覺得我屬於某個地方。他老是在他的親人面前假裝過得還不錯，但很多時候我們只是勉強還活得下去。我有時候去上學，其他時候待在家裡等爸爸起床。他有時好幾天不肯下床，不梳洗或換衣服。當然，現在我知道他很沮喪，但是那個時候我不懂。我憑著本能努力活下去。」

「我七歲時，社會福利機構把我帶走，因為我好幾個禮拜沒去上學。我永遠不會忘記那一天，我哭著叫喊我爸爸，可是他沒什麼反應。他靜靜坐著，看著他們帶我走。」

我心中覺得需要保護路克的情緒突然高漲，可憐的小男孩被迫離開他的家，我滾過去，伸出雙臂環繞他，抱緊他，在他繼續講他的故事時輕撫他臉頰。

「他們帶我去兒童之家，我嚇壞了。我停止哭泣，無法講話。他們給我找收養家庭，很多家。有的很好，有的很壞。他們為什麼要讓小孩待在那些地方，我不知道。但不管好壞都無所謂，因為我總是表現得很糟，那樣我才能被送回兒童之家。那樣很蠢，但我當時想，我要繼續待在兒童之家，我爸爸會來接我。他知道我在哪裡。在我待在那裡的期間，他從來沒去看過我，但我還是相信他有朝一日會去看我。」

「我十歲的時候，沒人願意收養我了。沒人想要是個麻煩製造者的混血男孩。因為那樣，我

一直待在兒童之家。我瞭解到我爸爸不會來接我了，所以我平靜下來，變成一個乖孩子。不是因為我希望有人領養我，而是因為我知道那是出人頭地的唯一辦法。我決定不依賴任何人，只專注於把書唸好。我十六歲離開兒童之家時，表現良好，得到初級中學教育證書。我離開那裡，找了一份兼差工作，租一個房間，設法拿到高級中學教育證書，得以進入大學。

「我那時候也瞭解了一些其他的事，像是我媽媽不要我。」他停頓，做了幾個深呼吸，控制情緒。「我查出她是誰，發現她幾年前搬去澳洲的伯斯。我寫信給她，向她介紹我自己，她回信說她有她的人生要過。她要把過去那些東西——她的確說我是『東西』——拋諸腦後，她叫我不要再跟她聯絡。」

我驚訝得倒抽一口氣，那個女人真是殘忍無情。

「我很難接受，無法理解自己犯了什麼錯。她為什麼不要我。又過了兩年我才鼓起勇氣打電話給我爸爸。他同意跟我見面，我以為那是好預兆。但是他對我也不感興趣。他再婚了，有兩個小孩，他不需要我，也不想要我出現在他的人生中。那更糟，妳知道的，玲。我小的時候跟他相處過很久，我還記得我們一起度過的美好時光。當我說我就要上大學了時，他幾乎連眉毛都沒抬一下。」

「那一次之後你有再跟他見面嗎？」

「有，我有空的時候就去看他。幾年下來，我們的關係沒有更好，反而更糟。我想他覺得內疚，當他有機會的時候，他不瞭解他的兒子，現在他太驕傲了不想再試。」

「但你還是必須繼續試著跟他親近。」

「喔，玲，妳不瞭解。他不喜歡我在他身邊。他甚至不告訴他的孩子，我是他們同父異母的哥哥。他告訴他們，我是他一個老朋友的兒子。」

我再倒抽一口氣。

「我害怕如果我對他們說什麼，我爸爸會完全和我斷絕關係，那樣我會受不了。至少他那時肯見我。有一點點親情總比完全沒有好……。」路克的聲音破碎。

「喔，寶貝……，」我說著將他摟近。他的經歷造就了他的個性：他自大、持續力求完美、老是在遷移。路克一直以來的感覺都是沒人要他。現在我瞭解，當他以為我沒認真地盡到領養泰根的責任時，他為什麼會那麼生氣，因為他知道，不幸擁有不負責任的父母的小孩是什麼滋味。

「抱歉。」他說。

「你不用抱歉，我瞭解。」

「不，妳不瞭解。我對妳為泰根所做的一切肅然起敬。妳告訴我泰根是怎麼來的，但妳還是照顧她。」

「謝謝。」

路克的手指捧起我的臉，他清澈的淺褐色眼睛直視著我的眼睛。「我說的是真心話。我要妳相信我。妳非常了不起。妳拯救了泰根，沒有讓她成為像我一樣孤苦無依的小孩。」

「你也不賴。」我回答。我現在瞭解到路克是個內心創傷累累的人。他從來沒有家，從來不覺得有人要他。他從來都沒有歸屬感，所以工作和成就感成了他活下去的理由。

我在路克的唇上印個安慰的吻，他用力回吻我。透過他的吻，我彷彿也嚐到他的悲苦和傷

感，然後他溫柔地將我滾到背貼著床，他爬到我身上，我們開始做愛。

事後，我很想留他過夜。他今天吐露了那麼多自己的事，讓我看到很少人看得到的那一部分，實在不該孤單地回家。可是，泰根，我不能冒險讓她發現我們倆有了親密關係。路克起身穿衣服，解除我的猶疑。「下次見。」他走出房門時轉頭喃喃說。那是你對一個不可能再見到的陌生人道別的用語，他那句道別令我害怕地想到，我最後一次見到黛爾時沒有好好跟她道別。如果路克這樣就離開，我們可能就此失去他。在他的心靈如此脆弱的時刻，他如果孤單，可能決定與我們疏離來保護他自己。

從我的臥室窗子，我看著路克離開公寓大樓。他打開門，走向他的黑色車子，坐進去。但他沒有發動引擎，而靠向方向盤，雙手抱頭開始哭。

我看到他寬闊的肩膀在振動，慢慢想起幾個月前的事。我在旅館的房間裡抱著泰根，她剛得知她媽媽過世，突然必須面對赤裸裸的事實：她在世上孤獨無依了。她因此傷痛欲絕的尖叫不已。那時我強烈地感覺我必須保護她，要以領養來向她證明，有人真的愛她。那個感覺回來了。我要保護路克，我要擁抱他，哄乾他的淚。我要他知道有人真的要他。我和泰根要是沒有他會不知所措。我拿起手機按下他的手機號碼。他在第四聲鈴響過後接聽。他吸吸鼻子忍住淚，含糊出聲：「喂？」

「回來。」我說。

「你現在回來。你可以在她起床前離開。」

他回來，在我懷裡睡著。我愛撫他的臉，保持清醒，以便確定我們不會睡過頭。

第二十六章

「路克是妳的男朋友嗎？」

我送泰根上床睡覺。我幫她洗過澡，換上睡衣了，在一個相當可疑的時刻，她去客廳對路克說：「晚安，路克。」並且伸出她的頭接受一個晚安吻。可疑的是，如果路克在的話，他總是必須送她進入夢鄉。在道了晚安，收到路克的晚安吻後，她拉我的手，領我進她房間。現在，她躺在床上蓋好被子，我瞭解為什麼了，她想問我大人的問題。

「妳為什麼那樣問？」我回答，放下我們在閱讀的小說。她蓋著彩虹羽絨被，她乾淨的頭髮藏在一條粉紅色的絲質頭巾下。我像大部分黑人女人一樣，綁著頭巾睡覺，以保護我的頭髮不會在睡覺時弄得亂糟糟。泰根看到我那樣，她也要綁頭巾。我跟她說她不需要那麼做，她不信。我很快就明白，要她斷了那個念頭必須花費一番唇舌，闡述黑人與白人的髮質不同，我因此決定，給她一條頭巾是最輕鬆的選擇。她藍白相間印著綿羊的睡衣上半身，從被子下露出來。她的臉，像其他部分一樣，最近多長了一點肉，所以她微笑的時候，就像五歲的小孩臉頰鼓起來。

「因為雷吉娜・馬瑟森說，一個男人和一個女人如果一直都在一起，他們就是男女朋友。」

「她那麼說嗎？」我思索著該怎麼回答。現在沒辦法逃避問題了，我必須告訴泰根真相。可是該怎麼說呢？過了六個禮拜了，我還拖延著遲遲不說的另一個原因是，我不知道該如何向她解釋。「如果路克是我的男朋友，妳會介意嗎？」我問。

「不會！」她雙手摀著臉尖聲叫。

「好，可是妳如果介意，妳會告訴我，是不是？」

她把手從臉上拿開，咯咯笑得近乎樂音。「那妳有跟他親嘴了嗎？」她問。「就像電視演的那樣？」

「有時候。」我小心地回答，不確定我是否該和小孩談這種事。

「妳喜歡親吻他嗎？」

我**實在不應該**和一個五歲的小孩討論這些。「我不喜歡的話就不會做。」我傾身去關燈。「晚安了，泰卡。」

「他還是我的朋友嗎？」她問。我本來已起身了又坐回去。

「路克當然還是妳的朋友。」我說。「他永遠都是妳的朋友。」

「妳還是我的新媽咪嗎？」

「是的，甜心。」

「可是妳不是我真正的媽咪，對不對？」

「妳為什麼會這樣問我？」我反問，害怕她接下來可能會說什麼。她指控我企圖取代她媽咪嗎？她會告訴我，我扮演的新角色失敗嗎？或是她會問她媽咪為什麼不回來了？

「因為雷吉娜・馬瑟森說妳不可能是我真正的媽咪，因為我們不同膚色。」

「她那麼說？」

「是啊，妳是黑人，不是嗎？」

「是的。」

「而我是白人，對嗎？」

「對。」

「雷吉娜・馬瑟森說妳不可能是我真正的媽咪。」

在我的胸腔和腹部之間，體內深處，一股怒氣開始燃燒。我想去會見這位雷吉娜・馬瑟森。我會彎下身子，死盯著她的臉，命令她別再把一些令人厭惡的思想灌進泰根的腦子裡。在她沒告訴泰根她不屬於任何人之前，事情就已經夠糟了。

「她說我沒有真正的家庭，因為我沒有爸爸。」

怒氣爆炸成烈焰。那個女孩真令人難以置信。她還灌輸了其他什麼半真半假的歪理進泰根的腦子裡？

「嗯，妳知道嗎？我打賭雷吉娜・馬瑟森不知道她媽媽是不是一直都要她。」我說。我聽過這個傳言，要利用它來反擊。

泰根驚愕地睜大眼睛。

「她媽媽懷了她不得不生下她。她爸爸本來也不想要她。不管她做了什麼，他們都必須撫養她，可是我選擇要妳跟我在一起。我可以不要撫養妳，可是我要撫養妳。我要一直撫養妳，不管發生什麼事，我會永遠要妳跟我在一起。妳瞭解嗎？」

泰根點頭。

「別誤會我的意思。我相信雷吉娜的媽媽很愛她，可是她沒得選擇，不管她肚子裡的孩子是誰，她都必須要她。而我有得選擇，我選擇要妳。」

「選擇要我，妳高興嗎？」她用平靜的聲音問。

「我不只是高興而已，**高興不得了！**」我叫著倒到泰根身上，搔她的癢。她的小身體在我的搔癢下弓起來，可愛的笑聲充滿整間臥室。「啊，我想泰卡需要我再幫她抓癢！」我的手再伸向她。她踢腳、搖頭、笑得全身顫抖。

我坐回去讓她呼吸。在我幫她把被子蓋好時，她又笑了一會兒。

「我媽咪會給我搔癢。」泰根說。

「我知道。」我試著微笑。我的喉頭突然縮緊，我的眼睛開始覺得刺刺的，像我每次想到黛爾時一樣。我嚥下那種感覺，和平常一樣，轉移注意力去想別的。想什麼都好，就是不想黛爾。

「天堂是什麼樣子？」泰根問，她的眼皮沉重了，她的聲音比一分鐘前多了睡意。

我緩緩地搖頭。「我不知道。」我回答。

「像那樣嗎？」她指向床對面煙囪壁上的圖畫。我們很久以前畫上去後，我幾乎不再看它了，但現在我以嶄新的眼光來看它。翠綠色的草地，綠頂棕色樹幹的樹，大大的黃色太陽，白雲在藍天上，紅色和白色漩渦圓片棒棒糖似的花。即使不是我畫的，我也會覺得那是一幅好畫。如果天堂像那樣，那應該就是個很美好的地方，可是我從來沒有多想天堂的事。即使在黛爾死後也沒想過。我知道我對宗教的觀感如何，大部分時候我相信有個上帝，一個至高的權威者，可是我老是想天堂裡可能只有雲。不，我沒那樣想。我不知道我怎麼想，因為我從來沒有認真想過。我想那幅畫的景色和任何天堂一樣好。

「或許是的，甜心。可是我不知道。」

「如果是的話，我媽咪會喜歡它。」

「是的，她會喜歡，可是我想她也會喜歡那裡有幾家服飾店。」

泰根笑著點頭，五官縮成一團。

「好了，小姐，妳要睡覺了嗎？已經超過妳的睡覺時間很久了。」

「好。」她帶著睡意說。

我傾身向前，唇印到她涼涼的額頭上。「晚安，小美人。」

「晚安，玲媽咪。」

我走進客廳，發現路克半躺在沙發上看電視，嚇了一跳。我很驚訝，不由得發出聲音：

「喔。」

「喔？」他小心地回答。

我們有真誠的友誼，或者該說關係，可是沒人會坦然接受你告訴他，你忘了他的存在。而我剛才的確忘了。在我跟泰根談黛爾時，我忘了路克在我的公寓裡。

「我的意思是，喔，你洗好盤子了。」我掩飾。

「我不應該洗嗎？」

「我不是那個意思，我累了。」

他關掉電視，把他的長腿從沙發上拿下來放到地上，起身。「換句話說，妳希望我走。」路

克頭往後仰，兩手外張，伸個懶腰。他的白襯衫因此往上提，短暫地露出他肌肉結實的肚子。

「我沒那樣說。」我淡淡地抗議。

「妳不必說出來，妳的臉已經說了。」

「嗯，我的臉已經說了很多年的謊了，所以我不知道你為什麼現在選擇相信我的臉說的。」

路克歪著頭，褐眸微微瞇起。「妳回房間去哭，我在這裡等，等到妳平靜了，我們再開始談話，妳覺得怎麼樣？」

「別指導我該怎麼做。」我不滿地說。

「要不然，妳可以撕掉我的衣服，不過我們得在房間裡親熱，以免被泰根聽到。」

「要不然，你可以回家。」

「要不然，我可以回家。」

奈德以前會這麼做。他會在我情緒不好的時候，以不可思議的冷靜自制，拒絕掉進任何可能引發吵架的圈套。路克把手插進他的牛仔褲口袋，他還歪著頭等我決定下一步怎樣做最好。

「我覺得好愧疚。」我說。談話。跟我的男朋友分享心事，是最好的下一步。

「對誰愧疚？」

「對每一件事。我愧疚當黛爾需要我的時候，我不在那裡。我愧疚沒有早一點照顧泰根。我愧疚當黛爾過世時，我沒有陪著她。我愧疚我是個這麼糟糕的媽媽，那次竟然忘了接泰根。我愧疚沒辦法像她媽媽會做的那樣，盡心盡力扶養她。」

「還有為了某個傻女孩在學校裡對她說，我不是她真正的媽媽，而我的確永遠也無法成為她

真正的媽媽，所以難怪她會覺得被遺棄，因為連我都不是她真正的親人，你覺得我該向學校反應這件事嗎？」

「不要，不要在這個時候。」路克說。

「如果你再給我下指導棋……。」

「對不起，」他說。「好，讓我們一一來處理這些事情。我知道妳不想聽我這麼說，不過找心理諮商師，或許是妳需要向前踏出的一步。」

「我該找心理諮商師談？」我終於瞭解他的意思。

他點頭。

「我為什麼需要心理諮商？」

「泰根不是唯一失去至愛的人。而且，妳不像泰根，妳還有很多沒解決的問題。妳需要說出來，對某個不是我的人說……，在妳認為我打發妳去找心理諮商師之前，我猜想關於妳的前男友，妳沒有和黛爾把事情說清楚造成的心結，妳也不想跟我談他們。一個專業人士可能可以幫助妳分析前因後果。那可能會緩和妳的愧疚感。」

「泰根當然會想念她媽咪，沒有人幫得上忙，妳沒必要為了無法減輕她的哀傷而頹喪。最後，關於妳擔心她不認為妳是她媽媽，妳沒聽到她叫妳媽咪嗎？」

「因為她真正的媽咪要她那樣叫我。」

「可是她還是叫了。從她叫妳的聲音聽起來，她就是在叫媽咪。當她打電話到辦公室，她說她要找玲媽咪，不是嗎？」我點頭。「她同學說妳不是她媽咪，可見當妳不在場的時候，她也一

定說妳是她的玲媽咪。她真的認為妳是她的第二個媽咪。」我一定是一臉的懷疑，所以他補充說：「妳有個辦法可以補救。」

「怎麼補救？叫時光倒轉，讓我生下她嗎？」

路克向天花板翻白眼。「玲，我知道社工人員把妳嚇壞了，可是我想妳應該再把焦點放到領養她。幫泰根找心理諮商師，填寫相關的表格，做任何能使她跟著妳姓馬提卡的事。」

我在心裡嘆氣。他可以說「做任何事」，因為他不清楚是什麼事。即使路克是在兒童之家長大的，他也不知道那將會牽扯到多少事情。他不瞭解要領養泰根，我必須和奈德聯絡。

請再跟我說一次

tell me again, please tell me again

第二十七章

是誰出的餿主意要我們禮拜六進城？

即使我單身沒有孩子的時候，除非我別無選擇，否則我也避免在週末去里茲的市中心。我在一家大百貨公司裡工作，每一樣東西，從衣服到家庭用品，從書籍到電腦配件，都可以在公司裡找到。其餘的才到霍斯弗思的莫里森斯連鎖超市去採購，即使有必要去的時候，我也會小心地避開交通繁忙的時間。

不過，今天我們銜路克・維斯曼殿下之命，驅車到城裡，在聖約翰購物中心與人群推擠。他下令我們應該來這裡度過一天。「會很好玩。」他故意在享樂主義者泰根・布萊儂小姐聽得到的範圍內說，因為他知道一旦她贊同，我就不便拒絕，甚至不會提出異議。我處於女人史上最惡劣的心情，可是隱忍不發，試著不顯露我的怒氣，因為儘管已經快十一月了，一個依然穿著迷你裙的粗魯小姐，沒有說「對不起」就把我推開，強行經過。當一個在他的棕色頭髮上戴著金色假髮的男人撞到我，而他似乎沒注意到時，我甚至企圖微笑。

「我要看約翰・路易斯百貨公司的家具。」路克叫道。他讓泰根坐到他的肩膀上，我推開聖約翰購物中心一樓的一道玻璃門走出去。

外頭好冷。呵出白色霧氣的人們縮在外套裡，兩手深插進口袋，頭壓低防禦寒風帶來的霜飄落在暴露於衣服外的身體的某一部分。我越過融霜的泥濘人行道地磚，走不到二十步，打開玻璃門，進入安琪拉在英國北方最大的百貨公司競爭者。我頂著門讓後面的泰根和路克進去，然後經

過入口到下一個玻璃門。推開那個門走進去，一樣頂著門先讓他們進去。我又被人撞擊。附著在我的肌膚和衣服上的寒氣，在有暖氣的百貨公司裡消失了，我立即覺得熱。

我大步走向電扶梯，另一個似乎不知道已經是冬天的女人，穿著超短迷你裙和大大的套頭毛衣，她的肩膀碰撞到我的肩膀，同時她的特易購量販店的塑膠袋，裡面裝著某些很重又像有玻璃的東西，打到我的脛骨。我的耳朵聽見撞擊聲，挨撞的痛苦使得我眼冒金星。大部分人會因此道歉，但她只給我一個厭煩的眼光，便昂首闊步地繼續走。我正打算斥責她：「妳該死的要再去把別人的腳也打斷嗎？」但是看到泰根和路克在人群裡，他們這一對頻頻對經過他們的購物者微笑，我心裡的火氣隨即消失，明白我不能再做這種當眾發飆的事。我是個該負起責任，做好榜樣的媽咪。

我看向我的小腿，讓自己張大嘴發出無聲的「唉唷！」一邊彎下身去揉揉我受傷的脛骨。我可能永遠不能再走路了。當我的手指碰觸被撞到的地方，我的腿痛得不得了。「可惡的女人，我應該教訓她一頓。」我忿忿地自齒間擠出呢喃，然後直起身來，結果竟然撞到一個結實的軀體。

*是怎樣？今天是我的受虐日嗎？*我在心裡尖叫，將目光轉向最新列入我的撞擊名單上的人。

我又受到劇烈的撞擊，這次不是身體上的痛苦，而是心理上的震驚。我的眼睛瞪視著我面前的男人，我的心跳停止，我吸進去的空氣全卡在胸腔裡。

奈德。

他的眼睛像一對孿生的燈塔，在驚訝中閃出我的名字：凱。他同時也說出來，從他豐滿的粉紅色雙唇中發出一個單音：「凱。」

自從路克說服我重新專注於領養泰根，已經幾個禮拜過去了，我還沒有採取與奈德聯絡的行動。我辦不到。每次想到他，想到他在葬禮中的臉，想我該對他說什麼，我的心就一片空白，又退回什麼都不做的原點。我辦不到。

奈德就像我記得的他那樣：棕黑色的柔軟頭髮剪短，亮出額頭，抓成頭頂中央尖起來的造型。他的皮膚仍然那麼光滑。他深藍色的眼睛可以輕易地探照出我內心最深層的祕密。他挺直的鼻子尾端的小鼻頭向上翹。他的嘴唇是他臉上我最喜歡的部分，像是用愛神邱比特的弓做模子所造出來的實心棉花糖。我的眼睛再次掃過他的臉。他一點都沒改變。

「是妳，是嗎？」他問，我沒有回答。「不是我的幻覺或什麼，是嗎？」

我搖頭，無法啟動我的聲帶。

「妳一點都沒變。」他繼續說。

我舔舔唇，準備要回答。坐在路克肩頭的泰根，她戴著手套的手抓著路克沒有戴手套的手，出現在我旁邊。他看著我，看到我臉上的震驚痕跡，然後他轉向我在注視的男人。路克看向奈德的大額頭、大眼睛、柔軟的嘴，泰根鼻子的成人版，他的心跳變得三倍快，幾乎明顯可見。「我們會在那裡等妳。」我的情人喃喃地說，然後在泰根來不及說話之前領她跟著他離開。

奈德對我眨了幾下眼睛。「怎麼會這麼巧？」他問，好像我們沒有被打斷過。

「奈森尼爾。」我終於發出聲音。

「奈德。」他更正，搜尋我的眼睛，看那裡是否閃動著記憶。「妳是開始叫我奈德的人，妳現在不能改叫我的全名。」他對我微笑，我的胃變成果凍，我的下腹在顫動。

「奈森尼爾。」我重複，用更堅定的語氣以取得情況的控制權。在葬禮之前，我最後一次看到他是我回倫敦拿我的東西，然後離開他。那一天我的眼睛是乾的，我的頭像破了一個洞在流血，而他看起來像已經幾年沒有睡覺。此刻很危險，這次見面的震驚可能毀了我。「你在這裡做什麼？」我問。

「我住在這裡。」他回答。

「什麼？你住在里茲？」我往後縮，他不可能住在里茲，他不能住在里茲。我們分手後隔了兩百英里的距離，不可能遇到他的想法一直都令我比較安心。

「是的。不是。我的意思是，我不是住在里茲，我住在塔德卡斯特，那是在里茲和約克之間。」他指向他的背後，好似塔德卡斯特可以在男士服飾用品部找到。「我，呃，在約克夏和潘寧FM電台工作，到現在我在那裡做了大約一年了。」

「喔。」我外表冷靜，內心驚駭：過去的十二個月裡我在路上走，就像在玩俄羅斯輪盤，賭賭看會不會遇到他。那個想法令人作嘔。

「妳顯然還住在這裡。」他說。

「是的。」

奈德的表情變了，收拾起震驚之色，取而代之的是哀傷。「妳是如何適應的？自從……。」他的聲音淡掉。自從……，奈德和大家一樣，包括我在內，避免提到那個字，當它是路上的一個坑洞那樣迴避它。假裝它不在那裡，好像你不說死那個字，它的殺傷力就沒有那麼大，就沒有那麼可怕。

我聳聳肩。「我想我還好吧。你呢？」

「差不多。」我們的眼睛像鑰匙插進鑰匙孔裡那樣對上，而我猶如在跳傘，打開降落傘自空中緩緩飄落。我不知道我處於何時，不知道我是否回到四年前，看入奈德深藍色的眼睛，猜想他為什麼愛我，為什麼對我那麼好。然後我又再往下降落，回到更早之前，在我們的第一次「約會」時，看到他的眼睛在見到我時瞇起來。我幾乎繼續墜落。幾乎走上前，期待他的手臂環抱我，讓我沉醉於他溫暖的懷抱裡。那多麼容易做到啊！只要放開我緊緊握住不放的現實就行了，就能快速落進我的歷史中，像愛麗絲翻滾進兔子洞。就讓它發生吧！再去感覺以往的甜蜜。冷靜下來！我責罵自己，猛擰我的理智回到現在。

「我想過要再和妳聯絡。」奈德小心地說。「不過，我不知道妳的反應會如何，不知道會不會使得事情更複雜。」

我決定，談黛爾已經談夠了。我低頭去看我有點磨損的棕褐色皮靴，抬起左腳，拿鞋尖摩擦我的右腳牛仔褲後面的褲管，把鞋尖擦乾淨，藉這個動作有效地在心裡把我跟他的距離拉開。奈德不會瞭解大部分時候我多麼傷心，可能除了泰根以外沒有人能瞭解。哪一天我要是沒有因為哀傷而什麼事都不能做，或僵滯沮喪，那麼那一天便是我神清氣爽的好日子。我是靠著忽略痛苦，不理會一波波的負面情緒，而把破碎的我拼湊在一起。如果我正視我的感覺，愧疚和悔恨所引發的痛苦，會像切在我心頭又深又長的溝。如果我想那些想太久，如果我容許自己去看那深不可見、無比劇烈的痛楚一眼，我會嚇呆。如果我容許自己只去體會我的一小部分感覺，我就不能繼續活下去。那會毀了我。所以我經常會把我的感覺寄存到別的地方、別的時間，當作是我晚一點

才能償還的債。儘管利息甚重，可是我現在沒有能力支付。奈德光是站在那裡，就像在我愧疚的傷口上抹上一層鹽，威脅著要求我付一些我所欠的債。要我談論往事，我勢必會崩潰。

奈德幾乎立刻就明白我不想再談那個話題，他立即改口問：「男朋友？」

我抬起頭。「你說什麼？」

「那個傢伙。」他斜傾頭指向路克和泰根的方向。我跟著他的目光看過去。在離我們有一點距離的地方，站在一個昂貴精緻的銀首飾玻璃櫃前的路克，正隨性地在跳舞，他雙手握著坐在他肩上的泰根。當他的腳隨著百貨公司播放的貓王的歌《少談一點》（Little Less Conversation）在交錯舞動時，泰根便在他的肩上彈動。她開懷大笑，頭髮鬆落在臉上，飛揚到她黑色毛帽上面，像金色的浪韻律地波動著。他們是百貨公司裡最快樂的兩個人，連一臉陰沉的購物者走經他們身邊，看到這對上下都在搖動的大人和小孩，都不由得鬆開嘴角微笑。「他是妳的男朋友嗎？」

「是的。」我微笑。我為他是我的男人感到驕傲，因為他是如此毫不保留地愛泰根。

「那是他的女兒嗎？」

我的目光從他們身上移到奈德，對他皺眉，尋找他臉上是否有認出她的跡象。沒有。他顯得完全不知情，只是在等我回答。我不驚訝他沒有認出黛爾的女兒。我們那時候幾乎等於和她們住在一起，可是奈德對小孩完全沒興趣。他熱中於成人的聚會，喜歡與人交際，可是他不知道要如何和小孩溝通，他根本不會親近小孩。如果我們要他看泰根表演跳舞，他會看，可是他老是一眼盯著電視，或報紙，或別的地方。當我告訴他，泰根說出第一句話了，他為了迎合我的興奮，表示他對這件事也感興趣，才淡淡地說：「真的嗎？」

「不是。」我回答他關於路克和泰根的問題。「他只是在照顧她。」

「喔。」他微微對我笑。「可愛的小孩。」

我潤潤唇，準備說：她是你的孩子，然後我意識到這裡不是適合說這種話的地方。約翰・路易斯百貨公司的禮拜六下午，周圍有數百人在穿梭，不是揭露「你是個父親」的理想地點。很難找到說這種話的理想地方，但這裡比大部分地方更不完美。

我該告訴他嗎？我遲疑地望著他。要是奈德想介入她的生活呢？不太可能，因為他一向對小孩冷淡，但我還是會擔心。我的直覺告訴我，什麼都別對他說，讓他和過去六年一樣，享受無知一身輕的快樂。不過，他是她爸爸，泰根有權利知道，有權利要他進入她的生活中，尤其在她失去媽媽之後。

在我得知泰根的父親是誰之前，那幾年我經常對黛爾說教，說泰根必須認識她爸爸。現在我知道我當時太簡單化了，太愚昧了。我完全在狀況外，不瞭解活在泰根有個父親的威脅下是什麼樣子。即使「爸爸」不想拐走她，他可能不要她，那也將會永久性的傷害她。被父母拋棄不啻是最令人痛心疾首的事。再說，泰根現在有完整的一組家庭，我的父母是她的祖父母，她叫他們費絲奶奶和海克特爺爺，我的兄弟和妹妹是她的舅舅和阿姨，他們的孩子是她的表兄弟姊妹。她去曼徹斯特拜訪我妹妹和她的孩子，回來後老是說些和他們在一起玩的趣事給我聽。她不缺親戚和關心她的人。雖然奈德和她有血緣關係。血液和基因，生命相同的生物性狀造成骨肉同根。她的遺傳分子的結構，與奈德和他父母和他們之前的祖先都雷同。我們與她沒有血緣關係的人，不可能跟她有相同的基因。我不能，我的家人不能，路克也不能。她和奈德有一種無法抹滅的關係。

即使我不想要他再進入我的人生，為了不虧欠泰根，我也該告訴他真相。

「我想，」我設法承受與他的目光接觸。「我們應該徹底地談談，關於很多事情。」

奈德面露驚訝之色。「妳真的想要談？」他警戒地問，懷疑我是否在耍他。

想要？不。必須？是的。我點頭。「你可以給我能聯絡上你的電話號碼嗎？」

他探索他駱駝色羊毛外套的內口袋，拿出他用舊了的黑皮夾，抽出一張名片遞給我。那張白色小卡片上有他所有的聯絡細節：辦公室電話號碼、手機號碼和電子信箱。我把他的名片放進口袋，然後我們拘謹簡短的道別。我們同時轉身，我走向泰根和路克，沒有回頭。

「那個人是誰？」泰根在我接近他們時問，路克停止跳舞看著我。

我抬眼看泰根。她剛才笑得雙頰呈粉紅色，寶藍色的眼睛舞動著好奇與興奮，她的嘴唇張著，幸福地半微笑著。對泰根而言，再也沒有比現在更愉快的時候了。「我的一個老朋友。」我回答。

「他看起來不老，」她嚴肅地說。「不像路克這麼老。」

「妳的話真令人欣慰呀，小姐。」路克轉動他琥珀褐的眼睛瞥她，嘲弄地說。

「我的意思是，他是我很久以前認識的一個朋友。」

「他認識我媽咪嗎？」她出人意料之外地問。

「認識。」

「他知道她去天堂陪耶穌和天使嗎？」泰根一向都把黛爾的死說得像去參加一個流行樂團，彷彿我們可以預期他們將即席演出，以阿黛爾・布萊儂唱特別的副歌做號召。

「甜心，他知道。他很傷心，可是他很高興他在她去天堂之前認識她。」

泰根對我笑，那令我困惑。我以為她會難過，但她卻快樂，完全沒有困擾。「他是個好人。我們會再見到他嗎？」

我感覺路克的目光射過來，在我臉上燒出兩個對稱的洞，他的表情同樣具威脅性。「**我們會再見到他嗎？**」

「或許。」我回答，不理會路克緊迫盯人的注視。「我們得再看看。」

八年前我進入北倫敦的一家咖啡廳，發現裡面幾乎是空的，只有一個男人拿著髒抹布在擦桌面，和一個坐在後面的女人，她交替著在啜飲一口咖啡，深吸一口香菸，眼睛茫然無神。第三個人是奈德，我的約會對象。他低著頭坐在桌邊，全神貫注地在看報紙。我看看錶，確定我準時，因為從他看報紙的神情，和桌上報紙旁見到白底的咖啡杯看來，他顯然已經來了好一會兒。

我的胃翻攪著，意外地緊張起來。我一個月前遇見他不會緊張，我在赴第一次約會前不會緊張，但現在我非常煩躁不安，心裡頭神經質地在顫抖。「嗨。」我說。

我的約會對象抬起頭。他友善的臉泛起笑容，眼角因此皺起紋路。他看到我竟然那麼高興，令我相當吃驚。他站起來，六呎兩吋高的輕盈柔軟身材杵在五呎六吋的我之前。

「嗨。」他跟我打招呼，還在笑。

「我沒有遲到吧，有嗎？」我問。

「沒有。」他聳一下他穿著黑色運動衫的肩膀。「我太興奮了，所以早一點來。」

「喔。」我不知道該怎麼回應。

「妳比我印象中的妳還漂亮。」他說。

我阻止自己轉頭去看他在講的人是誰，然後我讓自己接受他的恭維。他的話聽起來不會讓我起雞皮疙瘩，或像是在聽台詞，他的誠懇讓我覺得他的話很窩心。「什麼？是這張老臉皮嗎？」我開玩笑道。「我已經戴了很多年了。」

他發笑，是那種讓人感覺溫暖，發自肺腑的笑容，然後他繞過方桌，為我拉開一張有軟墊的黑色椅子。他懂得獻殷勤，但不會顯得過度做作。我不是像黛爾那種容易被男人迷得神魂顛倒的人。我被風度翩翩的男士追求過，在他們虛假的笑容和禮貌的態度之下，他們還是一般常見的混蛋，或矯飾的卑鄙小人。

我們點了咖啡和巧克力碎片鬆餅，奈德把鬆餅切成八片，我們倆一起分享。我們聊天。當我後來回到家，我想不起我們聊了什麼，就是很輕鬆地閒聊，中間只有被笑聲和短暫停頓下來吸收對方寶貴資訊所打斷。

當他去上廁所，我看著他走開時，發現自己在微笑，那嚇到我了。我迷戀他了。他的魅力和機智開始令我著迷。不過，我知道接下來會怎樣。某些時候他會恢復成典型的男人。他會企圖改變我，控制我，或離開我，如果我提前對他投資感情，那將更糟。

等到他從廁所回來，我已經喝完第三杯卡布奇諾，連杯底的巧克力殘渣都喝乾淨。我擬了一個計畫。聊了幾個小時後，我已經對這個電台製作人略知一二，我知道要如何把他逐出我的人

生。我放下咖啡杯，和他的目光對個正著。「去你那裡喝咖啡吧。」我說。

奈德安坐著，沒有要採取行動的意思。「嗯……，」他含糊地出聲，眼神有點閃爍，表情顯得為難。在我們交談甚歡，他又說過「妳好漂亮」之後，他想拒絕我？

我傾身向前追問：「嗯？」

他為難的表情轉變成畏縮。他在拒絕我。他那滿載調情意味，害羞的微笑和躊躇的表情是我想像出來的嗎？

「你不要我跟你回家？」我問。

「不！老天，不！我的意思是要！我想要妳跟我回家！比任何事都想。只不過我家亂七八糟，我不希望妳以那個狀況來對我評價。而且我沒有牛奶或糖或咖啡，我好幾天沒有進商店了。我想我們可以在路上停下來去買……。」

「奈德，」我打斷他的話。「你有沒有保險套？」

他點頭。

「那麼我不在乎你的廚房有或沒有什麼東西。我們回你家是為了上床。或者，我該這麼說，如果我們去你家，而且你幸運的話。」

「喔，好。」他說。「好。妳要現在去嗎？」

我揚起頭再垂下。

「服務生，買單！」奈德叫道，他急匆匆地去付帳。

後來，許久之後，奈德將我拉向他，想在他睡著之前擁抱我。而我，想盡量離他遠遠的。計畫出錯。我計畫和他上床，離開，那他就永遠不再打電話來。結果我的詭計沒有成功。本來只想來個一夜情就分手的，我卻有了感覺。那種強烈的情緒在我心裡流動。感情。激情。柔情。我每一次瞄向他的臉，「inamorato」，義大利話的「情人」那個字就浮上我心頭。那是完全投入，盈滿濃情的意思。他是你對他有了感情的那個人，你的身、你的心、你的魂都跟他發生關係。你會把你的一切都給他。太瘋狂了，在我的人生中，奈德兩次給我那樣的感覺。

在奈德之前，我的一生中從來沒有過那樣蝕骨銷魂的性愛。我們的初吻是嘗試性的，我們各坐在他的床的一端，彼此心知肚明接下來會如何。在我們的第二個吻後，他緩緩地用大拇指愛撫我的嘴唇，我看進他的眼睛，看到他對撫觸我的唇甚感興奮。接下來是一段他取悅我的單向挑逗。他用許許多多的吻覆蓋我的身體，他用卓越的前戲技巧讓我放鬆，到了我們進入主戲的時候，我咬著下唇阻止自己叫喊出他的名字。

我不想要這樣的困惑。我不想對他有這種感覺。我要每一件事都能切割清楚，像以前的那些男人一樣。我溜出他的懷抱，發狂地撿起我的衣服開始穿上。我把雙腳套進我的黑色棉質內褲，把褲子拉高。扣好我的黑色胸罩。然後穿上牛仔褲，扣上釦子。我在繫皮帶的時候，奈德才瞭解我在做什麼，他坐起來。「妳要走了嗎？」

我在把上衣套過頭上時回答。

「對不起，我沒聽到。」

「我說，是的，我要走了。我跟人家約好了。」

「喔，好。」他以手支頤，看著我尋找我的一只襪子。「凱梅玲，我今天非常愉快。整個下午都棒極了。我已經好些年沒有聊得那麼盡興。」

「喔，嗯。」我在他的床下找尋我迷途的襪子，把它拉出來捲上我的左腳。

「有一部福爾摩斯的舊片在國際戲院上映，」他在我抓起外套穿上去的時候說。「我知道妳喜歡福爾摩斯，我們去看電影好嗎？我們可以一起吃晚餐，然後沿著河散步？」他講話的時候，我已經在綁鞋帶。

「凱梅玲，」他嚴肅地說，好似終於明白我要離去的意義。「我能再見到妳嗎？」

他問倒我了。我曾預期和他上床後就結束和他的關係。讓他以為我是個賤貨，因為我第一次約會時就和他上床。在我們還沒親吻之前，我就提議上床，看在老天的分上！然後他應該技巧性地避免提到我們再聯絡的事。那是我為什麼在很享受與他發生關係後非常沮喪。我不會再見到他了。那比我預期的還令我難過。

「我能再見到妳嗎？」他再一次問。我慢慢轉身看床上的男人。他非常養眼：他平常很整潔的尖型髮型現在凌亂了，他藍色的眼睛有慾火方熄的春情，他的唇因為親吻而稍微腫脹。「Inamorato」。我可以立刻再撲上床。我差一點就那麼做。我害怕地咬著下唇一秒鐘。萬一他是在愚弄我呢？我懷疑。我會受不了的，他對我的殺傷力遠勝於任何人。我憶起他的大拇指愛撫我嘴唇的感覺，我想：他值得我冒險。

我親吻我的手掌，然後把那個吻吹給他。「我們會再見面。」我在拿起皮包離開之前說。

「就是他，是不是？」路克在我坐到他旁邊的沙發時問。我們已經完成平常通力合作的泰根睡前儀式，我幫她洗澡，他唸床邊故事給她聽。今晚在她聽完故事後，我必須進她房間，再次向她保證，我會考慮買那雙我們先前看到的粉紅色運動鞋給她。我不知道我怎麼付得起，但我會想到辦法。現在我和路克可以安靜地交談了，從他的話和僵硬的姿態看來，這段談話必然不輕鬆。

「他是**泰根的爸爸**。」他小聲地說著關鍵的那幾個字，以免耳尖的小小姐還沒睡著的話，會被聽到。

「是的。」我說。

「妳告訴他了嗎？」

「你說我奇怪也好，可是我不認為約翰‧路易斯百貨公司是個適合告訴某人，他有個女兒的地方，你覺得呢？」

「妳要告訴他嗎？」

「可能。」

「所以妳要再跟他見面？」

「是的。」我回答。

他閉一下眼睛。「為什麼？」

「如果我要領養泰根，我必須得到奈德的許可。」

「他的**許可**？」他嗤之以鼻。「妳在開玩笑嗎？」

「我直到看過黛爾遺留下來的東西，看到泰根的出生證明，才知道上面有奈德的名字。而且

因為我知道他還活著，他在哪裡，所以我必須得到他的許可。他是泰根唯一活著的血親，他必須簽名讓出他對泰根所有的權利。社會福利機構一向盡可能讓家人團圓。現在很多案例都強調歸屬權，被領養的人想瞭解他的原生家庭。再說，她是白人，那會使得我領養她更形困難。所以我需要書面文件，證明泰根的父母都要我領養她。那樣我被拒絕的機率就不大。」

「妳為什麼沒有早一點跟我說？」

「因為我最不想做的事就是與奈德聯絡。我一直知道，我如果想跟他聯絡的話，可以透過他的父母傳達，但我並不想跟他聯絡。」

「妳還是對他很有感覺。」路克說。「那就是妳為什麼遲遲不跟他聯絡的原因，妳害怕自己的感覺。」

「那太荒謬了。」我回答。「我承認，我跟他如果還在一起，到現在我們已經結婚兩年了，我對他的感覺會依然不變。可是我們沒有結婚，我們甚至沒在一起了，所以我對他的感覺完全不同了。」

路克研究我的臉，在他轉開眼睛之前，不確定性在他眼中翻騰。我凝視著他的側臉，看到他下顎的肌肉在顫動，像是在用力咬緊牙關時心跳加快。我瞭解他的感覺：嫉妒、害怕、不值得。有時候當他打開皮夾付錢，我看到裡頭他漂亮的未婚妻妮可的照片朝著我笑，提醒我他對她還舊情難捨，那時我就是會有這種感覺。這一段時間，我們的性生活非常美滿，也經常相聚。可是，妮可是A計畫，我是替代的B計畫。幾個禮拜前，我不知道確實是從什麼時候開始，我注意到妮可的照片從他的皮夾裡消失了。她的幽靈停止在我們的關係之間飄盪。我因此能放鬆，專心和他

建立關係，朝容許他瞭解我的內心而努力。我也努力瞭解他。現在他處在我那時同樣的處境，不過情況對他較為不利。我只是在和照片與記憶角力，而路克卻要和一個近在眼前、真實存在的人對抗。

「那不會改變我們的關係。」我極力想向他保證。「我……我愛你。」

我並不真的愛他。我當然不愛他。我在乎他，但要說那是愛的話，還言之過早。我和奈德在一起時學到什麼是愛，我知道這一次並不是：愛不會經常遲疑。跟路克在一起我經常會憂慮不安。我們應該交往嗎？要是沒有泰根，我們的關係會如何？我們兩個都沒必要自欺，泰根是我們的愛神邱比特。沒有她，我們到現在還會朝對方放冷槍，我們敵對的恨意還會使得我們周遭的人跟著倒楣。如果他沒決定改變作風，他不會親吻我。我從來不確定，是他先改變作風才喜歡我，或他先喜歡我才改變作風。我也從來不夠勇敢，沒有開口問過。

在我們交往的整個過程中，我對路克是很有感覺的。但是，我不會看著他，心想他是我的「inamorato」。我不想把我的一切都給他，可是我喜歡他。如今我們已經在一起了，不管我們是如何走到這一步，我們都已經建立親密關係，他已成為我人生中的一個重要角色。我這一部分的人生正在培養愛情。我可能愛上他。我只是還沒愛上他。不過我現在必須像黛爾常常說的：「情勢比人強。」

「我愛你，你知道嗎？」我重複對著他沉默的臉和質疑的眼神說：「我愛你。」

「我很高興妳讓我知道。」他的全身終於放鬆。他彎下身在我唇上印了一個吻，再印一個在我頭上，然後拉我進他懷裡，在沙發上依偎著。

當有人對你說他愛你的時候，你應該有很多話可以說，但「我很高興妳讓我知道」不在其中。我的心裡吹過一道寒風。或許我錯了，或許我還是他的後備計畫。

第二十八章

「我喜歡妳橙色的衣服。」泰根在她跳上我的床時批評。她跳得好高，不過控制了力道，好像彈簧是裝在她的腳，而不是裝在床墊下。

「謝謝。」我坐在床上的一角回答。我的胃緊張地翻攪著，像洗衣機在洗衣程序時循環旋轉：我的手不時會突然顫抖起來。

「妳好漂亮。」泰根在床上跳躍的時候，兩隻手臂上下揮動，像一隻不能飛的鳥，試著拍翅起飛。

「好了，泰，夠了。」路克說著走到床邊，抱起她，把她夾到他的腋下，轉身。「讓玲安靜準備。」

「我不介意。」我對他說，我們的目光交會，隨即各自移開，宛如那個簡單的動作會燒到我們。過去幾天內，我們的目光很難做比較久的接觸，即使在床上，我們也不會看對方太久，因為

怕會洩漏我們真正的心聲。他有他怕的事，我有我不確定的事。

「妳要去哪裡？」泰根問，她快樂地在路克的手臂上搖晃。

「我已經跟妳說過了。」我說。

「再跟我說一次。」她轉回頭，直到我可以看到她奶油白色脖子的柔軟肌膚。「請妳再跟我說一次。」

「我要去跟在約翰・路易斯百貨公司遇到的那個男人吃飯。」我明白我說的每一個字都會割傷路克已經脆弱的自尊心。泰根的頭向前伸，她的臉是粉紅色的。「你們會講到我媽咪嗎？」

「會講一點。」

「妳回來可以告訴我他說什麼嗎？」她縮著鼻子和嘴巴點頭，要我同意會詳細告訴她。

我不可能告訴她所有的事情。我不會去討論我的未婚夫為什麼和我最好的朋友上床，或解釋他是她父親，我也不會轉播他得知他已成了爸爸時的反應。

「可以告訴妳的玲就會告訴你。」路克說。「這樣公平嗎？」

「大概吧。」她回答。

我怒視路克，氣他自以為是我的發言人。他聳肩回應我的怒視，問說：「妳要我們開車載妳進城嗎？」

我搖頭。

「我們不會進去，我們會讓妳在外面下車。」

「我寧願搭火車。」對我而言這個話題已經結束。

「妳說他會在哪裡接妳？」

「我告訴過你了，我會在餐廳跟他見面，就是你第一次約我去，而我丟下你的那一間，還記得嗎？」

我的男朋友沒說話，但過去兩天來他表現得好像，我安排去見奈德是我們預備舊情復燃。他怕我離開這間公寓時是他的女朋友，回來時變成奈德的未婚妻。所以他想載我進城，那能使他有半個小時的時間提醒我，他的存在，以及他和泰根的關係，還有如果我回到奈德身邊我會錯失什麼。他的問題是個測驗，看我是否當今天的會面是個約會。我沒那麼想。我僅有的妝只是刷一下睫毛膏，我的「漂亮衣服」是U領，長及腳踝，紅色和橙色的絲質洋裝，算是路克買給我來頂替被泰根畫畫的髒水毀了的那件衣服。我會穿這件衣服，不是因為好看，它其實並沒有特別出色，而是因為是路克買的。我是要穿給他看，暗示他會在我心上，因為他的禮物在我身上。我會穿高跟鞋，是因為穿這件衣服如果還穿休閒鞋會顯得很可笑。我只能做這些努力，我沒有別的法子可以向他再次保證不會有什麼事。我得去見奈德，這是我必須做的事。

「好了，我該走了。」我站起來，從路克手裡接過泰根。她的雙腳夾著我的腰，像老虎鉗那樣鉗著我。她洗過澡換上睡衣了，所以她的肌膚聞起來乾淨，還有泡泡澡精的香味，她的頭髮也有洗髮精的芳香。我抱著她走出臥室到走廊。

「寶貝，妳要乖乖地別給路克找麻煩。嗯，我想，還是不要太乖好了。」我們心圖不軌地會心一笑。我讓她在客廳的門前落地。「說真的，妳要按時上床睡覺，叫路克睡前要刷牙。」

泰根的笑聲又如銀鈴般響起。我把吊著的黑色長外套拿下來，穿上扣好鈕子，然後彎身擁抱

泰根。她伸出雙手環住我的脖子，親吻我的臉。「妳聞起來像陽光。」她在放開我之前說。

「妳聞起來像巧克力布丁，我必須給妳搔癢！」我笑著輕搔一下她的肋骨。這是我們的遊戲，我們兩個人之間的私房玩笑，那能使得我們更親近。這一套她以前常常和她媽咪玩，現在我們也這麼玩，那對我們的關係大有助益。我們越親近，越親密，就越像是一對母女。

泰根扭動著逃走，跑向路克，雙手抱住他的腿。我直起身來，面對泰根臭著一張臉的保護者。「路克，謝謝你幫我照顧泰根，我真的很感謝。」

他點一下頭。「玩得愉快。」他在我的手指轉動門把時脫口說。

我很想對他叫：我不是要去玩。他沉默的擔憂已經抵達我的臨界點，再受一個刺激我就要跟奈德上床，只為了證明他既然認為我是那種人，我就遂了他的心願。

「玩得愉快。」泰根學他說。

「謝謝。」我跨出門踏上公寓外的走廊。「再見。」

「泰，去放ＤＶＤ看，我送玲出去。」

泰根照辦，路克走到外面陰暗的走廊陪我。我等著他說話，我們兩個都沒有移動去打開公共走廊的燈掣。幾秒鐘過去了，他依然靜默，只是凝望著我。「回頭見。」我終於說，轉過身。

「玲，」他握住我的手臂，將我拉回去。接著他在我唇上落下一個溫柔的輕吻。「我愛妳。」他說完便退開。他以前沒有那樣說過。在我先對他說過後，他也沒那樣說。事實上，我並不指望他說那一句話。當我說那一句話的時候，他回答「我很高興妳讓我知道」，已經清楚表達了他的感覺。他不愛我，我應該要習慣。就我所能瞭解的，沒有別的隱情。現在他說了那三個

字，令我對原本確定他對我的感情感到混亂。他汙染了那三個字。因為不管再來會發生什麼事，我會永遠懷疑，他**為什麼**要在這個時間點說。究竟他是被真正的感情刺激，還是因為他怕我去跟某人上床。他真的愛我，還是只是想控制我？

路克默然站著不動，等待我回答，我知道必須給他回話，必須再向他確認我愛他。我張開嘴巴回答：「我很高興你讓我知道。」

我的回答意在提醒，不管我們兩個人的感覺如何，不管我們是否愛著對方，他不是唯一會耍狠，會克制感情的人。他也不是唯一有情緒的人。

他驚訝又受傷地退縮一下，他的手指從我的手臂溜開。我離開，沒有回頭。

第二十九章

渾渾噩噩。那是黛爾意外承認那個事件後，我離開她公寓時的心神狀態，最貼切的形容詞。

我記得自己跌跌撞撞地走出公寓一樓，渾渾噩噩不知道該怎麼辦，或該去哪裡。我記得我回到家，感覺安全，因為奈德出去和他以前的室友喝酒。我模糊地記得我決定要去里茲，因為我本來幾天後就要去那裡，為《生活的安琪拉》創刊出差四個禮拜。

我無法重拾任何收拾行李的記憶，可是我一定有那麼做，因為我帶著一些衣服走。我最清楚的記憶是，我在電話記事紙上留下藍色的字跡，將那張便條放到廚房的桌上：

我知道你做了什麼。

那簡短的一句話道盡了一切：我為什麼必須走，和我為什麼不回來了。

我記得計程車載我去巴士站，可是我不記得從倫敦到里茲那兩百英里的長程巴士，我是怎麼度過的；也不記得我是怎麼說服假日飯店，讓我比預定的時間提前兩天住進去。我的下一個記憶是，我衣著完整地躺在飯店的床上，茫然望著電視。電話鈴響了幾分鐘，我才發現那個噪音來自何處，伸手接電話。

「小姐，有一位透納先生要見妳。」櫃檯的接待員通知我。我是在天色漆黑時抵達的，但不知何時天已亮了。我瞄向手錶，發現已經過了中午。我不知道過去的十五個小時丟到哪裡去了。世界在我渾渾噩噩不知所以的時候仍繼續運轉。

我差點說：「我不要見他。」然後我想，逃避不是辦法。頑固的奈德會坐在飯店的大廳等到我肯見他。我的餘生無法都躲在房間裡，他會一直待在那裡，直到我見他。「我馬上下去。」我呢喃。

當我在浴室裡攬鏡自照，我被那個回瞪著我的女人嚇了一跳。她因為缺少睡眠而氣色極差，雙眼泛紅。頭髮亂糟糟的，臉腫腫的，看起來非常疲倦。我抓把梳子梳理我黑色的頭髮，然後回

到房間，打開一直躺在床邊地上的銀色行李箱。我選了一件紅色的套頭毛衣穿上，再穿上一件開襟的羊毛衫做為額外的一層保護甲冑。

奈德站在飯店的櫃檯前，我接近他。他的眼睛有黑眼圈，頭髮雜亂地往上翹，下巴長出鬍樁。可能因為長途開車，他的衣服都皺了。他看起來很脆弱，好似一句嚴厲的話就會令他粉碎。

「我打遍里茲每一家飯店的電話，直到找到妳。」他解釋。

我們去一個小酒吧，坐在後面相對的兩張扶手椅上。酒吧裡燈光柔和，空氣像有十萬支菸的味道那麼汙濁。

「回家吧。」我們一坐下來，奈德就說。「跟我回家，我們好好談，把事情釐清。」

「沒什麼好釐清的。我知道發生了什麼事，你跟……跟……。」我的聲音卡在喉嚨裡。太可怕了，我說不出名字來。

「凱，不是像妳想的那樣。」他說。

「我想的是哪樣？」我問。

「我們並沒有……，只有一次。只有一次。」

「我想的不是那樣，奈森尼爾，」我嘶聲說。「我想的是你對我不忠，我們結束了。」

「我們回家，平心靜氣地談。」

「不，我不能。我不能跟你講話。不能講這件事。你不是我認定的你。那個地方不是我的家。不再是了。」

他的手越過桌子要握我的手，我的身體往後縮離他遠一點。我以前很喜歡他握我的手，他強

壯的手指會包住我的手，他的大拇指輕撫我的掌心。奈德可以用很多種不同的方式愛撫我，讓我覺得舒服平靜。可是那個感覺不存在了。

「我們之間不可能就這樣結束。」他哀求。「我們在一起六年，我們本來再兩個月就要結婚。不可能就這樣結束。我們必須談一談。」

「好，我們來談。她比我還好嗎？比我性感？比我主動？比我快達到性高潮？比我……。」

「不要說了，」他打斷我的話。「不是那樣。」

「那還有什麼好說的？」

「說我多麼愛妳？我多麼希望妳回來？我多麼願意做任何事來使我們的關係恢復原樣。要我做任何事都行。」

「要你做任何事都行？」

「要我做任何事都行。」

「那麼請你走開，不要再來煩我。」我站起來，疲憊令我頭暈耳鳴。「我不想再跟你有任何關係。」

奈德閉上眼睛，好似他不敢相信他會陷入這個處境。

「我很快就會去拿走我的東西。我還不知道什麼時候會去，不過應該很快。我會留下家具和其他我們一起買的東西。我只會拿我的書和ＣＤ和ＤＶＤ，和我剩下的衣服。還有其他我搬進去的時候帶去的東西。我要我們那間公寓的市價一半的錢，我才能到別處買我自己的公寓。我會繼續付貸款，直到我們把那間公寓的錢全部分清楚，處理好產權。我們的律師可以處理這些事情，

我們可以透過他們聯絡，那樣我們就不必再直接談話。如果我們能很快地處理完，我們就能繼續各自平靜的過日子。還有，拜託，如果你曾經對我有任何感覺，請你不要告訴我爸媽婚禮為什麼取消。我會打電話給他們，告訴他們，可是我不會說是因為……拜託。如果任何人知道，我會死。說什麼理由都好，就是別說出真相。還有……，我想差不多就是這樣了。再見，奈德。」

他也站起來。「不可能就是這樣。我們已經在籌劃婚禮，何不把婚禮延後幾個月，直到我們把問題全解決？我們不必就這樣結束。」

「我們必須這樣結束。你知道結果會是這樣，所以你才不告訴我。你知道會這樣結束，因為我們永遠不可能……。」我整張臉皺起來。我想在哭出來之前趕快逃走。我搖搖頭，努力穩定情緒。在我抬手抹眼睛時，瞥見白金和紅寶石的訂婚戒指還在我的手指上。那是奈德設計的。它是實心的指環，戒面琢磨成六邊型的寶石。儘管大家都對他說應該用鑽石當訂婚戒指，他還是選紅寶石，因為紅色是我最喜歡的顏色。我壓根兒沒想到要把它拿下來，它已經成了我的一部分，我忘了它還在我手指上。我用力拔下戒指，放到奈德椅子旁邊的玻璃桌上。「再見，奈德。」

我走開時，他重重地坐回椅子。我最後一次看到他是三個月後當我回去拿我的東西。我在收拾東西的時候，他在家，但他沒有說話。當搬家工人稍晚一點來搬我的紙箱，他還是沒說什麼。到了我要走的時候他才說話。他只說了兩個字：「別走。」我停住腳步，轉身去看他，因為我知道那將是我最後一次看他，然後我走出門。

他按我要求的做，沒有再來煩我。那是我要的。我不要再見到他們兩個，我才能重新過沒有他們的人生。黛爾曾試著早點跟我聯絡，可是我不知道她要見我的理由，直至我見到她才明白。現在我要去跟奈德一起吃晚飯。我害怕極了。

第三十章

就像他上一次在飯店的大廳見到我時一樣，在我接近他的餐桌時，他站了起來。我心跳如雷，砰砰的心跳聲充滿耳際，心臟彷彿跳到喉頭卡住。

在我抵達他面前時，他深藍色的眼睛和我的眼睛對上，他的嘴角稍微往上彎，緊張地微笑。「嗨。」他繞過桌子，他的手輕扶我的腰，親吻我臉頰。

「嗨。」我在接受他的親吻時應聲。我們在一起六年的期間內，各種性姿勢都做過，現在我們唯一允許對方碰觸的形式是，給予和接受禮貌性的親吻。感覺似乎出了什麼錯。

我們各就各位後，安靜地忙著打開餐巾，不太高明地互相偷瞄一下對方。他看起來很帥，三十五歲的臉相當結實，沒有多餘的贅肉。棕黑色的頭髮現在看起來比較黑，因為他抹了髮膠，使得他的尖型髮型比我上次看到他時還明顯。他的皮膚是光滑無毛的金棕色，那總令我感到驚訝，

因為他父母和泰根的肌膚都相當白皙。

服務生送菜單來，把水倒進我們的玻璃杯。他告訴我們今天的特餐是什麼，不等他離去讓我們考慮，我們就各自點餐。我和奈德是世界上點餐最快的人，我們不會把寶貴的時間浪費在猶豫不決中，我們會明快做決定，然後去執行。服務生寫下我們點的東西後走開，留下我們單獨面對面。留下我們共度這個夜晚。

奈德啜一口水，我玩弄酒杯的底座。我們兩個都沉默，等待對方先開口。

「這就像是第一次約會。」奈德含著淡淡的笑意說，他抬眼，眸光與我交織。

「是啊，只不過我們從來沒有真正約會過，不是嗎？」

「我們喝咖啡！」奈德抗議。

「結果回到你家。」

「我以為我許的聖誕節心願，總算有一次實現。」奈德說。「說真的，當妳提議要到我家時，我在心裡叫，哇！比我期盼的還要好。」

「我不敢相信你那時真的以為我是要去你家喝咖啡。」

「我沒有真的那樣想，我只是很驚訝，妳好不容易才願意答應跟我約會，我沒想到妳會讓我碰妳……。」

「是啊。」我同意他的想法合乎邏輯。

「即使在一開始那個時候，我們就都知道我們註定要在一起，不是嗎？」他嚴肅地說。奈德總是那麼說，而且他是認真的，據他的說法，是命運湊合我們。我們在一個派對裡認識，他告訴

我，他本來一點都不想去，他的朋友說服他去。當他抵達時看到我，他立即明白遇到了真命天女，他將會娶回家的新娘。

「不，奈德，那是你的想法。」我澄清。「我的動機完全不同，我想讓你早點甩掉我。」

「什麼？」他身體往後縮，顯得既驚訝又苦惱。

「我想，我希望，我預料，我直接跟你上床，讓你以為我是個隨便的女人，你就會消失。」

「喔。」奈德往椅背上靠，垂眼看著白色桌巾，再喝一口水，趁機思考如何回答。我知道我說出來既殘忍又沒必要。我故意揭露當時的心態，他顯然還記得很清楚，可以回想印證。我張開嘴巴想補充說，我會那麼做是因為我太喜歡他了，我喜歡他的程度嚇到我了。可是他的目光離開桌子往上抬，使我閉嘴。「不管妳做什麼，我都不會消失，」他說。「我早就深深地迷戀妳。」

輪到我把目光聚焦到白色的棉質桌布上。那是典型的奈德，他如果沒有冷靜的反對我所做的事，就會誠摯地說出他的感覺。那會讓我覺得自己很差勁。我們在一起那六年裡，有過三次嚴重的爭吵，那三次都是他引發戰火，因為如果他兇我，我不像他那麼會隱忍，我會兇回去，那麼戰火就一發不可收拾。如果是我先兇他，他會耐心或坦誠的對待我。

「小姐，妳為什麼如此尷尬？」他逗我。「是真的。妳知道是真的。」

我們的開胃菜來了，我們默默地看著服務生把白色的大盤子放到我們面前。我點的煙燻鮭魚片放在芝麻菜的生菜葉上面，奈德的是烤蔬菜湯上面灑幾片杏仁。等到服務生走了，我們兩個人也都沒有去動食物。在他以坦誠和平靜回應我的殘忍後，他在等我說什麼。他在等著發現，我是否會從今天跟他見面的超級惡毒婆娘，恢復成他差點娶的那個只是偶爾會脾氣不好的女人。

「那天晚上對我而言也是很困惑，」我承認，目光專注於芝麻菜把粉紅色魚片托尖的方式。「事實上，我非常震驚。」我終於迎向他的凝視。「那天晚上當我回到家，我知道必須很快再跟你見面，因為沒有人曾經像你用那樣的方式碰過我。在那天晚上之後的六年，我沒有再跟別人發生過關係。」

「我以為……。」

「是的，我給你的印象是，我還在跟兩三個男人交往，但事實上並沒有。在跟你喝了那杯咖啡後，我無法想像我跟別人在一起，就只有你。」

奈德的臉變得柔和，露出驚喜的笑容。他拿起湯匙開始吃，還在微笑。我拿起叉子，用叉子玩弄鮭魚片，可是連一片也沒叉進嘴裡。當我的胃在循環旋轉時，吃東西不是個選項。我看著湯匙盛了滿匙米色的濃湯，消失進奈德的嘴裡。

我回憶起當我們決定要結婚時的喜極而泣。那時候哭是因為我終於瞭解，無條件的愛是什麼感覺。不只是接受愛，也感覺到愛的存在。我知道我愛奈德有一段時間了，可是當他接受我的求婚那一刻，我確實了悟到那意味著什麼。我不是有缺陷的人了，我和其他人一樣了，我可以做正常人，我可以有婚姻關係。我享有足夠的恩典去體驗愛。我的心引導我精挑細選到一個我能夠愛上他的男人。我會一輩子愛他。

在喝湯的奈德抬起頭，逮到我在凝視他，他對我笑，他的眼睛笑出魚尾紋，就像我們第一次喝咖啡時那樣。我回以微笑，緊張消散，我們回到第一次約會那樣輕鬆舒適。

第三十一章

我們聊了又聊，但也沒有特別聊什麼。當服務生送來帳單和我們的外套，我們沒有要求他拿來，但已經過了打烊的時間一會兒，他想回家了，我發現我們沒有聊出什麼，因為我們實際上沒有談到彼此的新鮮事。他不知道他和泰根的關係，不知道我在葬禮時看過他，也不知道我男朋友叫路克；我不知道他如何得知何時舉行葬禮，也不知道他現在是否有女朋友，或他為什麼和黛爾上床。

「我可以陪妳走回家嗎？」奈德在餐廳的燈光逐漸熄了，最後一張椅子被搬上桌子以便於打掃時說。

「你不可能陪我走回霍斯弗思，那有好幾英里遠。你要怎麼回塔德卡斯特？」

「那不重要。」他揮一下手表示那不足掛齒。「已經太晚了，除了俱樂部之外沒地方可以去喝杯酒，那種地方也不是能安靜聊天的地方。可是我們如果走路，可以邊走邊聊。」

「好，折衷方案，我們走路，走到累了就叫計程車。」

我們走出餐廳到街上，進入被霓虹燈照亮的夜色。我深吸一口氣，冷空氣通過我的鼻子，進入我的體內，令我感到冷。我們靜靜地走在空蕩蕩的街上，在路口停下來看看有沒有車子，然後過馬路。已經過了午夜，我還沒開始做我來之前預備做的事。我們繼續朝海德公園走去，我偷瞄奈德一眼。他的目光固定在遠處的地平線，雙手插在口袋裡。

「我感覺到妳在看我。」他停步，轉身看我。我也停步。「我記得妳以前常常那麼做，尤其

當妳以為我睡著了的時候。」

「你知道？」

他輕點一下頭，露出淡淡的笑容。

「你為什麼不告訴我？」

「因為我喜歡妳那樣。我為什麼要阻止妳看我？」

奈德靠近我一步，仍然凝視著我，他伸出手。「看看妳，」他喃喃柔語。他說話時呼出的白色氣霧飛飄進夜空。我預期他會捧起我的臉，但他卻把我的領子從外套裡面拉出來。他凝睇我的眼睛，把我外套的大三角領翻好後拍了拍。我意亂情迷地恍惚呆滯。他的淺笑擴展成歡顏，使得他變成和我同居過的人。「看看妳。」他再呼出白氣來。他的手往下滑，越過我的鎖骨再往下，停在我的胸部和外套最上面的釦子之間。「妳全扣錯了。」我往下看。剛才匆忙離開餐廳時，我把外套的釦子扣錯了。我抬頭，看進他的眼睛。

「喔。」我輕笑了一下，笑聲隨即消失在寒風中。

奈德的目光與我交鎖，他靈巧的手指溫柔地解開第一顆鈕釦。他的手指頭輕刷過我外套的喀什米爾羊毛混紡毛呢質料，移到下一顆鈕釦，打開它。他的手指繼續往我的身體下面移，落到下一顆鈕釦，再下一顆，直到最後一顆鈕釦也解開。我的外套一打開，奈德立即把它拉好，然後慢慢扣上鈕釦。

「謝謝。」我輕語，我的聲音有一點顫抖。我告訴自己，那是因為太冷了，而不是因為慾念與渴望。不是因為希望他吻我。

「沒問題了。」他說。他靠近一點。近得我可以聞到他肌膚上的刮鬍後潤膚液的味道，感覺到他胸部的起伏。他抬手調整我的衣領，把它撫平，但是手沒有拿開。他低下頭，「凱。」他柔聲輕喚，他的嘴唇碰到我的。

「玲。」我自動自發地退開。

奈德的頭也拉開，他的目光梭巡我的臉。「妳不會要我叫妳的全名吧？」他問。

「不，只是現在沒有人叫我凱了，他們叫我玲。」

「我不要跟著他那樣叫妳。」

「不是他開始那樣叫我的。」我回答。

奈德的唇又擦過我的唇。有一秒鐘我想陷入。就讓它發生。吻他。

我又退開。「奈德，我必須告訴你一件事。」

「等一下再說。」他又靠過來尋找我的唇。

「不。」我轉頭，他的唇落到我的下巴。「我必須告訴你一件事。」我堅持。

奈德微瞇一下眼睛，低下頭。他縮回手，抹抹他的臉。當他緊張或焦慮的時候他總是那樣。

他終於整理好情緒再面對我。「我不想聽見妳要嫁給他了。」他握緊拳頭說：「我**無法接受**妳要嫁給他。」

「這跟路克無關。」他在聽到我男朋友的名字時縮了一下。

「那妳說吧。」他冷然道。

「我不知道該怎麼說，我想我必須坐下來。」我說。

「好，」他同意。「再過去有個公園。」

我們沉默地走了十分鐘到海德公園，然後坐到離入口處不遠的一條長椅上。風在我們周圍打轉，刺骨地吹拂著我們已經冰涼的肌膚。奈德面向前方而坐，和我相當靠近，想依附一些我的體溫。我坐著身體稍微轉向他。

「是關於泰根。」我開始說。

奈德轉身面向我，皺起眉頭。「黛爾的女兒？」

我點頭，停頓，希望我一點他就通了。他是個聰明的傢伙，如果他不是泰根的爸爸，我為什麼要提到她？

他的眼睛亮出頓悟的眸光，皺著的眉頭解開。「喔，天啊，」他喃喃道。「我真是個白癡。」他拍一下他額頭。「那是她，是不是？我那天看到的那個小女孩就是泰根。我根本沒認出她來。我只是很……，」他的手在他的頭旁邊揮了揮。「我那時看到妳心裡很亂。該死。那就是她。她長大好多了。她現在怎麼樣，在……妳知道的，她好嗎？」

我很訝異他會關心泰根。奈德以前從來不曾表示對泰根感興趣。他有時候陪我一起照顧泰根，偶爾會唸床邊故事給她聽，可是他和她並不親近。「她還好。我們有過壞日子也有過好日子，我應該要給她找個心理諮商師。」

「妳**應該**要給她找個心理諮商師？」

我點頭。「泰根跟我住在一起。我要扶養她長大。我是她的法定監護人。」

「妳是嗎？」奈德顯得難以置信。

我發怒。「是的，我是。那又怎樣？」他伸出手，平靜地把手放到我額頭上。「我沒有什麼意思，只是，我們兩個都決定不要小孩，現在妳是她的法定監護人，出乎我意料。」

「她沒有別人了。我是她的教母，不管我的人生會變成什麼樣子，我都要負起扶養她的責任。我一直當她是個珍貴的寶貝，而她沒有別人可以依靠。」

「妳是個比我想像的還要好的人。妳就是要告訴我這個嗎？」

我搖頭。「是關於泰根的父親。」

他詫異地斜挑眉毛。「她父親？他在嗎？妳發現他是誰了？」

我點頭。

「他要介入泰根的人生嗎？」

「我不知道，我還沒告訴他。我不知道該怎麼說才好。我不知道他會如何反應。」

「我想，可能不太樂觀。」奈德沉思了一下。「妳要我跟妳一起去嗎？妳就是想要求我陪妳去嗎？我會的。那是我起碼辦得到的事。為妳和為……為黛爾。」

「喔，我的老天，奈森尼爾，你什麼時候變得這麼遲鈍？」我厲聲說。

「我不明白……。」

「奈德，是你。你是泰根的父親。」

第三十二章

泰根的臉在熟睡中動了一下。她的嘴唇微微張開，她的頭髮藏在粉紅色絲質頭巾下。我喜歡看著她的睡相。有時候，在我半夜起來上廁所後，我會進她的房間，看著她深金色的睫毛在眼睛下面柔軟的白皙肌膚上顫動，她作夢的時候，瞳孔在眼皮下快速移動。那是我現在照顧著她所擁有的一種特權。我可以在她睡覺的時候好奇地一直守在她床邊。舒心地感受她多麼美麗，她看起來多麼，安寧，她長得多好。

我喉頭梗塞地轉頭，當她睡著的時候，她看起來像奈德。醒著時她是迷你的黛爾，在靜止狀態中她猶如戴著她爸爸的臉。

凌晨四點了，我幾分鐘前才進入公寓，躡手躡腳直接去看泰根是否安好。她當然無恙。我吸回即將滴下的鼻涕，在外頭吹了太久的冷風害我感冒。不過，不只是因為那樣。最近我不斷被衝突與困惑的情緒衝擊，淚水不時威脅著要潰堤。我伸手進口袋要拿衛生紙，手指頭輕觸到袋裡我的褲襪，那是我從奈德的住處要搭計程車之前匆忙間塞進去的。我想到他在跟我吻別時臉上勇敢的微笑，新的一波熱淚溢滿我的眼睛。*我該怎麼向路克解釋這所有的一切？*

奈德凝視著我，他在聽到我說「你是泰根的爸爸」那一剎那，表情便凍住了。他清澈的眼睛探索我的眼睛，好似要等我收回我的話。空氣沒自他鼻子或嘴巴進出，所以我知道他沒在呼吸。

突然間，他的上半身搖晃了一下，他大口大口地呼吸，那像是一個男人突然被丟進浩瀚的為人父母之海裡，楞了好一會兒才掙扎出海面。

「啥……嗄……？」他錯愕得結結巴巴。

「奈德。」我伸手去碰他，但他扭開身體。

「妳告訴我什麼？」他說。「妳在說什麼？」

「奈德，是真的。你是她爸爸。」

奈德起身離開公園的長椅，文風不動地站著，手插進頭髮中，然後又坐下。他的手，他不久前才挑逗性地解開我外套的手伸向他的臉。他用手掌揉揉臉頰，然後掩住眼睛。

「不要孩子。」奈德說。「我們一直都同意不要生小孩。而妳現在告訴我什麼？我竟然有個孩子？」

我點頭。

「妳錯了。一定有哪裡出錯。」

我搖頭。

「一定錯了。我不會是她爸爸。不可能。」

「你跟黛爾上床的時候，你有避孕嗎？」我問。

奈德愁眉苦臉地閉上眼睛，羞愧地搖頭。

「那麼，就有可能。」我回答，我的聲音清脆冰冷。

「可是她一向都說，是她在工作上認識的已婚男人。一個跟她只是一夜情的男人，他不能愛

她……。」奈德的聲音淡掉，好似他頓悟，她所說的相當程度是在描述他。即使說是工作上認識的也沒錯，在我認識他之前，他們兩個曾有幾次在媒體的派對上相遇過。

「你不曾想過，她在你跟她上床後九個月生下一個寶寶嗎？」

「沒有。我怎麼會去想？她從來沒讓我知道。甚至從來沒有給我一點點暗示，」他又用手掩臉。「妳知道多久了？」他終於自他的手指後面問。

我低下頭，專注地看我的手，它冰冷不動地放在我的腿上。

「多久？」奈德增大音量再問一次，我更加膽怯，等待他爆炸。

「原來那就是妳離開的原因。」他說。「我一直都不瞭解妳為什麼不肯跟我談，妳為什麼不讓我解釋。妳發現了，可是妳該死的不告訴我，妳只是……搞什麼鬼！」他又離開長椅。

「黛爾不想讓你知道。」我說。

他旋轉身面對我。「黛爾不想讓我知道，而妳同意？」

「她是泰根的媽媽。她不想讓泰根的人生陷入混亂。她說別告訴你。」

「而妳竟然同意？」他吼叫：「**妳在說什麼？妳是要跟我結婚，不是跟她，是我！妳應該告訴我！**」

我也離座，快走到他面前，直到我們的身體生氣地撞在一起。「**你難道有告訴我，你跟我最好的朋友發生關係嗎？**」我吼回去。

他盯著我看，他的上唇彎成譏諷的冷笑，嘶聲叫嚷：「滾開。」然後他大步走開，他的身影很快地被暗夜吞噬。

我的直覺是讓他去吧，他需要時間來消化這件事。而且，沒有人像那樣兇過我。他以前也沒有過。接著，理智回來了：我獨自一個人在幽暗的公園裡，周遭只有樹木和籬笆，在那些陰影後面可能潛伏著攻擊者，或甚至是想箝制我，奪走我的孩子的社工人員。我向我的前未婚夫追去。

我沒花多久就追上他，他在小徑上大步走著，每一步都顯得憤怒、堅決。「奈德，」我叫道。「請你停步！拜託！」

在我們分手後的這些年裡奈德改變了，他居然沒有停步。他大我幾歲，脾氣溫和，他以前通常寧可把事情講開來，也不會暴怒地走開。他覺得我們如果不馬上把事情談開，我們的問題會更加嚴重。顯然，他那個想法改變了。

「奈德，」我又大聲叫。是我的想像還是他……？是的，他真的那樣，他在加快腳步。「奈德！讓我們……。」我的話因為鞋跟在一片冰上滑了一下而中斷，我的腳頓時失去控制，導致我整個人突然摔到地上。

我狼狽地坐在濕地上，寒意立即滲進我的衣服。幾秒鐘後我移動腳，拉動左腳踝，用雙手支起它。雖然我是左腳滑倒，但右膝先撞到地上，痛得令我眼眶蓄水。我黑色尼龍褲襪的膝蓋處已經磨破了，沾著摩擦到冰冷的地致使膝蓋破皮的血。我的腳像撕裂了那麼痛，更多淚水湧出眼眶。在正常的狀況下，我不是個愛哭的人，即使非常痛苦我也不容易哭，但我的人生現在豈是在正常的狀況下？在過去的六個月裡，我的人生可有正常的時候？

這真是一個精神受到創傷的夜晚，劇情完美的結局：我困在公園裡沒辦法回家。該送我回家的人憎恨我，已經怒沖沖地走了。而我小摔了一下就痛得不得了。

我讓荒謬的情況持續了幾分鐘，讓我自己陷入自憐中，然後才接受我必須打電話給路克，請他來接我的事實。我拿起黑色皮包，翻找出手機。就在我拿出手機時，一張圖畫掉到地上。那是上個禮拜二的早上，泰根在等我帶她去上學時畫的。畫中是一間房子，天空中有一個黃色的太陽，花園裡有紅色的花。在窗下，形影近似我和她的畫中人在揮手道別。我對那張畫印象深刻，她畫出我的髮型，後面比較長，前面比較短，額頭有瀏海，畫得幾近完美。她畫她自己紮著兩股黃色的頭髮，我們兩個都穿著紅色的衣服。我們走路去學校時，泰根把那張圖給我，說：「妳可以放在妳上班的地方。」那是她在我離開她時，表示她的人生仍然和我連結的方式。她對叫做「上班」的東西著迷。她很想知道當她看不到我的時候，我到底在做什麼。我去接她回家時，她常常問我今天上班時好不好玩，問我跟什麼人講話，我這一天做了什麼，我打了幾個電話，發了幾封電子郵件。那是她處心積慮想探知的世界。

我把那張圖畫收回皮包，再拿起手機。我按下快捷鍵尋找家裡的電話號碼，在我按下撥號鍵之前頓了一下。路克當然會應我的要求來接我，可是，他勢必會吵醒泰根，把她抱進車裡，載她一起來。

「妳還好嗎？」奈德在我面前停步問。

我低垂著頭，不讓他看到我眼中的淚。我點了點頭，不想讓他知道我在哭，不只是因為我受傷，也因為他令我沮喪。我放下手機，讓他扶我站起來。我一手搭著奈德，踉蹌到附近的一條長凳上。長凳和地上一樣罩著一層霜。我們沉默地坐在長凳上，直到他移過來靠近我。他的手指握住我的小腿，溫柔地把我的腿放到他大腿上。他捲高我的衣服下襬，凝視著我磨破的膝蓋和腫脹

的腳踝。

「看看妳。」他含著歉意嘆氣。

「我寧可不看，如果那對你來說都一樣的話。」我偷偷地抹淚。

他從口袋裡掏出一條手帕。「別擔心，這是乾淨的。」他說著擦掉我傷口上的血與塵土。

我們安靜地坐著：我凝望著暗夜中公園起伏的坡地，和樹尖穿破黑色的天空；他照料著我的膝蓋。

「她也是我的朋友。」他平靜地說，他的聲音承載著哀愁。「她是我的好朋友之一，但她走了竟沒有人告訴我。我是在商業雜誌上看到的。她曾在我們的生活中占著很重要的地位，在我的人生中亦然，結果她死了。」他打住話，輕拍我的膝蓋旁邊。「妳為什麼不告訴我？」他盯著我看，迫使我抬頭看他。「妳那麼恨我嗎？」

「奈德，我不恨你。我沒有去多想。我在她死後要度過每一天都已經夠難了，有好多事情我都沒想到。告訴你只是其中之一。所有的事情都發生得那麼突然。我知道她罹患絕症，可是沒想到她真的會死。她告訴我她快死了，可是我並沒有完全相信。我以為至少還能拖上一段時間。」

奈德點頭。「我對她說過的最後幾句話是：她毀了我的人生，只要她還活著我就恨她。我怎麼也沒想到，她會那麼年輕就死了。」奈德閉上眼睛。「妳走了後，我打電話給她，問她為什麼要告訴妳。她說是無意中說漏嘴，我不肯聽。我對她咆哮。對她狂吼，吼說她是個嫉妒的賤人，吼說我恨她，吼說她毀了我們每一個人的人生。」他搖搖頭，仍然閉著眼睛。「她是我認識的人裡面第一個去世的。連我的祖父母都還活著。我……。」他的聲音因為情緒激動而破碎。我握住

他的手。他的手指包住我的手，緊緊握住。「我要妳知道，那不是事先計畫好的。」

我抬臉仰望夜空，冷風刮過我的臉龐，寒氣刺進我的肌膚。「奈德，我不想談那件事。」我面向他低下頭，他的手指愈發握緊我的手。「我每次想到那件事就覺得噁心。我剛搬到這裡時，每次想到你和黛爾……，我就會嘔吐，到現在有時候還會。我偶爾看著泰根，想到她其實是怎麼來的，她的存在意味著什麼，我就必須把頭轉開，因為我非常受不了她誕生的起因。我不是受不了她，我愛她，我是受不了那件事。它深深傷害了我。我不是指它讓我以淚洗面，並沒有，但它扯破我的內心……，我沒辦法談它。我以為我可以了，但我還是不能，所以，現在不要再談那件事了，好嗎？」

「那妳為什麼要告訴我泰根的事？」

「因為你理應知道。」

「妳可以在電話裡告訴我。」

「不，我不能。而且，還有別的事。」

「什麼事？」

「我……我必須跟你說一些事情。黛爾要我領養泰根，我正在辦手續。可是，如果被領養人的父母之一還活著，而你知道他在哪裡的話，那麼未來的養父母必須取得親生父母的同意。我需要你簽字，把你身為泰根家長的權利讓渡給我，讓我能領養她。」

奈德搖頭。「我剛發現自己有個孩子，妳就要求我棄養她？」

「你不想要孩子，大約五分鐘前你才說過。」

「妳也不想要孩子，可是妳正在養孩子。」

「我必須養她。我是泰根的人生中除了她媽媽外最親近的人，你知道的。可是你沒有養她的必要。你可以只是……。」

「先別說了，」奈德打斷我的話。「我們不能在這裡談這個。天氣很冷，我們又已經很累。我們必須好好討論這件事。妳也得把膝蓋的傷口清乾淨，把腳踝包紮起來。」

「好，看看我們能不能在街上招到計程車。」奈德傾身向前，他的手按到我臉上，直勒勒地看進我的眼睛。「跟我回家，」他說。「拜託。」

「玲媽咪。」泰根拉我的手臂，她的聲音堅決地要吵醒我。

我還沒張開眼睛就想哭。我睡著沒多久，現在從熟睡的甜夢中被吵醒。

「玲媽咪。」泰根再次叫。

「嗯？」我漫應。

「妳為什麼穿這樣？妳又穿著白天的衣服睡著了嗎？」

我呻吟。我又做到一半睡著了嗎？那真是蠢斃了，尤其我已經數年沒有和奈德發生關係。奈德！我的眼睛猛地睜開，發現我看到的不是我臥室的窗子，而是電視和紅色的豆椅，因為我的身體弓在沙發上。

昨夜的畫面在我心裡閃過：去奈德家；他清理我的膝蓋，幫我貼上一片大ＯＫ繃；他在我沒

有糟糕到需要繃帶包紮的腳踝，噴上可以緩解肌肉痛的噴劑，然後用他堅實的手指按摩我的腳踝；我們比肩而坐喝茶，看電視但沒有談話；他幫我叫計程車。我還記得他試著要我留下來過夜，說到了早上他比較沒這麼累時，會開車載我回家。但我堅持要回家，那樣對我們兩個都比較好。當我回到家，我看過泰根後，站在走廊上，猶豫不決是否該爬上床去和路克一起睡。我上床的話會吵醒他，我們要不是會談話就是會做愛，那兩個選項都不吸引我。結果我爬上沙發，用外套當毯子蓋，很快就睡著了。

路克在爐前烹飪，從味道聞起來，他應該是在煎培根和蛋。從他的站姿、高大身軀的僵硬程度、他的背完美地打得筆直、他避免直視著我，總總跡象看起來，某些事情也正在煎烤著。

「看，妳穿著衣服睡覺。」泰根再次說。

「喔，是啊。」我心不在焉地說。

「別吵玲，」路克對泰根說。「她一定很累。來坐下，吃妳的早餐。」

即使路克叫泰根飛到月球去，她也會照辦。她馬上跳到他身邊，接過他準備的一盤食物。

「妳何不上床去睡一會兒？」路克忙著把蛋和培根盛給他自己時，一邊對我說。「我會在一個鐘頭內送杯茶和早餐去給妳。」他還是不肯看我。我站起來，我必須跟他把事情講清楚，他必須瞭解我沒有對他不忠。

「妳的橘黃色衣服皺巴巴了。」泰根批評道。

「是的，都皺了。」我往下看路克送的這件紅色和橙色絲質禮物。「我必須把它燙平。」

「對，要燙平。」泰根告誡我。

路克的眼睛不由自主地放膽瞟向我，將我穿著一身皺衣服的模樣看進眼底，然後當他看到我的褲襪露出我的外套口袋時，痛苦地畏縮一下，被刺痛似地轉開眼睛。我知道他在想，我的褲襪為什麼會在外套口袋裡，那意味著什麼？「去，上床去。」路克命令。「我會端培根三明治給妳，我知道妳要番茄醬抹在吐司上，不要抹在培根上。」

「謝謝。」我喃喃道。要向他保證讓他放心的時機已經過去。我可能找不到另一個時機，他可能繼續相信我對他不忠。

「吐司（Toast）是個T！」泰根看到她盤子裡的東西時高興地尖叫。

「是的，是個T，表示該是妳吃早餐的時間（Time）。」

「不對！」泰根咯咯笑。「是泰根（Tegan）的T！」

「或許，」路克回以笑聲，「可是我想的是，該是妳吃早餐的時間。」

我溜上床時想：他有時候與她處得比我還要好。

我又醒來時是被溫柔地搖醒。我張開眼睛看到路克坐在床的邊緣。床頭櫃上有一杯茶和一個上面放了烤過的培根三明治的盤子。我只睡了一個小時嗎？感覺好像好幾天了。

「我想我最好在離開之前叫醒妳。」路克避開我的眼睛說。

「離開？」我打了個呵欠，坐起來。

「是的，我有事情要做。泰根在她房間裡，她現在很好。可是我想我最好在離開前把她交給

妳，因為妳知道她可能變得多頑皮。」

「你有什麼事情必須做？」我問。

「只不過是工作，我要回我的公寓，晚一點會再跟你們見面。」路克要自床上起身，可是我伸手抓住他的手臂，把他拉回去。

「怎麼回事？」

他重重地坐到床上，終於將目光落到我臉上。「妳告訴我是怎麼回事。」

我沒說話，不確定該說什麼。他想知道多少？我確定不會是全部。我到底該如何解釋？他不知道我跟奈德的關係有多複雜。透納先生不只是一個前男友，或甚至是我唯一動情過的前男友，他是……奈德，如此地簡單又複雜。

「玲，」他打破我良久的沉默說，「坦白說，我不知道該怎麼處理這個情況。我以前從來沒有遇過這種狀況。妳知道我對妳和泰根的感覺，妳們已經融入我的人生。可是他是她的親生父親，你們兩個之間顯然還有一些牽繫。」

「沒有！」我抗議。

「沒有？那為什麼妳的眼睛不敢看我超過兩秒鐘？昨晚妳為什麼不上床睡覺？為什麼妳走路的樣子那麼奇怪？我希望妳沒跟他發生關係，可是妳如果跟他發生了，我也不會驚訝，因為我知道妳還愛著他。」

「我告訴過你，我不愛他了。」

路克無視於我的糾正。「我無法應付這個情況。我最好還是走，等我比較不生氣的時候我們

再來談。是的，就是這樣，那就是我的感覺，我在生氣。不公平。」他頓一下。「我現在不想再說什麼。不想在泰根在的時候談，不想在我還沒有想清楚的時候談。」

「好。」我含糊的說。我沒有通過考驗，他對我的堅貞起疑。

他沒有走，反倒坐得穩穩的，眼睛盯著門問，「妳有沒有跟他發生關係？」

「沒有。」我回答。有的人會認為被問這個問題是被冒犯了，但是如果我位於他的處境我會問。那不是缺少信任，而是有必要知道。悶著不問會逼得人發瘋，懷疑是否……？他們會不會……？他們有沒有……？那也是告訴那個人，你信任他的方式。信任他會告訴你實話。「路克，我甚至沒吻他。」

「妳想跟他睡嗎？」他問，然後呈備戰狀態。

我毫不遲疑地回答：「不想。」

「真的？」

「真的。我告訴他關於泰根的事，我們在街上吵架，然後我跌倒，跌傷我的腳，那就是我為什麼有一點跛腳，不是因為縱慾過度。我去他的住處清理傷口，如此而已，沒有發生什麼事。然後我叫計程車回家。我沒有上床跟你睡是因為我回到家已經是凌晨四點，我不想吵你睡覺。就是這樣。事情的經過就是這樣。」

「他要簽名嗎？」

「我不知道。我告訴他後，他嚇壞了，他一時無法處理任何事。」

「妳說妳不想跟他睡是真的嗎？」

「當然是真的。」

「好了，好了，過去一點。」他說完躺到我身邊。我伸出雙臂擁抱他，窩進他堅實的胸懷裡，我的臉擱在他背上，我閉上眼睛，讓自己墜入夢鄉。

我說的是實情。我不想和奈德睡覺。一點都不想。我想親吻他，想擁抱他，想跟他發生關係。事後，我想看著他的睡相，看著他在夢境裡漂浮，可是我絕對不想跟他一起睡，因為我不會睡著。

我不能那麼對路克說。路克不會瞭解，昨晚對我而言猶如踏進回憶中，猶如穿回一件我從來沒機會丟棄的凱梅玲的舊衣服。黛爾向我承認後的種種事件，奪去了我原本圓滿的生活和我喜歡的個性。我愛和奈德兩情相悅時的我。昨晚我對奈德的所有感覺，都是基於懷念。懷念那段時間我和一個我很喜歡的男人密意綢繆，那時的我體會到，被人愛戀著、關心著的幸福。也是由於見到奈德，讓我想起那段美好的日子，我最要好的朋友還活著，我的泰根沒因為被虐待而出現傷疤，她也還沒有喪親。昨晚我想要奈德，和渴望另一個男人而對不起路克是兩回事；我真正想要的是另一個我，但那會對不起這一個我。我想要回到那一段時光，情願犧牲這一段時光去換得。

路克不會瞭解那些。他如果對我說關於他前未婚妻妮可同樣的事，我也不會瞭解。不管他多誠實，我都會認為那是不忠。總之，我不會再見到奈德了，我要把文件寄給他，就那樣結束。所以我昨晚的感覺不重要，現在才重要。

第三十三章

叩！叩！叩！

我瞄向公寓大門，納悶是誰在敲門。路克跟泰根出去了，他有我家的鑰匙，而我辦公室的同事——應付不來小孩子的貝西，因為怕遇到泰根而不再來我家。其他沒先打電話就來訪的客人名單幾乎是空的。

自從我家也成了泰根的家後，我在門上加裝以保安全的鏈條。我先把鏈條掛上，才小心的將門打開一條縫往外瞧。

奈德。

從上次我們一起吃晚餐後，這個禮拜我沒有接到他的電話，也沒有見到他。我告訴自己我改天會把文件寄給他簽名，但改天一直還沒出現。我關上門，用顫抖的手指打開安全鏈條，再打開門。「你來這裡做什麼？」我問，我的聲音和我的手一樣抖。

「我想見妳。」

「你不能像這樣突然就出現。」

「我可以，因為我已經來了。」他回答。

「你怎麼知道我住在這裡？」

「我聽到妳告訴計程車司機妳的地址。」他輕拍他的太陽穴。「我記性很好。」

「你來做什麼？」我的聲音染上敵意和恐懼。情況不妙。路克會找理由狠狠修理奈德，把他

揍扁。而曾經和我交往六年的奈德，勢必會嫉妒現在和我約會的路克，他會歡迎有機會用拳頭拚個高下。

「就像我說的，我想見妳，也想見泰根。」

我害怕得身體縮緊。「什麼？為什麼？」

「她是……我們必須站在門口講話嗎？」

「喔，不必。」我退到旁邊讓他進門，領他進與廚房相連的客廳。

奈德穿著藍色牛仔褲和黑色翻領毛衣，他沒有坐下，反而打量我住的地方，他的目光掠過書架和奶油色的沙發。過去幾個月來沙發增添了許多顏色的汙漬。他的目光繼續掃描電視旁邊的紅色豆椅，沿著紅色地毯過去是小餐桌椅，那裡是廚房與客廳的分界。他觀看白色廚房流理台，台面是木紋面板，上面還有用過早餐和午餐後的杯盤，我準備等我能把疲憊的身體拖離沙發時就要去洗。

「她在哪裡？」奈德縮短我們兩個之間的距離，我因此必須仰頭看他六呎二吋高身材的臉。

「她……，路克帶她去公園餵鴨子，或者該說是她帶路克去。她昨天晚上決定，她不去餵的話，那些鴨子會餓死。她不停地那麼說，直到我們同意等她上完空手道課後帶她去。為了逃避洗盤子，路克自願帶她去。」

我前未婚夫的臉因為憤怒而扭曲。「他經常帶她出去，是不是？」他低吼。我從來沒聽過他用那麼低沉兇惡的聲調吼叫，有點嚇到我。「他真是個喜歡家庭生活的男人，是不是？」

「奈德，別這樣，拜託。」我觸摸他手臂。「這不像你。」

他整個身體放鬆下來，長長地吐一口氣。「這樣的確不像我。」他搖搖頭。「我現在心裡很亂，大部分時候我不知道自己在做什麼，或我有什麼感覺。」他離開我去坐到沙發上，我坐到他旁邊。

「你來這裡做什麼？」我再次問。

「我沒有說謊。我想見泰根。」

我又恐慌了。「你為什麼要見她？」

「不管她是怎麼來的，她是我女兒。我必須對她負起責任。」

喔，不。不。不。我雖然可能不是一開始就想要她，可是那並不意味著我現在沒有她還能活著。她是我和黛爾之間唯一的連結。我答應要照顧她，領養她。而且我愛她，需要她。萬一奈德愛上她，也想要她呢？

「為什麼？你不想要小孩，卻想取得她的監護權嗎？」

奈德嚇得往後縮，他的表情像被擊中要害。「老天，不是！」

「那你為什麼要見她？」

「凱梅玲，她是我女兒。」

「可是你不想要小孩。」

「那是假設性的問題，不是嗎？現在我有個孩子了，我必須處理這個現實問題。」

「如果你不想要她的監護權，你為什麼想見她？」

「如果在放棄她的監護權之前，我甚至不想認識她，那我是什麼樣的人啊？」

「你不瞭解，如果你還在跟她聯絡，他們會不讓我領養她。他們會認為你有能力照顧她，那我就不會被允許合法的領養她。」

他看了我幾秒鐘，研究我的表情。「妳希望我簽讓監護權給妳，然後從此走開，完全不當一回事嗎？」

他那麼說，使得我對他的要求聽起來很冷酷無情，他不是那樣的人。「不，當然不……，我不知道。」

「凱……，**玲**，我們甚至還沒開始談我們之間的事，除非我們好好地談，否則我不走。」

他的想法令我恐懼。他是個陌生人，從他在我發現他幹了什麼醜事那天起就變成了陌生人。他不是我的磐石奈德，他是會偷腥的臭男人。雖然我不知道他為什麼會做那種事，可是我懷疑我可能知道。我的懷疑日以繼夜地困擾著我，它折磨著我，就像我不讓黛爾說出她在死前想說的話那樣困擾我。它是我心裡頭這些內疚和失落的創傷的一部分。我不想要那些懷疑得到證實。我不想要這些創傷變成我人格上的永久附著物。

「這不是關於我們，是關於泰根。」我說。「我必須讓她安心，像她媽咪讓她安心那樣，而且我必須辦領養她的手續。」

「妳沒有想過我們復合，一起扶養泰根，當她父母的可能性嗎？妳沒想過我們組成一個家庭的可能性嗎？」

恐懼像一記重拳，把空氣猛擊出我的身體。我轉開頭，抱著我的胃。

「凱？」

「不要把她搶走。」我哀求。「她是我僅有的。請你不要把她搶走。」

他展臂摟著我。「我為什麼要把她搶走？」他問。「我只是說，如果我們能走另一條路，我們可能組成一個家庭。」

「意思是你不肯簽字，除非我答應你？」我回答。

「我沒有那麼說。我無意要讓它聽起來像我在給妳施加壓力。我不會……，永遠不會。我只是希望我們能好好談。那天晚上我們沒有好好談，不是嗎？我們必須釐清一些事情。」

我搖頭。「我不要。」

「我們不能像現在這樣把事情丟著。」奈德的手指伸進我的頭髮，他的每一次揉撫都彷彿將舒服灌進我的血管。他知道他那麼做能使我平靜下來，有時候甚至能使我入睡。他知道我最喜歡他做的兩件事是，按摩我的頭和親吻我的脖子。奈德知道我的罩門，路克不知道。「我想做些對的事情來挽回我們的關係。雖然我沒料到會有這種事，我還是要接受這個新的責任，妳的錢夠用嗎？我應該開始為她負擔。」

這不是我想聽的。我不需要他對泰根感興趣，因為他如果出現，社工人員不會讓我領養泰根。不過，這就像是奈德的作風：正直高尚。他是個好人。

「我一個月可以設法為她付兩百五十鎊。這樣可以嗎？」

我又皺眉。那筆錢會像是天上掉下來的禮物。雖然路克試著要幫忙，但我抗拒他幫泰根付帳，她是我的責任，不是他的責任，我不想倚賴任何可能到了某些時候就消失的支柱。我不是罔顧現實的夢幻派，我和路克可能不會永遠在一起。

奈德溜下沙發，跪到我面前，擁抱我。「那樣夠嗎？或許我該從我的存款匯給妳一筆錢，然後再每個月給妳兩百五十英鎊。三千英鎊好嗎？別擔心，我不會要回來的，那是無條件的匯款。不管我們之間將來怎樣，我的承諾還是有效。我會為她設立一個帳戶，由妳照顧直到她十八歲，我看看等到她大一點，我是否能給她更多錢。事實上，等她大一點我必須多匯點錢給她，勢必如此，不是嗎？」

「奈德，我……，謝謝你。」

他捧起我的臉，看入我的眼睛，用他的兩個拇指抹掉我的淚。「玲……，」他開始說話，但因為聽到轉動鑰匙的聲音而停住。我們兩個都直覺地跳起來，面對門口。我很快抹去流出眼眶的淚水。

「我們回來了！」泰根在她和路克進門後朗聲叫著進客廳。泰根身上包裹著紅色厚外套，頭戴黑色毛帽，脖子上圍著黑色羊毛圍巾，手戴黑色連指手套。當她看到我身邊高大的白人男子，楞在客廳的門口。在她兩步之後的路克也突然停步。

「妳玩得高興嗎？」我用力吸掉其他的眼淚問。

「高興。」泰根展開笑顏，她好奇的藍眸從我身上轉向奈德。「他是誰？」她問，沒耐心等我介紹。

「這位是奈德。我告訴過妳他是我的一個老朋友，記得嗎？」

「你的衣服很漂亮。」她對奈德說。

奈德扮滑稽相皺眉。「沒有吧，我見過我這個時代的一些漂亮衣服，可是我連一件都沒穿

過。我保證。」

泰根咯咯笑，退一步把身體抵著路克的大腿，需要他給她熟悉的安全感。「你沒有！」她吃吃笑。「玲媽咪有件很漂亮的衣服，因為她要結婚。」她抬起戴著連指手套的手，指向奈德。「跟你。」

屋裡的其他人都震驚得快站不穩了；每個大人都吃驚得搖晃，目瞪口呆。事實上我和奈德曾經訂婚，要不是泰根說出來，我們都不會提起那件事。

「沒錯。」我第一個恢復過來。「我不知道妳還記得。」

泰根笑得露齒。「我記得。」她抬頭看路克，尋求他的讚美。

路克對她微笑，然後蹲下來，手伸向她的腳。「妳是個聰明的女孩。」他說著幫她解開運動鞋的鞋帶，把鞋子脫下來。

當他站起來，路克以質疑的目光瞪著我看。「路克，這位是奈德。奈德，這位是我的男朋友，路克。」我介紹道。奈德從沙發那裡走過去向路克伸出手。路克不情願地與他握手。

「很高興認識你。」奈德說。

「是啊。」路克回答。我很熟悉他這種表情和語調，我們剛認識的時候他就是這副死相。

「你是玲媽咪的男朋友嗎？」泰根問，她唯恐還沒鬧得我們人仰馬翻。

「我很久以前是的。」奈德回答。「可是現在不是了，現在路克才是。」

泰根似乎對這個答案很滿意，她皺皺鼻子和嘴巴，點頭同意。路克好像很想打奈德幾拳，沒特別的原因，就是看他不爽。

「我們去餵鴨子，路克，是不是？」泰根說。

「是，我們餵飽鴨子了。」路克說。

奈德的注意力完全放在泰根身上，他的表情變得和藹，臉上浮現一抹有點感傷的微笑。

「喔，哇唷，」奈德說。「鴨子是什麼顏色？」

「鴨子的顏色。」泰根咭咭笑。

「喔，牠們是鮮黃色的嗎？」

「不是！」泰根大聲叫。

「我的浴室裡的鴨子是鮮黃色的。」

奈德能跟小孩子聊天的能力是哪裡來的？以前他陪我當泰根的臨時保母，我去上廁所時要他看著泰根一下，他都盡可能離她遠一點。

「我看到的鴨子只有繞著脖子那圈有點黃色，牠們大部分是棕色、綠色和紫色。路克說牠們冬天會飛走。」

「對，我該走了。」奈德說。

奈德的目光從泰根身上移向路克，不安的目光短暫地與路克接觸一下，然後他走向我。「我該走了。今天晚上有工作要做。」他傾身向前，溫暖的唇瓣貼上我臉頰。我在被他觸及時心跳加快。「再見。」他對我說。「路克。」他伸出手，路克與他握手。「泰根。」他彎身到泰根的高度。「很高興能再次見到妳。我很快就會再跟妳見面，好嗎？」他向她伸出手，她握住，小臉上洋溢著被人家當作大人看待的喜悅。

路克咬牙切齒地，在奈德走向門口經過他時，好像即將摑他一巴掌。我屏住呼吸，害怕目露兇光的他會隨性做出粗暴的行為，幸好他退開一步。在奈德將門自他背後關上，門自動上鎖的卡嗒聲後，奈德離開這一幕終於結束。

「他人很好。」泰根說，她走進客廳跳上沙發。她還穿著外套、圍巾、帽子和手套。「可是還沒有路克那麼好。」她用力拉下一只手套，拿起遙控器，轉台尋找電視頻道，有客來訪的興奮感結束了，她對現在這個真實世界變得不感興趣。

路克的目光飄離我移向走廊，他同時扭轉頭向我示意。我跟隨他進我的房間，他將門在我身後關上。

「我不喜歡他來這裡。」路克嘶聲說。

「我沒有要他來，他不請自來。」

「是嗎？」

「不是，路克，我是等到你出去，沒說什麼時候要回來，趕快召他來這裡跟我上床。」

「我不喜歡他來這裡。」他重複說。

「這是我的公寓。」

「他有沒有企圖勾引妳？」

「你終於直接了當地問了。沒有，他沒有，即使他有，也起不了什麼作用，因為我是你的女朋友。」

「他來做什麼？」

「看泰根。」

他畏怯地問：「他要她？」他的聲音聽起來和我剛才一樣恐慌。

「我不知道。那就是當你進來的時候我在哭的原因。你沒有注意到嗎？我們不是在卿卿我我。事實上，我害怕極了，因為他想要負起養育她的責任，而那可能在我的領養中請書上被解讀成各種意思。」

「可惡。」路克坐到床上。

「我從來沒看過他像剛才那樣逗小孩，泰根小一點的時候他連一次都沒逗過她。可是我以前也從來沒看過他逗他女兒。我好怕，路克。」我坐到他旁邊，他伸出手臂攬著我。「我怕他會愛上泰根，然後他就會想要她，那我將失去她，令黛爾失望。」我拿手掌按到我的額頭上。「我好怕，路克。」

「不會有事的。」他很沒說服力地說。「我保證，一切都會順利。」

他不瞭解，我不是只怕失去泰根，我也怕奈德。看到他和泰根在一起，他努力對她施展魅力，使得我懷疑我們組成一個家庭是否可行：我，奈德，和泰根。我害怕是因為，我第一次懷疑路克在我們的人生中的位置。

第三十四章

下班後的人潮，人們自辦公室、商店、火車站和其他工作地點，湧向最近的酒吧，我通常也是其中之一。我和貝西、露比，與其他幾位安琪拉的同事，經常在下班後朝一家靠近百貨公司的酒吧前進，去喝酒花費我們辛苦賺來的薪資。自從我繼承泰根以來，我下班後見到的朋友圈縮減成……路克。

朋友們很少在上班以外的時間看到我。最簡單的原因是，我不想丟下泰根自己出去玩。她可能不介意，可是我介意。當我在家，我也很少專心陪著她。我會想到我必須做的工作，或該採購什麼東西，或者邊做些洗衣服、燙衣服、打掃等家事。我的薪水現在必須養活兩個人，怎麼負擔得起？事實是，我對她的關注不夠多，可是我如果不在家，她會連得到那些許的關注都沒有。還有，想到要把泰根交給一個陌生的保母去照顧，會令我心生畏懼。我很幸運能夠有路克像今天晚上這樣充當保母，讓我幾個月來下班後在外頭喝第一杯酒。他們現在應該回到家了，可能在準備晚餐，亦是在破壞公寓的整潔。當他們煮飯時，總是努力動用所有的鍋子和所有的器皿。他們經常弄「什錦鍋」。我和黛爾上大學的時候發明出「什錦鍋」的食譜。我們幾乎把冰箱裡剩下的所有東西全丟進鍋裡煮，希望什錦鍋變得美味。有時候的確很好吃，有時候覺得滿噁心的。不過我們都樂於做那樣的嘗試。泰根和路克第一次要我做晚餐的時候，她提起她吃過的什錦鍋。我煮什錦鍋時最有可能混合洋蔥、番茄和甜玉米，事後我當然得花夜晚最精華的時間再把廚房整理乾淨。不過那還好，因為當他們在煮的時候，他們總是覺得很好玩，那才重要。

我到里茲市中心的帕拉貢酒吧，擠過站在時髦的吧台前的一堆人。我側身擠過的某些人還穿著厚外套，大部分人站著保護他們的皮包，每個人手上都拿著某種酒。我忘了這種地方有多擁擠，空氣中充滿了眾多人談話的嗡嗡聲，瀰漫著被香菸的煙霧染成的藍色氤氳。我在人群的縫隙間尋找奈德。因為奈德這天晚上來里茲和朋友聚會，我們可以短暫見個面一起喝杯酒。我看到他了，他占據角落的一張桌子，在凝視一杯喝了一半的酒。他對面的桌上是他為我叫的一杯白酒。那使得我回憶起我們以前常常在下班後如此見面。他會先到，為我買杯酒，然後我出現，為黛爾買杯酒，然後最後下班的她終於趕來。

奈德開口問的時候，我幾乎還沒嚥下滿喉的第一口我久違了的第一杯酒。「妳要告訴泰根我是她爸爸嗎？」

他的問題提醒我，我為什麼喜歡和路克在一起。路克是正常的。路克的情緒不會有太大的震盪起伏。正常通常不夠刺激，可是當你的人生不斷陷入情緒的漩渦，上一分鐘你還處於一個得稍微控制笑聲的狀況，下一分鐘你卻握緊拳頭，指甲刺進手掌，阻止你自己哭泣，你會因此覺得正常還是有很多優點。平淡是個吃香的有價之物。我和奈德已經不可能再維持那樣的關係了。我們現在一見面總是高潮迭起，十分戲劇性，像今晚這樣。

「我不知道。」我回答。我把酒杯放到桌上，我的手指追蹤桌面上有瘤結的木頭紋路。「泰根是個聰明的小女孩，她會嗅出你一再出現是為了某種原因。」從上星期六奈德突然到訪後，他已經又兩次順便到我的公寓串門子。首先，他給我為泰根設立的銀行帳戶資料。如他答應過的，那個帳戶存進了三千英鎊。兩天後的晚上，他拿那個帳戶的提款卡來。泰根謹慎地和他打交道，

在她嘗試性地問一些關於工作的問題時，以警戒的眼神瞅著他，在回答他問她關於學校的問題時，也顯得小心翼翼。路克對奈德一再來訪頗為不悅，不過他沒有抱怨，因為他迫切地希望奈德趕快在領養的文件上簽名，然後滾出我們的人生。

「我出現時妳就是那麼看我的嗎？」奈德問。「當我是某種臭味？」

「別這麼說，奈德。我只是不知道她是否準備好要知道你是她父親。」

奈德喝光啤酒，可是無意再去倒一杯。對他而言，喝一杯就是喝一杯。

「對泰根來說，『爸爸』是她人生的初期沒有的東西，而現在……。」

他仍然凝視著啤酒杯，沒有轉動眼睛看我。「繼續，說下去。」

「而現在，她當路克是『爸爸』。她從來沒叫他爸爸，但他踏進她的人生後扮演的就是那個角色。她深愛路克。」

奈德抬起頭，用他深藍色的眼睛把我盯住。他就要問我關於路克的事，他就要問我是否也情繫路克。我是否愛他。可是奈德沒有講話，他突然背靠向椅背，伸展他肌肉結實的軀體。他的唇拉成一條線，臉上沒有表情，唯一流露出情緒的，是他深深地注視著我的眼睛。我緊張地吞嚥口水，感覺我的心跳漏了兩三拍。他還能使我如此失常，真令人沮喪。很少人能像奈德這樣使得我心神不寧。「我在和別人約會。」他說。

我正拿起酒杯靠近我的嘴唇，這個意外的訊息使得酒杯意外撞到我的牙齒。我沒有料到會如此。在我心裡，我一直希望他永遠不再靠近任何女人，徒勞地希望我會回到他身邊。我放下酒杯，無法釋懷當我在難過苦惱的時候，他的人生繼續往前走。我的人生何嘗不是繼續往前走，我

有了男朋友，有了小孩。你不可能在這段時間內有更多變化了，不是嗎？「喔。」我應聲。

「我只跟她來往了幾個禮拜。」奈德透露。

他再次看到我才跟別人交往！喔，天啊。那意味著，看到我一定讓他發現，事實和想像是有差距的，我不如他以前迷戀的我那麼好。

「她是電台的製作人之一。」那麼他每天都會看到她。他們可能在煮咖啡時越過水壺調情，在吃午飯時擁吻，晚上喝過酒後上床。「她人很好，妳會喜歡她。」

「奈德，我們不要玩這種遊戲，那會讓我們兩個看起來很可悲。」我急促地說。

「好。」他同意，垂下眼瞼。

我們靜坐無語，聽圍繞在我們四周的酒客們講話形成共鳴的嗡嗡聲。我沒問奈德他前幾年忙些什麼，我假設他單身，是因為我們共進晚餐那天晚上他曾嘗試想吻我。可是在我們分開後他做了什麼？他是否到處跟別的女人上床，或有固定的女朋友？我沒有權利問。那不甘我的事。我和他見面只是為了一個理由：要他把他擁有泰根的權利簽讓給我。我不要再折磨自己，不要理會他和誰上床。「奈德，你為什麼這麼做？」我問，將我們的談話推向較安全的方向。「你為什麼對泰根這麼感興趣？」

「嗯，不是為了妳和別人直覺聯想的那種理由。」

「什麼意思？」

「我利用她來接近妳。」

「我不認為是那樣。」

「妳從來都沒那樣想過嗎？」

我垂下目光，羞愧燃燒我的臉。他當然說對了。我那樣想過，不止一次，因為奈德通常對小孩完全沒興趣。有幾次我懷疑，他是否為了想回來進入我的人生，上我的床，而趁機利用對泰根。我想過，可是我內心深處知道那不會是真的。如果是真的，就比較好處理了。那樣的奈德成了一個工於心計的混蛋，他永遠不會像路克那麼好，因為他利用自己的孩子。事實是，我知道奈德不是那樣的人。他的天性不會那樣狡詐。那就是我為什麼會被他所做的醜事傷得那麼重的原因。我無法理解，無法臆測，一向值得信任、靠得住的、令人敬佩的奈德，怎麼可能欺騙我。那不是他的作風。

「我這麼做因為她是我的責任，」奈德解答我的疑問。「妳知道我是個很有責任感的人。我甚至會負起那天晚上對黛爾的責任。她深切責怪她自己，但我也難辭其咎。我……。」奈德停止說話，可能因為我在顫抖。想到黛爾令我非常難過。我突然向哀傷傾斜，在痛苦的深淵邊緣搖搖欲墜。直到這一刻我才瞭解，今天是個壞日子，是個痛苦的日子。一個只有一點點小事也能令我粉碎的日子。像這樣的日子很少，大部分時候我會把哀傷的債放到一旁，繼續過我的人生，但像今天這樣的壞日子，即使只是想到黛爾我就癱瘓。她冰冷僵直的躺在殯儀館的模樣，擠開我所有其他的思想，我開始顫抖，我的胃感到噁心欲嘔，我的眼睛濕潤起來。

「對不起。」奈德低語。「我無意令妳難過。」

「你常常跟她談心嗎？」我努力平靜下來。

「沒有，不是那樣的。我當時正想……。」他打住話，流露出顯然被他嘴巴裡說出的話嚇到

的表情，那洩漏了我渴望知道的內幕。

「你當時正想離開我。」

「凱，玲，我們必須把當時的背景考慮進去。我當時的情緒不穩定，我的腦子亂七八糟的。我和妳是……。」

「你打算和我分手？為了黛爾？你要和黛爾在一起？」我的聲音節節升高，令我們附近的人側目，但我不在乎。她從來沒有跟我說過這個。當她要求我照顧她的孩子，他的孩子，她從來沒說奈德要跟她在一起不要我了。

「凱梅玲，停，」奈德命令道，他的聲音嚴厲幾乎不掩怒氣。「我想跟妳分手是因為妳愛上別人。難道妳忘了嗎？」

我像隻被車前的大燈照到的驚慌兔子，無法動彈，無法相信他說的話。「所以我們必須好好談清楚，」奈德溫和地說。「妳現在不想談沒關係，但我們不能在討論那件事時排除當時的背景不談。那時發生好多事，我的情緒非常低落。」

「可是……，」我才開口就明白，捫心自問，我不能否認完全沒那回事。

那是個與工作上認識的某人的愚蠢調情遊戲。他（我現在甚至想不起來他叫什麼名字，可見他根本無足輕重。）是愛丁堡分公司派來跟我們一起工作六個月的同事。我們幾乎一見如故，我們有同樣的幽默感，對很多事情的見解都一致，所以我們很快就成為談得來的朋友。我們共進午餐，下班後一起去喝酒，彼此搞曖昧，僅此而已。他回到蘇格蘭後，我們甚至不曾再聯絡。那根本毫無意義，我不知道奈德曾注意到我有那一段。我不知道他怎麼會知道我對別人有感覺。「我

沒有做什麼。」我再次向他保證。「我從來沒有對你不忠。」

「我知道妳沒有。」奈德回答。「那不是問題的關鍵。我以為我將失去妳，我想趁早忍痛離開妳。黛爾勸我不要那麼做。」

什麼？用跟你上床的方式勸你？

「我知道妳在想什麼，不是，她不是用跟我上床的方式勸我。她說了一些簡單但真實的事情。那使得我決定繼續試著和妳在一起，不要放棄。她一直很聰明，我應該用過去式說，她以前很聰明，我老是忘記她已經走了。忘記她……。」

死。那個冰冷沉重的字眼是如此的冷酷致極。「過世」、「走了」等，是改變說法的字眼。它們的意思都是她不在這裡了，她不光只是停止活著，不光只是生命結束，還變成「死」。

「我也常忘記。不是在家的時候忘記，可是你知道的，在工作和其他時候。我會好像正常地繼續過日子，然後有時接到泰根的電話，我會想起來，我會想喊停。有時候日子正常的過下去好像不對。歡笑、享受似乎都有罪惡感。我還能工作但她不能了。我不知道該怎麼形容，我再也不能跟她講話了。你不會瞭解永遠有多長，除非你不能再做某件事了。尤其那……。」我應該加一句：那是我的錯。因為我不跟她講話，引起那麼多頭痛的問題。我的願望成真了，再也不必跟她講話。

當我將她從我的人生切除，我理應有權如此。她傷害我，我無法再跟她講話。不過，我知道黛爾沒有別人可以依靠。我有家人，即使我令他們失望，他們也會傻傻地愛我、支持我。可是黛爾沒有。我奪走她信賴的一個人。黛爾的最後幾個月是空虛孤獨的，不該那樣。那是我的錯。

奈德的臉上也滿是苦惱。「我必須告訴妳某件事……，」他沉痛地說。他傾身向前坐，手肘抵在桌上，雙手短暫地掩了一下臉。「黛爾在她過世前六個月發簡訊給我，要求我去看她。結果我沒去，我已經離開倫敦，在這裡安頓下來，即使我還住在倫敦，在妳離開後我也不會去見她。她那時也打過電話給我，我不接。後來她用不會顯示號碼的電話打給我。她要求我是否能照顧泰根一陣子，因為她必須住院。她說泰根會願意跟我住，因為她認識我，她沒有別人可以託付泰根。她哀求我，而我不答應。」他頓住話，嚥下滿口的激動。「我說我絕對不可能幫她做任何事情，尤其是照顧她的孩子。即使在當時，我聽到我自己講那種話也覺得太可怕，但是我阻止不了自己。我就是阻止不了自己。她一直說她很抱歉，我如果能給她一個機會，她會補償我，她只需要我幫她做這一件事。我對她說我恨她，直到她過世那天。」

我無法想像奈德會那麼惡劣。他顯然有能力那麼狠。我們顯然都有傷害別人的本事。當他和我吵架的時候，他會說些惡毒的話，可是他只是出出氣而已，從來不會真的心懷惡意。我和他會在吵架時彼此說些刻薄的話，因為我們都知道，那些話我們都不會當真，一時的氣話不會導致我們分手。但是對別人說那麼惡毒的話，而且心懷惡意，我無法想像奈德會那麼做。

「那是我想照顧泰根的另一個原因。如果黛爾那時告訴我她快死了，我不知道我會怎麼做，如今我想補償我曾經讓她多麼失望。以前我們像是一家人，我們四個，現在我願意做任何我做得到的事，讓她女兒的生活好過一點。」

「你這麼做不是因為她是你的骨肉？」

奈德的目光投向桌子。「我想要那麼說。」他坦白承認。「妳會認為再見到她，跟她講話，

知道我們有血緣關係，我會感覺到什麼。但是沒有。我真的喜歡她，她是個乖小孩，可是我沒有天生的親情感受。我看著她不會感到生命的奇蹟從我身上移到她。不過，我如果花更多時間和她在一起培養感情，說不定會改變。」

「所以你要經常在她面前出現？」

他緩緩地點頭。「現在是的。」

我喝光我剩餘的酒，放下酒杯，奈德推開他的椅子。「妳不是該回去了嗎？泰根和路克會擔心妳到哪裡去了。」

我看著他穿上外套，在他的脖子上圍上黑色的圍巾，「inamorato」這個字閃進我心裡。我震驚慌亂。想到那個字就會接著想到我們第一次上床的情景。他當年的樣貌。當他坐在床上凝視著我，他的嘴唇親腫了、頭髮凌亂、肌膚發紅。那時他是個「秀色可餐」的男人。現在他仍然魅力不減，只是味道不一樣了，更加沉穩持重。他嘴唇的斜坡，他藍色眼睛的形狀，他細長的滑雪道般的鼻子，全都能令我興奮。雖然他不再是我的「inamorato」了，仍能讓我感覺像個情郎。愛人。我敢打賭他的新女人也有這種感覺。我打賭他每次走進她眼簾，都能令她的激情細胞活絡起來。每次她想到他們的第一個吻，我知道她的膝蓋會發軟。當他們做愛，我確信她的靈魂也會深深感覺到，他是她的真命天子。

他也有同樣的感覺嗎？他也愛她嗎？事實上，我瞭解到，他為什麼想和我碰面喝杯酒，他要在約會前殺時間。在他趕著去和他的新女人做愛，創造新的回憶之前。

「你今天晚上有火熱的約會囉？」我輕笑著問，設法使我的聲音聽起來沒有酸味，表示我不

介意做填空檔的人。

「我不認為那能稱之為『火熱』，我們要一起吃飯。」

「喔。」

「只是吃飯。妳知道的，不是所有的約會最後都會回我的住處。」

「好吧，玩得愉快。」

「我不會用『愉快』這個字眼來形容。我要告訴她，我們兩個沒辦法繼續下去。」

「為什麼不能繼續下去？」我回答的聲音掩不住暗藏的希望。

「妳知道為什麼，」奈德回答，他直勾勾地凝視著我。「我心裡有別人。」

第三十五章

我不愛他。
我愛他。
我不愛他。
我愛他。

這個世界靜止了。沉寂了。已經半夜，所有的一切都在休息。除了我。我睡不著。我已經好幾天難以成眠。如果我夠誠實的話，我該承認或許是從我和奈德去喝酒那天晚上開始的；或許是從我在約翰・路易斯百貨公司遇到奈德那天開始的；或許是在那之前？從黛爾死後，我可曾心無罣礙地睡過一覺？如果有的話，我也不記得了。

最近我的睡眠問題已經從嚴重轉為慢性病。得花上好幾個小時才睡得著，然後可能只睡了一個小時左右，我又醒來了，躺在靜謐的夜裡，凝望著米色的天花板，試著從我的感覺中去釐清我的想法。試著去破解我在想什麼而不僅憑感覺，感覺不夠理性。試著去找出，我到底愛不愛路克的答案。

路克在我身邊發出的輕微呼吸聲切入我的思維。他在這裡使得我的思緒難以清晰。他既沒有打鼾也沒有在床上移動，以他泰然自若的睡相，並非故意嘲笑我。如果他不在這裡，如果我不羨慕他能夠入睡的能力，或許我就不會這麼生他的氣。或許會，也或許不會。最近以來我們經歷了一段不穩定的期間。我們都沒有明說，讓暗潮在我們的對話下流動，我們會看對方，碰觸對方，但都有點不自然。那是因為我們兩個都不知道，彼此在對方心中的分量。我知道他懷疑我對奈德的感情，而我也同樣懷疑路克對我的感情。

自從我說了「我愛你」，而他在一個禮拜後，直到我要去跟我的前男友共進晚餐前，才回我同樣的話，事情對我而言已經改變了。我會說是因為那是他當時需要聽的話，可是我先說了。我使得自己暴露出弱點，我敞開自己，而他連說「我也是」都辦不到。那是不是表示，我對他來說沒什麼特別的意義。那令我懷疑，他對我的感情有多少真實性。

我不愛他。

我愛他。

我不愛他。

我躺在床上，疲憊的眼睛盯著天花板，我的手臂沉重、雙腿沉重、軀幹沉重。我試著離開我的身體，試著把自己移出現實，試著飄浮游離。黛爾死前就是那樣的感覺嗎？她是否感覺她的魂魄離開身體？是一點一點地脫離呢？還是很快分離？她不知道她死了？還是在她的靈魂離體的前一秒，她知道她的生命即將終結？

路克發出一個呼吸聲，在床上轉身，他翻動的時候輕觸到我。他向我伸出手臂，把我拉向他。我屏住呼吸，希望他不會醒來。如果他醒來，他可能和平常一樣，想和我……。而我在這個時候根本性趣缺缺。此刻我不想進入我自己的身體，當然也不希望任何人進入。我不想讓他碰我。我不想要任何人碰我。尤其不想讓他碰。

我愛他。

我不愛他。

我愛他。

我不愛他。

路克依偎著我，他的鼻子挨近我的頸窩，他的身體貼靠著我。「嗯嗯。」他在我的脖子上囈語。我想推開他。

我現在想獨處。

他很快就再墜入夢鄉，所以我把他的手臂從我身上拿開，滑出他懷抱，溜出臥室。我在走廊停步，打開一個櫥櫃的門。我的走廊窄窄的，因為有一邊是從地板到天花板高度的白色彈簧閥門櫥櫃。我拿出裡面堆放的黛爾的紙箱，從我們回里茲後，我都沒有多看它們一眼。

我拉出一個黛爾在上面標註是衣服的紙箱，把它搬到長沙發上。我打開側燈後，把門關上，然後坐到紙箱旁邊。我應該仔細看過所有的箱子，其實箱子不多，不必花很久時間。我遲早總是會看所有的箱子裡裝什麼，不如就從這個箱子開始看。我打開棕色的硬紙箱，往裡頭看。

最上面一層是黑色的絲絨，我立即明白那是什麼，我把它拉出來，感覺我手指下那柔軟有短毛的布料。它是我的，我的黑絲絨夾克。許多年前我借給黛爾穿去上班，她穿起來太大，可是從我借給她那天起，她就對它戀戀不捨，不在乎不合身。我看過她把它穿在紫紅色的緞料胸罩，和超緊的閃亮紫紅色緊身褲外面。它襯托出她白金色的肚環閃爍發光。

那個模樣的她在我腦中閃現：波浪狀的金髮落在她臉上和肩膀上，化了妝後的她顯得睫毛更長，眼睛更大，一手抓著我的閃亮黑色晚宴包。我突然感到憐惜，她那時多漂亮。那天晚上和每一個晚上。我腦中閃現的另一個畫面是，五個小時後她回來時的模樣：一手拎著鞋子，一隻眼睛的妝已經脫落，唇上的口紅被吻花了，頭髮上附著了不同牌子的香菸味道。她搖搖晃晃的進客廳，躺到地板上。她那副狼狽的模樣卻依然動人，依然美麗。

我把臉埋進衣料裡，期待聞到黛爾的味道。期待聞出她那天晚上做了什麼，或許仍有些許她令人陶醉的香水混合她肌膚的餘味。當然沒有聞到。派對四年前已經結束，所以夾克只有它該有的洗衣粉的味道。

我拿動夾克的時候它發出一個細碎的聲音。我再移動它，它又發出一個乾乾的，紙的聲音。我把手探進夾克的口袋，左口袋裡有一個摺起來的信封。我看到白色的信封正面上清晰的寫著：

凱梅玲．馬提卡

我凝視著我手上白色的厚信封幾秒鐘，心跳瞬間加速，不確定這怎麼可能。然後我被它代表的意義嚇到。因為它是黛爾的。它會說什麼。它長得像其他她寄給我的信一樣，那些我都沒看，堆在我的內衣抽屜下面，經常被我遺忘的信。

我用顫抖的手指打開信封，抽出信紙。

信紙多達十五張，上面全都是黛爾工整端正的字跡。對一個像她這麼散漫的人來說，黛爾做某些事情也會講究整潔。

嗨，美人，

信的開頭那樣對我打招呼。我幾乎能聽到她的聲音。幾乎感覺她躺在我身邊的地上，支著一隻手肘，她的雙腿在她身下蜷曲著。

讓我一開始這麼說，我愛妳。我確定在我死前沒有機會對妳說這些。是的，這樣很奇怪。我

坐在我父親的屋裡，寫著這封信，心知當妳看到這封信時，我已離開人世。我知道屆時我必然已經死了，因為要是我沒死，妳不會看這封信，不是嗎？

凱，我愛妳。在我的一生中我只愛過兩個人，妳和泰根，我愛妳們兩個比什麼都多。

不過我知道妳是什麼樣的人，凱梅玲・馬提卡，妳是個頑固的女人，每當遇到困難，妳就封閉自己。所以我知道妳不會讓我解釋我跟奈德發生的事。但是妳必須知道，凱，妳真的要明白。那跟妳想的不一樣，那不是一夜情，那不是像我們曾經想的，用那樣的方式去體驗另一個男人……。

第三十六章

那不是像凱梅玲想的那樣，那不是一夜情，那不是像我們曾經想的，用那樣的方式去體驗另一個男人。我從來不曾對奈德有浪漫的幻想或上床的渴望。他是個親愛的、珍貴的朋友，幾乎和凱跟我一樣親近。當那件事發生的時候，只不過是時機的問題，那時發生了好多事都混在一起。許多事都同時進行。一開始就是混亂，結束時也是，還有什麼比混亂更激烈的名詞？我想不出來，但豈是「混亂」形容得了。

凱梅玲一直以來都不明白奈德多麼愛她。她當然也愛他，可是他願意為她做任何事。我想，他對她的愛是無限量的，無條件的。幾乎不管她對他怎樣，他都會原諒她。我不確定那種愛是健康的，但那是實情。

我一直都有點敬畏奈森尼爾那麼愛她。他一定是從一開始就愛上她，因為即使在他們正式同居的時候，她也對他很壞。我成為她的膩友之前接過不少她的冷眼，但那跟她如何對待他比起來，根本是小巫見大巫。她對他冷嘲熱諷、冷漠、暴躁，而且非常粗魯。可是，他堅持追她到底，揭穿她所有的鬼話，並每天證明他多麼在乎她。她常說我不瞭解他，不知道他可能像什麼樣子，說他常需要她支持他，可是她不是用憤慨的語氣說。我想那是她表示那是雙方面的事的方式。他無條件地愛她，她用自己的方式喜歡他，但是並沒有馬上明顯地表露。當她說他們決定結婚那天，我以為我會高興到死掉。

即使在那個時候，凱梅玲還是並不十分相信奈德對她是真心真意。我有時候從他離開桌子時，她的臉上會浮現關心的表情看得出來。她一向都懷疑他是否嘲弄她，他是否會變成過去她交往過的那些曾經折磨她，企圖控制她的混蛋之一。她經常沒必要的瞎擔心，他可能會喜歡上別人。她開始談愛情是否會真的永恆不渝。「當你們兩個人在一起太久了，妳想不起來當初你們為什麼會在一起，那時候的愛情會怎樣？」她曾經那麼說。「我們兩個現在在一起，處得滿好的，可是那不會永遠如此，也不會皆大歡喜的結束。」當她看到我訝異的表情，她掩飾性地說：「我只是在懷疑。我可以懷疑吧？」

事情發生的那天，奈森尼爾極為罕見地失常。他剛開車載凱去里茲回來，她是為了出差而去

那裡。他常那麼做，他會開車載她去那裡，然後當天開車回來，因為他可以在開車的時候跟她相處。當她準備回倫敦了，他會再開車去里茲接她。她從來不主動要求他接送，是他自己要那樣做。總之，他開車送她去里茲，回程時順道到我的公寓來，因為凱梅玲要他來一趟。她擔心，她不在的時候我獨自一個人，所以她要他回倫敦時來看看我。他累壞了，風塵僕僕的臉上盡顯疲憊，他的衣服皺了，他的膚色蒼白，可是還有別的。他在煩惱、傷心。我一開門就看出來了。

他重重地坐到沙發上，拒絕我提議給他倒飲料。他說他不會待太久，只想確定我平安無事。

「我很好，可是你顯然不好，怎麼了，奈森尼爾？」我問。

「沒什麼。」

「哦？是喔，那你為什麼看起來一副快掛了的樣子？」

他用手揉揉眼睛，茫然地失神一會兒，然後他吁出長長的一口氣。「我想凱梅玲就要離開我了。她移情別戀了。」

「別傻了。」我誠實地說。

「她真的移情別戀了。我看得出來。我瞭解我的未婚妻。我知道當她在戀愛的時候是什麼樣子，她一定是認識了某個她喜歡的人。現在她幾乎不跟我的目光接觸，不跟我講話，甚至不虧我損我。這趟開車去北方糟糕透了，五個小時的車程我們幾乎都沉默無語。」

「奈森尼爾，如果我知道的所有的事只有一件是確定的，那就是，凱梅玲永遠不會危害你們的關係。她甚至不會多看別的男人一眼。」

他搖搖頭。「妳很不會說謊，黛爾。可是謝謝妳企圖安慰我。我必須想出該怎麼做最好。可

是我似乎無法思考。」

「她真的沒有做什麼。」我再次向他保證。「她也不會做什麼。凱不是會劈腿的人。」

「我知道她不會。我的前任女朋友會，她背著我劈腿好幾年，我一直忍受著。如果凱也那樣，我會受不了。我不要再戴綠帽子，我知道她的身體不會背叛我，可是我認為，我應該在她離開我之前結束我們的關係。」

我嚇呆了。他的聲音如此無助，他真的打算結束他們的關係。我必須使他瞭解，那只是一時的障礙。「聽我說，奈德，她不會離開你。假設她現在常跟某個人見面，他們或許有工作上的關係。記住，這全都是臆測。而且，假設她喜歡這個人，他們一起打發午餐時間，說說笑笑。他們也只不過是談笑而已。或許她開始探究她人生的某一方面，可是凱梅玲永遠不會為了任何人而拋棄你。我們都知道她從來沒有愛過任何人，除了你。」

「是啊。」奈德嘆氣。他用手指耙過他的頭髮。「我很困惑，如果我在回家之前躺下來一會兒，妳會介意嗎？」

「當然不介意。你躺吧，休息一下。」奈森尼爾去凱梅玲以前的房間躺下，我看電視。幾個小時後我去看看他。他睡得很熟，我在床邊彎下身來，祝福他，他看起來很平靜。睡容宛如天使。當他突然醒來，張開眼睛凝視著我，我嚇了一跳。我不知道是否因為他睡覺的時候看起來如此俊帥，我不知道是否因為我忘了他是誰，或我是否精神失常，總之，我做了不該做的事。全都是我的錯。

我吻他。

奈森尼爾的表情驚愕，然後他把頭轉開。使得我震驚地回到現實，我想起他是誰，我並沒有愛慕他，我做了一件很愚蠢、很可怕的事。我轉身要跑開，惶恐自己親吻了最要好的朋友的未婚夫，可是他抓住我的手臂，阻止我。我害怕地轉回身去，因為我知道他不會對我咆哮，我知道將會發生什麼事。我們再次親吻，然後就發生了。那並非發狂的、激情勃發的，而是緩慢的、纏綿的、溫柔的、美妙的。我很抱歉，這不是凱梅玲會想聽的，可是我想要澄清，那並非由於我們愛慕對方，並非由於長久以來我們無法忽略對方的微妙感覺。那只是兩個人，由於不同的理由做了他們做的事。已經有很長的時間，沒有一個男人對我那麼好。在那個短暫的時刻，我可以假裝，跟我在一起的男人關心我，在跟我做愛，而不只是單純性行為。在那之前我經歷過的大部分的性經驗，都讓我覺得是沒有感情成分的性行為。我知道凱梅玲可以撇開感情與人發生關係，不覺得被傷害，但那是因為凱很早以前就習慣了做區分。她會封閉自己的一小部分，所以她不會被男人的橫行霸道或惡劣的對待傷害。我一直學不來那個竅門。我總是投入太多，就像我曾經告訴過凱，我太在意。我一直都付出太多。不管我經歷過多大的傷害，我都無法把我的一小部分分離。所以每一次沒有愛情的性，我幾乎都無法說服自己那沒關係，或我不會因此覺得自己沒有價值，也不會事後感覺孤單。和奈德，在那個時刻，我可以假裝他關心我。那不是真的，可是感覺像真的，就在那短暫的一會兒。

當我醒來，他已穿好衣服，坐在床邊。「我實在很抱歉，」他低語。「非常，非常抱歉。」

即使在黑暗中，我也看得出他多麼羞愧。我也是。「我做了什麼?我要如何改正過來?我做了最不可原諒的事。」他說。我知道他的感覺有多糟，因為我也同樣苦惱。只是，我的感覺比他

還糟。我認識凱更久，當所有其他的男人還鄙視她時，我就認識她了。是我先親吻他的，然後跟他做愛，我比他更該感到羞愧。「等她回來，」他說，「我會跟她分手，搬出去。反正她不想跟我在一起了，所以我會告訴她我做了什麼。可是我不想說是妳。我會說是某個我在酒吧認識的女孩，然後我會走。她不需要知道是妳，這件事不必毀掉妳們的友誼。」

我不能讓他一肩挑起罪過。我們兩個都做了。他非常紳士，在他羞愧的時候，他所想到的是讓我好過一點。我們談了又談，直到我們同意暫時不去想這件事。我們全都忘了。這個辦法奏效。我們並不愛對方，我們也沒有再來一次的意願，所以彼此沒有爭議。

然後我發現我懷孕了。我立即知道他是孩子的爸爸，但我不能告訴任何人，不能告訴凱梅玲，也絕對不能告訴奈森尼爾。他知道的話會向凱認罪，然後凱會離開我。

我知道那樣很自私，可是我不能忍受凱離開我。當她真的離去，我的心碎了。我知道她的脾氣，她從來不肯停下來聽。她只會認為那是背叛，那也的確是。可是那並非我和奈森尼爾愛對方，而做出那樣的行為。我們只是做了某件無法置信的蠢事。我甚至不能說我希望那件事沒有發生過，因為那猶如希望泰根消失。如果她不是奈德的孩子，如果她沒有遺傳到他的鼻子，他的繪畫天賦，擁有與眾不同的寶藍色眼睛，那她還會是泰根嗎？她當然不會是。在我經歷過我的家人冷酷無情的對待後，擁有一個愛我和我愛她一樣多的血親，是世界上最重要的事。我並沒有打算懷孕，可是我一次也沒後悔過我懷孕。

那聽起來很可怕，我不怪凱梅玲那麼生氣。我只是想道歉。我希望我有時間向她解釋。我希望我有足夠的時間去試，用最卑微的方式，取得她的諒解。

第三十七章

等我看完信，我坐在沙發上失神，無法移動。

黛爾在陪我。我可以感覺到她。好似她就坐在我旁邊。現在她陳述了她的故事，等待我的反應。等著聽我要說的話，等著我表達我的感覺。

我轉頭，她不在那裡。她沒有坐在我旁邊的地上，她的頭髮沒有在她的臉周圍散亂著，她的伸縮性背心沒有緊裹著她骨瘦如柴的身體。她沒有用充滿懼怕與期待的鐵藍色眸子看著我。慢慢地，她存在的感覺淡了，蒸發進空中，我獨自坐在客廳裡。

為什麼？奈德為什麼會那麼做？我現在知道那是她的一時衝動。她就是那種人，容易衝動，隨性行動，毫無計畫，先做了再說，做完再想。可是奈德是個會先把所有的事情都想個透徹的人。即使只是個剎那間的決定，他也會花點時間多方面考慮。他說那天在事情發生的時候，他的情緒很低落，發洩性慾是能使他感覺好一點的方式之一嗎？想像和黛爾做愛？他一直在等待機會，終於等到機會送上門了嗎？

我必須知道。我拿起放在沙發旁架子上的電話，開始按鍵。不，我不能打電話給他，不能在泰根和路克在屋裡時打。我把自己拖離沙發，急躁得像個瘋婆子，抓起外套架上我的外套，把信紙塞進外套的口袋裡，然後光著腳踩進路克的休閒鞋裡，顧不了我穿起來太大。我打開門，把鑰匙塞進口袋裡。靜靜地關上門後我下樓梯，踏進寒風刺骨的仲冬夜晚的戶外。

站在公寓外面深藍黑色的夜空下，我按他的電話號碼，聽到第五聲鈴響後，傳來他含著濃濃

睡意的沙啞聲音。「喂？」

「你為什麼要那麼做？」我問，我的聲音比我預期的大。

「什麼？」他回答。隨之而來的是他在床上移動的模糊聲響。

「你為什麼要那麼做？」我重複問。「為什麼？」

「凱？」他咳兩聲清清喉嚨。「現在是清晨四點，妳在幹什麼？」

「我必須知道。她告訴我了。她告訴我事情的經過，我知道她為什麼那麼做。可是我不知道你為什麼那麼做。為什麼？」

「天啊，凱，妳在幹什麼？妳在哪裡？」

「在街上。」

「什麼？」我聽到他突然坐起來，清醒的聲音。「哪裡的街上？」

我吸吸因為天氣冷而流出的鼻涕。「我必須到外面來，因為他們在睡覺。為什麼？我那麼可怕嗎？我很可怕，是不是？」我突然間感覺我的五臟六腑好像都碎了，被他的偷情罪行壓碎。痛苦增強，我把電話抓得更緊。「對不起，」我喘著氣說。「我是個那麼令人討厭的女人。我知道你有一天會離開我，因為我是那麼的令人討厭。」

「凱，我馬上過去。妳待在那裡。我很快就會到，好嗎？」

我點頭。

「凱？」

我吸吸鼻子。「好。」我小聲說。

「好。」他的聲音清楚有力多了，他顯然站起來了。「我很快就會到了。」

將近三十五分鐘後，我的前男友開著銀色奧迪到我的公寓大樓外面，我從我所在的磚砌拱門入口處直起身來。我在等待的時候一直用雙臂抱著自己，企圖保持溫暖。

他顯然匆匆忙忙更衣，穿著黑色的慢跑褲，皺巴巴的黑色運動衫和藏青色的羊毛外套。他穿著運動鞋但沒穿襪子，他甚至沒時間把頭髮像平常一樣往中間梳尖，所以它有一部分在睡覺時壓扁了。他越過人行道朝我的公寓大樓走來，我下去小路上迎接他。我們在大門相遇，他的臉混雜著慌亂、擔憂和睡意。突如其來失去控制的怒氣刺痛了我。我想都沒想，揚起手來摑他一巴掌。

他挨了一巴掌的臉略歪向一邊，臉上並沒有驚訝之色，只是眼睛朝地上望。有幾秒鐘的時間，我們都沒有說話，然後他抬起手來摸摸挨摑的左頰。「妳早就該這麼做了。」他說。

我推他，他踉蹌退後。「這也是。」

我再推他，他再踉蹌退後，這次他退靠到他的車。我想打他，可是害怕真的會傷害他。因為對他的懲罰在我心中。我心中的怒氣已經足以使他受到永久的傷害。「為什麼？」我問。「你為什麼拉她回去？我知道她是什麼樣的人。我知道她是衝動型的。我知道她會吻你，但是沒有任何意義。可是你為什麼拉她回去？你怎麼可以那麼做？你為什麼要那麼做？」

奈德畏縮地不語。

「為什麼，奈德？我做了什麼？我那麼糟糕嗎？我不是故意要那樣的。我只是……，我是個

討人厭的女人。」

奈德看向我，然後把我抱進他懷裡。「噓……，」他在我耳邊輕噓。「噓……。」他繼續發出輕噓聲安撫我，直到我鎮靜一點。

「我一直以為妳沒有那麼在乎我，」奈德說，他還抱著我。「妳那時候從來沒有過像現在這樣的反應，我以為妳離開我是因為我背叛妳。我從來沒想到那件事對妳的傷害那麼深。妳有時候很難捉摸。」

「我當然在乎你，我只是說不出口。有超過兩年的時間我無法談到那件事，因為它會使我崩潰。我知道是我的問題。是我造成的，是我把你們兩個推在一起。」

「凱，我們從來沒有那樣過。我和黛爾只是朋友。」

「那你為什麼拉她回去吻她？跟她做愛？你知道嗎？她告訴我，她告訴我她先吻你，然後她想跑開，可是你拉她回去。為什麼？」

「因為……。」

我在他懷裡，全身緊繃著，知道他將要說因為我是壞女人，在床上或下了床都是。他要說我對他太壞了，所以他要報復我。這一直是我最害怕最恐懼的，為什麼我無法談：發生那件事證實了我不是正常人。我是有缺陷的人。因為我太可怕，所以黛爾和奈德上床。

「因為就在她親吻我後，我推開她，她看起來非常驚恐。她咬著下唇，瞠大眼睛，那個表情使我想到妳。當我們初次發生關係，事後妳穿好衣服即將回家，我問妳是否還能再見到妳。記得嗎？妳轉回身來，親吻妳的手掌，給我一個飛吻，說：『再看看。』然後離開。就在妳給我飛吻

之前，妳的臉上出現過同樣驚恐的表情。妳看起來非常害怕，非常驚訝，我不知道妳們誰先有那種習慣性的表情，但我迷戀妳絕對是真的。那天晚上在黛爾家，我對和妳的關係能否繼續下去非常困惑，我知道我們幾乎要分手了，我在她臉上看到那個表情，使我想起我迷戀上妳的那一刻。我要它回來。我想念迷戀上的妳，而不是過去六個月裡跟我一起生活的妳。」

「我知道那樣不對，不過我做了。所以我那天告訴妳，我該負起責任。我的行為是自私的，全都是因為我試著想回到我無法回去的過去。我恨我自己，可是那時候我想的全都是妳。我不是現在說來討好妳，我當時的確那樣。她的身體跟妳完全不同，所以那種新體驗幾乎就像我初次跟妳發生關係的感覺一樣。我對黛爾那麼做。我利用她使得我自己感覺好一點。我是個超級混蛋，在她告訴妳我們做了什麼之後，我居然對她吼。她不瞭解，我明明自己做錯事情還責怪她。妳可知道我因此多麼痛恨自己，沒有在她死前向她懺悔？」

「我知道，」我回答。「因為我更痛恨我自己。」

奈德放開我一點。「妳沒有跟她把事情談開嗎？可是妳照顧泰根……，妳怎麼知道那天晚上發生什麼事？」

我從口袋裡拿出一團糟的信紙。「我剛剛發現這封信。」我解釋。「我以為你知道我不清楚事情的經過。你以為我為什麼會現在打電話給你？我是剛剛才發現的。」

「妳沒有跟她談過？」

我搖頭。

「喔，天啊，凱……。」他將我拉近。「妳為什麼沒跟她談？」

「我無法去想那件事，遑論去談。何況還有泰根。你們兩個一起製造了她。你們共同擁有某件我永遠不可能參與的東西。我為了那個原因恨你們。你們有個孩子。我從來就不想要孩子，但是如果我想要的話，那會是你的孩子。你是世界上我唯一想跟他生孩子的人，然而你卻跟別人生孩子，跟一個我愛的人。所以我必須離開。我無法留下，你製造了一個孩子，一個新的生命，和別人。」我語無倫次了。我的腦子裡所有的想法同時衝出來。「我以為我有更多時間。我以為我有幾個月去習慣她回到我的人生，然後有一天我們會談個徹底。可是她死了。她那麼突然地死了。我知道她就快死了，可是當她真的死了……。」我的雙掌矇住我的雙眼。「我沒有心理準備，我沒有跟她道別。我沒有跟她說對不起。我沒有說我不恨她。我沒有告訴她我愛她。我離開病房前不知道那會是我最後一次見到她。」奈德支撐著我身體的重量，因為壓抑哀傷以免崩潰，已經幾乎耗盡我所有的力氣。「我是個如此可怕的人。她快死了，而我還不讓她說。我太害怕了不敢聽。可是我想跟她告別。我只是想跟她告別。」

奈德抱著我，沒說什麼安慰我的話。他以前從來不需要安慰我。以前我和他相處時，我是比他堅強的人。他照顧我，解決我人生中的問題，給我最奇妙的愛，我不是光指性愛。他給了我，我以為我永遠也不會有的某種自信。可是當危機來臨，是我自己解決。我發現實際的解決辦法。我和奈德互相平衡，雖然他比誰都瞭解一部分的我，但他從來沒有應付過淚漣漣的凱梅玲。崩潰的凱梅玲。

「寶貝，」他在哭泣著的我耳邊輕語，過去幾個禮拜來我所有的感覺，像情緒的海嘯狂濤來襲。我無法再壓抑了，淚水決堤。「沒關係，」奈德向我保證。「沒關係。」

奔流的淚水終於停歇，我止住淚水抽噎，一吸一頓地身體顫抖著。然後，我的身體停止顫抖，我空了，乾了，站在奈德強壯的臂彎裡。

「對不起。」我耳語，累得幾乎說不出話來。「我無意這麼做。」我鼓起所剩的力氣推開他，揉揉我的紅眼睛，覺得很尷尬，不知道我怎麼會像那樣崩潰。它早就威脅著要來，但我不知道為什麼是我跟他在一起的時候來。如果我必須在別人面前崩潰，那也該是跟路克在一起時。

「沒關係。」奈德說。他的臉上和他的聲音都充滿關心。「妳隨時都可以跟我談。」他傾身向前，好似要再抱我，可是我退到他搆得到的範圍外，舉起我的雙手示意阻止他。終止這一切。

「奈德，這樣太混亂。我不能在你面前崩潰。我有個愛我的男朋友。我應該對他哭，不該對你哭。我只是想知道為什麼，如此而已。我無意如此失態。我不知道我為什麼會這樣做。我想是因為你在這裡。」

「不要拒我於千里之外。」他哀求。

「你已經在千里之外，奈德。我們越早習慣越好。」連我自己都被我冰冷的聲音嚇到。

他微微點頭，在他轉身之前，他神色難堪痛苦。

「對不起。」我脫口說。我不能讓他這樣走。要是這次我最後一次看到他呢？要是來不及向黛爾告別的情形重演呢？「我無意那麼說。我道歉，好嗎？對不起我說了那些。我為打你道歉。為推你道歉。我為所有的一切道歉。對不起。」

他停止打開車門，在原地轉身面向我。「我也要道歉。我從來沒說過，但我真的很抱歉。我為我所做的事道歉。為破壞我們的關係道歉。為毀了妳和黛爾的友誼道歉。為傷害妳這麼深道

歉。我真的很抱歉。」

我點頭。奈德比我離開他之前成熟了。時光在他臉上染上些許風霜。他顯得疲倦。他的眼睛充血，他的嘴巴，那漂亮的嘴巴曾要求我再向他求婚一次，現在抿成一條酸楚的線。

「下次再談。」我說。

「好。」他回答，他發動車子，我打開公寓大樓的門。

上樓後，我悄悄地打開我公寓的門。沒注意到客廳的側燈已經關了。我把外套掛到架子上，脫下路克的鞋。光著腳躡手躡腳地進臥室。

當我發現路克穿著牛仔褲和藍色的厚針織毛衣坐在床上，我嚇得跳起來。房間裡暗暗的，不過他看起來好像在等我回來他才能走。我注意到他的腳上穿著襪子，可是沒穿鞋子，他沒辦法走，因為我把他的鞋子穿走了。

「我看到奈德在外面。」路克平靜地說。「怎麼回事？」他的臉上有怒氣和懼意，如果他曾從窗子往外看，那麼他可能看到奈德在安慰我的時候抱著我，輕撫我的頭髮。路克可能以為我和奈德將要復合。我只有告訴他事實，他才不會胡思亂想。我慢慢地走向床，爬上去，躺下，蜷曲成胎兒狀。

「給我抱抱。」我要求。

路克遲疑了一下，然後按我的要求，爬到我身邊擁抱我。我放鬆地偎在他懷裡，經過外面的寒冷難受之後，他的懷抱格外溫暖舒適。我握住他的雙手，我的手指開始感到暖和。

「怎麼回事？」他低聲問，他的聲音注滿焦慮。

我一五一十地告訴他。

我不是小親親，我是泰根

i'm not precious, i'm tegan

第三十八章

「玲媽咪。」泰根輕聲叫。輕得我要是不專心聽就會聽不見。

我知道她要說什麼，因為過去幾個禮拜來泰根改變了。她變得焦躁不安。晚上她得花將近一個鐘頭才能平靜地躺到床上；她經常半夜進我的房間，要求我答應坐在她床邊直到她睡著，她才肯回房去。她的胃口減半，她重返以前的安靜，她會畫一個只可能是她媽咪的女人，可是我如果問她畫裡的女人是誰，她會聳聳肩，低語：「不知道。」我知道她在想什麼，因為我也在想。我也變得急躁不安，我的失眠症從慢性轉成嚴重，我一個晚上最多睡四個小時。白天我幾乎沒有精力去打開我的電子信箱，我沒有回奈德的電子郵件或電話。

「泰根，什麼事？」我回答。

她伸展肢體躺在電視前的地板上，畫一幅路克在上班的畫。她放下她用來塗滿路克的襯衫的藍色彩色筆，小心的凝視著我。她粉紅色的嘴唇因思索著而微扭，她的眼睛微瞇，她把一小綹金髮塞到耳後。她沒有說什麼，只是看著我。我拍拍我的大腿，要她爬上去。

她在我的腿上坐好後，謹慎地說：「妳知道聖誕節快到了嗎？」我雙手扣著她的身體，點點頭。離聖誕節還有三個禮拜，再過五天學校就會放假，我白天上班的時候她得到凱依家去。公寓外頭和裡頭都有聖誕節的氣氛。我們在電視旁邊原本豆椅的位置擺了一棵小樹，把它裝飾起來，窗邊掛了一長串會閃亮的小燈，卡片放在公寓裡每個適合擺卡片的地方，泰根每天會打開路克買的聖誕節倒數月曆，掏出當日格子內的巧克力吃，可是那裡頭並沒有我們渴望過節的氣氛。聖誕

節的興奮勾起的是痛苦的回憶。我們還沒有討論過，在那個大節日要做什麼，每次路克才提起，我就改變話題，或是說我還沒有時間想，我們要不要去倫敦跟我的家人過節。聖誕節去倫敦不是個選項，我只是拿來當藉口拖延他，直到我能好好地和泰根談。我們一直沒有討論，直到現在，路克去紐約出差一個禮拜（安琪拉想在那裡開一家百貨公司或找個經銷商，憑他對當地市場的瞭解，他當然是跟那些大企業打交道的不二人選），我決定讓泰根開啟話題，等著看她是否完全記得，或我的擔心是否是多餘的。

「是的，甜心，我知道聖誕節快到了。」我回答。

「它是……。」她欲言又止。

「是妳媽咪的生日。」我幫她講完。

她點頭。

「我知道。」我說。黛爾的生日正好是聖誕節。泰根還很小的時候，我們兩個日子一起慶賀，早上慶祝黛爾的生日，中午慶祝聖誕節，然後晚上等泰根上床後，又慶祝黛爾生日，我和黛爾和奈德會喝酒喝到迷迷糊糊。

「他們在天堂會過生日嗎？」她問。

「呃……，」我不知道。我從來不知道這類的答案。我沒有去想過。我有宗教信仰，可是我從來沒去想過死後的狀態。如果我想到天堂，只是想說我有一天終究會去那裡，可是不會去想那裡有沒有計算時間，會不會過生日。而因為我沒去想，我無法回答這些問題。天堂是個有非常大朵白雲的地方，或是個像人間的地方，只不過是比人間好一點？它是個色彩鮮豔的世界，每一樣

東西都很美好，每個人都很快樂，或是個你要什麼有什麼的地方？「嗯，或許。」我小心地回答。「我看不出他們為什麼不過生日。」

「我如果寄卡片給她，她會收到嗎？」

「我想不會。」我輕柔地回答。

泰根靠著我的身體蜷曲起來，臉埋在我胸上。她的肩膀開始顫抖，然後她整個身體都顫抖。她的哭聲慢慢增大到聽得見。從她媽媽過世後，她從來不曾在我面前哭，從那天她在旅館歇斯底里地大哭過後就沒有過。我不知道這樣會使她沮喪，會暴露出流淌過她心裡的痛苦之河。

「我很遺憾，甜心，可是我們會想另一種方式，讓她知道我們在想念她，好嗎？」

泰根溜下我的腿，跑出客廳，她的雙腳重重踩過走廊的地毯進入她房間，可是她沒有摔上門。我花了幾分鐘的時間控制好自己的情緒後，起身，跟著泰根到她房間。

在她藍色和白色的羽絨被上，泰根蜷曲著身體呈粉紅色和紫色的新月型，顫抖著痛哭流涕。淚水小河般流下她的臉，她的小手不斷把淚抹開。在她旁邊的枕頭上放著她和黛爾的合照，那張照片平常放在她的電視上面。

「泰卡……。」我開口說，卻發現不知該講什麼。我坐到她床邊，輕撫她的背。我凝視著黛爾的照片，照片裡的她是個開心地對著她身旁的女兒笑得很快樂的女人。我幾乎忘了她的長相。現在每當我想到黛爾時，腦中浮現的總是醫院的太平間裡那個灰暗冰冷的她。

「我媽咪為什麼不回來？」泰根抽泣著問。「因為我是個壞女孩嗎？」

「不，小親親，」我說。「妳媽咪只是生病了。」

「妳也生病過。」她說。

「是的，可是我的病跟她的病不一樣。妳媽咪的病非常嚴重，她沒辦法好起來。她想來這裡，可是她病得太重不能來。」

「我想要她回來。」她堅持道。

「我也是。」我想到一個主意。「泰卡，妳曾經想過妳媽咪會回來嗎？」

「嗯。」她輕聲說，點點頭，又抽噎了幾次，流下更多淚水。「她可能不喜歡天堂而回來。她可能會比較喜歡里茲。」

我和黛爾都曾費心的向她解釋過什麼是死亡。「寶貝，我很抱歉，妳媽咪不會回來了。永遠都不會。」

她忍不住淚水，悲痛的嗚咽聲隨之增大。它撕裂著我，因為我知道她的感覺，我知道她瞭解了，終於接受她不可能再見到她深愛的媽咪的事實，那種感覺就像一把劍刺穿你的心臟。我把泰根摟進懷裡，抱著她溫暖的身體靠近我，試著包裹著她，給她安慰。回憶開始在我腦中閃現，然後慢慢成形，變成一道強光照亮我的記憶：泰根只有一個月大。黛爾要求我在她去洗澡時看著她女兒。我在黛爾房間的床上，凝視著藍色和白色的手提式嬰兒床。泰根還是粉紅色的、有皺紋的，擁有髮質最好的漂亮頭髮遮掩她有斑點的頭。黛爾給她穿上藍色的寶寶連身服，她在摺成雙層的白色毯子下睡覺。她媽媽一關上浴室的門，她就開始活動，彷彿知道媽咪已經離她不只一英尺遠。浴室裡傳出蓮蓬頭流出的水聲，泰根醒來，扯開嗓子使勁地哭喊出我所聽過最大的音量。我楞了一下，相信她的哭聲一下子就會停止，但事實不然，她嘴巴那個裂開的小洞毫無減弱哭聲

的跡象，她的眼睛緊閉著，滿臉哭得脹紅。我雙手伸進小床，拉開毯子抱起她。她不可思議地輕盈。從她出生以來我已經抱她一個月了，但我老是忘記她有多輕。我重新把包裹著她的小被子整理好，然後抱著她輕搖，用噓聲安撫她，希望她瞭解她媽媽很快就會回來，她想吃奶的話，她媽媽等下會餵她吃個夠。等頭髮濕漉漉的黛爾回來，泰根已經停止嚎啕，把她的嘴湊向我，她茫然的目光探照著我，好似我該向她揭露宇宙的祕密。「再跟我說一遍妳不喜歡小孩。」黛爾在她躺到床上，想小睡一會兒時對我說。

「妳出生沒多久，我就這樣抱著妳搖。」我對著泰根的頭髮說。「妳剛生下來的樣子很好笑，那時妳還只是個很小的娃娃。我想，天哪！醫院是不是給錯小孩了？這個娃娃怎麼看起來這麼奇怪。然後妳笑了，妳的笑容完全像妳媽咪，像她一樣漂亮，我立即明白妳一定是她生的。妳是我們的孩子。因為妳也是我的孩子，妳知道嗎？妳是我的小泰卡。雖然我離開妳們一段時間，我也都會想妳。我把妳的照片放在我的皮包裡，當別人問：『這是誰的小孩？』我就說：『是我的小泰卡。』」

「我很遺憾妳媽咪不能回來了，泰卡。我多麼希望她能回來。我每天都希望她能回來，我知道我們很難習慣她不在了。我們何不把聖誕節叫成阿黛爾節？阿黛爾是妳媽咪的名字，妳知道的，是不是？」

「是。」她小聲地回答。

「好，我們來過阿黛爾節。我們做阿黛爾節的卡片，把它們寄給每個我們認識的人。我會給妳看幾張我的相簿裡的照片，我們可以來畫她。我們甚至可以做個特別的什錦鍋吃下午茶。好

嗎？妳覺得呢？」

「路克也會參加嗎？」她停止哭泣，那可大有進展。

「他不能參加。只有我和妳。男生不能參加！」

「那奈德先生呢？」她問。

「嗯！他也不能！他是男生！男生不能參加！為了不錯過聖誕節，我們可以第二天過聖誕節。在那個時候打開我們的禮物。」

「那時候路克可以參加嗎？」泰根問。

「如果妳想要他來的話。」我說。

「我要他來。還有奈德先生。」

「真的嗎？為什麼？」我沒想到會聽到她這麼說。他對她很好，在他們第一次見過面後，她又見過他三、四次，可是他不是路克。每次他順道經過，最多不過停留十分鐘，她為什麼會想在那麼重要的日子和他一起過？

「妳喜歡他。」她吸回眼淚，簡單地說。

「可是妳如果不喜歡他的話，他不必來參加我們的聖誕節。」我的聲音中隱含恐慌，從兩個禮拜前我們在街上衝突以來，我還沒見到他。我沒有跟他講話或回他的電子郵件，我刻意躲避他。我百分之百確定，路克也不希望他來。

「我很喜歡他。他很有趣。」泰根的話令我十分驚訝。他做了什麼令她覺得他很有趣？

「好吧，我會看看他能不能來。他可能沒空，所以萬一他不能來，我們不要感到失望。」

我把她抱近一點。聞到她身上路克買給她的肉桂和櫻桃的泡澡精香味。我不想讓泰根失望。我不想見到她受傷害。她當然是已經受傷害了，可是我如果假裝泰根不瞭解到底是怎麼回事，那麼人生會比較好過一點。

「想哭就哭沒關係。」我說。可是我正在阻止她哭。我不是故意不讓她哭，不過當她不哭了，我會比較放鬆。哭聲可能會使得聽者不舒服，可能影響或擾亂目擊者，令他崩潰，但能哭還是一件好事。哭是一種可以接受的發洩途徑，即使它會使你感覺內心刺痛、空虛，但那還是比不讓妳的情緒宣洩而累積怨憤來得好。我不希望泰根因為沒有發洩她的哀傷的機會，而長大成為一個心懷憤怒和悲苦的大人。「妳如果覺得難過，或是想念妳媽咪，妳任何時候想哭都可以哭。妳任何時候想跟我談她，也都可以談。」我撫摸她漂亮的如浪長髮。「想念妳媽咪沒有關係，我能瞭解，妳想說什麼我都會聽。」

「我現在要睡覺了。」她咕噥道。

「好，小親親。」

她搖頭，笑得有點淒涼。「我不是小親親，我是泰根。」

那是她跟她媽媽以前常說的笑話。「妳確定嗎？我可以發誓妳曾經叫做小親親。」

「不是，我的名字叫泰根。」

「好，泰根，妳睡覺吧。妳不介意的話，我會在這坐一會兒，然後再去做午餐。」

「好。」她爬下我的腿，鑽進她被子裡，面朝另一邊躺著。我走到窗邊，拉攏她藍色的窗簾，隔絕近午的天光，使得房間變暗。我坐在床邊的地板上看著她睡，就像我有時候半夜會來看

她睡那樣。她在上空手道的課，她參加足球隊，她跟我和路克講話像個大人，我常常忘了她其實只是個稚嫩的孩童。我抗拒將她的秀髮從她蒼白緊繃的臉上撫開的衝動，只是看著她漸漸睡著的臉，呼吸變緩後慢慢鬆懈下來。我可憐的脆弱的泰根。我可憐的親親寶貝。

「什麼跟什麼？」當我告訴路克聖誕節和第二天的拆禮盒日我們打算怎麼過時，他那麼回答。他從美國回來後，我們又過了兩天才看到他，因為他去倫敦開會，報告紐約行的結果。我一直擔心他得知後的反應，因此決定最好是泰根不在場的時候告訴他，那意味著我必須在上班時對他說。

他站在我的辦公桌邊，雙手在胸前交叉，穿著炭灰色的西裝，白襯衫和藍領帶。我一向都甚感驚訝，他花很多時間在公司裡和在我家，如何還能保持在健身房雕塑般的身材？我慢慢仰起頭看路克的臉，明白為什麼害怕和他的目光接觸，他別具一格的褐色調眼睛，以冷硬的眼神凝視著我，眸中燃燒著指控和不悅。他不只是不高興而已，他感到非常委屈，他下巴的肌肉顯示他在慢慢地磨牙。

我沒有回答。路克說：「我不能跟妳們兩個過聖誕節，可是我要跟妳的前男友一起過拆禮盒日？」他轉頭看我辦公室的玻璃牆，然後抬頭看天花板，然後才用平淡的目光掃我一眼。「我現在是在上偷拍的整人電視節目嗎？因為唯有那樣才可能發生這種事情。」

「我必須為泰根這麼做。必須只有我們兩個一起過聖誕節。是她建議要奈德來過禮盒日，不

是我。」

「如果我聖誕夜才過去呢？」他用美國口音問，在紐約一個禮拜使他又染上美國口音。

「路克，不行。這是為了泰根。那天是她媽咪的生日，是自從黛爾……，是自從黛爾死後的第一個大事件。我不敢相信你看不出這對她有多重要。」

「我瞭解。只是我也沒有家人，記得嗎？我通常跟朋友在紐約一起過聖誕節，除了今年。我拒絕他們的邀請，因為我以為我現在有家人可以一起過節了。」

「你是有家人了，除了在二十五日那一天。」

路克的臉皺起來，眉頭深鎖，嘴巴拉扁成一條含怒的線。

「路克，你要我怎麼做？先考慮你的需求再考慮我的孩子嗎？」

有一下子，我可以在他臉上、他眼中、他嘴唇扭曲的模樣，看到他好像就要說「是的」了。

「你要我做那種人嗎？你想跟那種女人約會？」我加強語氣，阻止他說出其實無意說的氣話。「你知道嗎？我也不想這樣。即使不擔心你會不會因為不能跟我們過節就氣得拋棄我，我那天就已經夠受的了。我很抱歉，路克，可是我得把泰根擺在第一位。她才剛明白她媽咪不會回來了，我不想讓她因為我違背我答應過的事而失望。而我不後悔我答應她。」

我桌上黑色的電話響了，我瞄向液晶顯示螢幕去看號碼。我不認識那個號碼，我拿起話筒放到耳邊。「凱梅玲・馬提卡，我能為您服務嗎？」路克站著看我。

「是我。」奈德說。

「喔，嗨。」我說。房間裡的溫度突然升高。我拿話筒朝我的耳朵靠近一點，不想讓路克聽

到他的聲音或他說的話。

「我知道妳在上班不方便多談，可是我打到妳的手機妳都沒回電，也沒回我的電子郵件。」他說。他的語氣沒有指控的意味，而是體諒。「我想跟妳談關於過聖誕節。」

「喔。」我回答。

「我知道那天是黛爾的生日，喔，曾經是黛爾的生日。我不知道妳會做什麼。妳和泰根可能很難過。我在想，妳是否想和以前一樣，我們一起過那一天？」

「事實上我正想打電話給你。」我瞄向路克，他顯得對我的電話交談一點興趣也沒有，他站在我辦公桌的另一邊，瀏覽放在待處理文件籃裡的下一期雜誌的稿件。

「真的？」奈德提高聲音。

「是的，我和泰根要單獨過二十五日，可是她想知道你二十六日是否有空，我們是否能一起在那一天過聖誕節。」

路克對一頁列出我們在各地的安琪拉百貨公司分店名單的校樣特別感興趣，他停止翻閱而閱讀那一頁好幾次，好像在等待奈德的回答。

「路克也會去嗎？」奈德問。

「當然。」

「那麼我想那不是個好主意，妳覺得呢？我雖然很想去，但我不覺得我們四個在一起會玩得快樂。不如我聖誕夜過去，那時候把妳們的禮物送過去？」

「好。」我鬆一口氣，大感輕鬆。因為他如果來，路克可能一整天和接下來的整個月，和我

們在一起時都心情惡劣。再說，我也不想和奈德在一起過聖誕節。我們之間關係的元素——我們已故的關係——在得知他為什麼和別人上床後改變了。他不是出於惡意去做那件事，他只不過是受了孤寂的驅使。我能夠瞭解那種感覺。在我的生命中也有過好多次那種感覺，當他跟我同居時他還有那種感覺，那我顯然該深切檢討。我經常擔心我會驅使他做出那種事，我的恐懼成真。是我的錯，是我逼迫他去做那種事。我沒有去防止他那麼做，還與他疏離。我不與他親近，讓他孤單。當然，他不必跟別人上床，可是他只是個凡人。在某些個軟弱的時刻，我們都做過愚蠢的事：我與工作上有密切往來的，來自蘇格蘭的傢伙調情；我差點跟泰得在旅館的房間裡發生性關係。我現在對奈德的瞭解更多一點了，而多了那一點更危險。

「那麼聖誕夜見，」他說。「在那之前我能見到妳嗎？」

「嗯，我想那可能不是個好主意。」我斜睇路克一眼，他還在看安琪拉的分店名單。

「那泰根呢？我可以在那之前見到她嗎？」

「如果你想見她的話，我可以讓她在你的住處下車，待上一個鐘頭左右。」我不可能那麼做，我的提議不過是個測驗，看他是真的想見泰根，或是為了想見我而找藉口。

「或者我可以過去，而妳可以外出一個鐘頭？」他回答。「那樣她比較不會感到分裂？」

「你知道我們不會讓她感到分裂，不是嗎？」

「現在或許不會，可是到時候可能會。我真的想見她。當然也想見妳。」

「奈德，我很忙。」

「他在那裡，是不是？」

我嘆氣。「好，我會打電話給你，或許你週末可以過來，我會問泰根是否同意。」

「好，到時候見。」

「再見，奈德。」

「好，寶貝，愛妳，再見。」接著是他掛斷電話的喀嚓聲。我不自覺地在心裡複述他說的話，**轟**！我用顫抖的手放下話筒。

「他聖誕節要去？」路克問。

我搖頭，不敢去看他，以免我的表情洩漏出我剛才在心裡想什麼。奈德那麼輕易就說出口。在對話裡丟進兩個字，沒什麼大不了。當我們在一起的時候，要結束談話前，他一向都那麼說。

「他，呃，很忙，可能去他爸媽家。他會在聖誕夜來一下，只是為了送禮物給泰根。」

「玲？」路克叫道。我轉頭去看他，希望我的臉上沒有露出奈德對我做了什麼的痕跡。我的男朋友泛起羞意的微笑，怒氣消失了。「我很抱歉我先前像個混蛋，我只是感到失望而已。」

「我瞭解。」

「不，妳不瞭解。我的人生第一次有個家庭，我有妳和一個孩子，以前的聖誕節我從來沒有孩子可以寵。妳知道我有多興奮嗎？聖誕節是個家人歡聚的節日，所以我想跟妳們兩個在一起過。不過二十六日也無妨。事實上，這種安排很好。」

我點頭。在確定別人都去吃午餐還沒有回來，也沒有人看得進我和貝西的玻璃牆後，路克傾身向前，很快地吻我一下。「晚上見，寶貝。」

「好，晚上見。」

他離開我的辦公室。等到他走了，想到奈德剛才說的話，我的心臟怦怦加速跳動。我在心裡重複播放，拿它當作是珍貴的珠寶那樣，舉著它在燈下檢查它的完美琢面。「寶貝，愛妳，再見。」奈德以柔和的聲音傾訴，他對我的感覺跟以前一樣，我沒有想到今生我還能再聽到他那麼說。我懷疑過他對我仍有情意，剛才他親口證實他愛我。我愛他嗎？如果我還愛他的話，那對我們的人生有何意義？那將會是我們的人生。我要選擇跟誰在一起，並非單純的我想跟誰在一起的問題，泰根的感覺跟我一樣重要。如果她沒有跟我一起生活，我知道我該選誰。我可以在一個心跳之際便做成決定。

我放在滑鼠旁的手機響起收到簡訊的嗶聲。我開啟路克傳來的簡訊，上面寫道：

忘了說，我愛妳。

我洗掉那則簡訊，手機差點掉到桌上。

我真的知道我該選誰嗎？我真的知道嗎？

第三十九章

阿黛爾節的清晨，天還沒亮泰根就下床，翻開被子，偷瞧仍然灰暗的天空。

她在走廊的腳步聲吵醒幾乎整晚都睡睡醒醒，沒有熟睡的我。當她的頭在我的門口出現，我掙扎著坐起來，眨眨眼想使自己清醒些。

「我可以進來嗎？」泰根問。

自從我們住在一起以來，她從來沒問過她是否可以進入一個房間，我不懂她突然的矜持從何而來。「當然可以，」我回答。她慢慢走進來，爬到床上，鑽進我的被子裡。

「妳要先吃早餐還是先收禮物？」我說話的時候張開手臂摟她，拖她進她可以舒適的躺著的角落。

「我可以收禮物嗎？」她問。

「當然可以，小姐。今天是阿黛爾節，當然會有禮物。然後我們可以吃早餐，再看看妳要不要打電話給費絲奶奶，隨便妳。」

泰根在考慮所有的可能性時眼睛睜大。「禮物。」她沉思過後，扭了扭嘴，輕聲回答。

「好。」我說。我在床上轉動身體，打開床頭櫃的上層抽屜，拿出她的禮物，是一個金色盒子上面綁著紅色絲帶。「喏，在這裡。」

泰根的眼睛睜得更大，雙手接過盒子。她坐著凝視它，心形的臉上顯得有點擔心。「這是什麼？」她問。

若是其他的孩子這時早已經扯開絲帶、打開盒子了，但泰根不然，她必須先想清楚，把所有可能發生的情況都想遍。我就是那種人，總是有點戰戰兢兢。黛爾會在她看到禮物的那一秒鐘打開它。我想，那就是靈魂裡有浪漫思想的作風。那是會相信一見鍾情和完美禮物的人。

「打開來看看是什麼。」我奉勸她。

泰根沒有動，又過了幾秒鐘她才開始玩弄絲帶，試著解開它，直到她瞭解，就像是她最喜歡的一雙休閒鞋上的白色蕾絲，如果她拉開一端，整個都會散開。她小心翼翼地打開盒蓋，注視裡面的東西。

「這真的是要給我的嗎？」她抽氣問，她急抬起頭來搜尋我的臉，看我是否有要將它收回去的跡象。我點頭。

她像她做大部分事情一樣，小心地把手伸進盒子裡，從藍色的絲質底墊上，拿起一條有個小圓盤鍊墜的金項鍊。她專注地凝視著鍊墜，拿近她面前，仔細端詳鍊墜上利用全像攝影技巧縮小的照片。

「那是我和我媽咪。」她終於說。

「是的。」我回答。我把一張泰根和黛爾的照片複製到圓盤鍊墜上。

「我可以一直戴著它嗎？」她凝視著她手裡的項鍊問。

「如果妳想的話。由妳自己決定。」

她把項鍊拿給我，讓我幫她戴上。我拿起項鍊，指示她：「抓高妳後面的頭髮，我才能幫妳把勾子扣好。」等我扣好勾子，放開項鍊讓它滑下她細長的脖子時，我說：「好了。」她把頭髮

放回原位，金髮觸及她肩膀，我在想是否該給她剪頭髮。

過去幾個月來我沒給她剪頭髮，因為，老實說，我沒有想到。我自己每八個禮拜就要去把頭髮燙直修剪一番，可是我沒注意到泰根可能也需要修剪頭髮。我注意到她的髮尾沒有分叉，我通常在晚上幫她洗頭髮時都會幫她潤絲。不過，頭髮到她背部中間的長度很適合她。當她運動的時候，我會把她的頭髮紮成馬尾，然後挽成一個髮髻，再用髮夾固定住。當她讓頭髮散開來，它會彌補她的臉型和眼睛有點傾斜的小瑕疵，增添她的美麗。有時候她會要求我幫她把頭髮梳成玉米（我終於明白，她指的是她很小的時候，我曾把她的頭髮編成黑人流行的玉米狀髮辮）。我把那種髮型保留到特殊的場合，因為要把她的頭髮整齊的編成多條髮辮相當花時間。她比電影《十全十美》裡的女主角波・狄瑞克（Bo Derek）更適合梳這種髮型。當我把辮子都鬆開，她的頭髮全部呈波浪狀，她也愛死了她那個模樣。

我輕撫她的秀髮，看著她凝視著鍊墜的樣子不由得微笑。我喜歡長頭髮的泰根，可是黛爾會希望她什麼樣子？泰根的頭髮過肩，黛爾會怎麼想？她女兒的頭髮以前一直都只到下巴的長度，過長就剪，泰根沒有抱怨過。現在她的頭髮留長了，她也沒有抱怨過。可是，黛爾會怎麼說？

那有關係嗎？我叛逆地想。黛爾不在這裡了，我還老是在意她對每一件事情的看法，有任何意義嗎？但是在叛逆思想的背後，罪惡感跳近了。路克幾天前將叛逆思想的種子種進我心田。

我一直在猶豫是否該送泰根去上中學（middle school，九歲至十四歲學童就讀），或該等到她大一點再送她去上綜合學校（comprehensive，十一歲以上就讀）。或者我該搬去較好的學區，那麼我現在就該採取行動嗎？但霍斯弗思不就已經是里茲較高級的地區了嗎？我向路克解釋

過，我不曾和黛爾討論過這些問題，我不知道黛爾會想要她女兒去上學生行為舉止較守規矩的女校，還是男女混合的學校？但是在男女合校裡她可以學習到和在真實世界一樣與男生競爭。

路克靜靜傾聽我所有想說的話之後回答：「妳不是黛爾。」

我覺得我被冒犯了。他真的以為我愚蠢到，相信我能取代她在泰根心目中的地位嗎？我不是常常在某些時刻對他解釋過，我最擔心的是我無法成為黛爾的替代品嗎？「我知道。」我回答。

「那麼就不要嘗試去做黛爾。」他在我的床上說。他用他的筆記型電腦在床上工作，而我用我的桌上型電腦在桌上工作。「妳說泰根是妳女兒，那麼妳就該當她是妳女兒。別再去猜黛爾會希望怎樣，就去做妳想做的。養育泰根現在是妳的責任，不是黛爾的。」

我對他皺眉，他把筆記型電腦推開，揚高眉毛表示等我回答。我終於說：「我知道她是我的責任。」

「寶貝，我不是在說妳沒有負起養育她的責任，只不過它很容易變得僵化。妳太擔心黛爾會怎麼做，結果妳會什麼都沒做。我很不想這麼說，不過它是最終的退路，不是嗎？如果出了什麼差錯，妳可以說是黛爾會那麼做，不是妳把事情搞砸。」

我咬著下唇，垂下眼簾。「我不會那樣。」

「我如果是妳的話，我會。」他說。他伸展四肢，抓抓他沒有毛的胸部。「那是一張能夠免罪的出獄卡。要是每次出了什麼錯，都可以把責任推給某人，誰會不利用它？」

「我已經盡我所能在做了。」我回答，感覺挨罵和被人看出破綻，雖然我真的沒有那樣想過。泰根是黛爾的女兒，所以我當然會努力去揣摩黛爾的想法，按她希望的方式來撫養泰根長

大。可是他說得有理，泰根現在是我的女兒了。她是我的負擔，也是我的希望，我的至愛。她的一切，好的或不好的，我都要負責。從現在開始，她發展出怎樣的人格特質、習慣、缺點，以及她做事情的方式，都會呈現出她跟著我的人生的成果如何。

我再往下看泰根，害怕在我的心裡爭論不休。如果我太密集去想這件事，那我會有想藏起來的衝動。想爬進被子裡，躲到所有的問題都過去。我從來不想像這樣被賦予義務，做某人的媽媽。我從來沒有生育的衝動或需要，也不想要某人依賴我。是的，我會照顧奈德，但他也會照顧他自己。如果某天晚上我忘了他而出去喝醉了，他不會餓死。當我同意要照顧泰根的時候，這些我都知道，可是像現在這種時刻，不只她身體上的健康，還有她情緒上的健康，都如此完全依賴我，那令我再次怯場。我要負起她所有的責任，永遠要一肩扛起。

「來吧，小姐，我們有很多事情要做，不能整天都躺在床上。」

泰根頑皮地躲進被子裡，發出笑聲。我掀開被子，泰根溜下床，我在後面追她。「我們來打幾個電話，然後吃早餐。」

「好。」她回答。

在客廳，我把電話遞給泰根，她看了內建的電話號碼後，按一個快撥鍵。才六點，可是我媽媽顯然已經在等她打電話過去，因為泰根幾乎立刻說：「費絲奶奶……，很好……。」電話那頭傳出笑聲，泰根笑著回答：「妳說阿黛爾節快樂。」我聽到我媽媽用溫柔的語調跟泰根交談，泰根的笑容更加甜美了。

當我告訴我媽媽關於阿黛爾節的事，她比路克給我更多支持。她說如果我們想要的話，她會

給我們做個蛋糕，我婉拒她的提議，感謝她的好意，但那沒必要。就在我要說再見的時候，我媽說：「凱梅玲，妳知道的，我和妳爸爸為妳感到非常驕傲。」

「妳說什麼？」我媽會那麼說令我極為震驚。我們的關係從我取消婚禮後就有點疙瘩。我不結婚，也不解釋真正的原因，害他們在他們的朋友和我們的大家族面前十分尷尬。

「泰根是個重大的責任。」我媽繼續說：「當妳告訴我妳要照顧她的時候，我很驚訝。結果妳做得很好。非常好。」我媽常常打電話跟泰根聊天，泰根也常打電話給我父母。夏天時我父母開車到曼徹斯特看我妹妹，他們經過里茲時接泰根一起去，讓她跟他們與我妹妹的家人共度一天。他們愛泰卡。大家都愛泰卡。

「謝謝。」我喃喃說。

「自從妳宣布不結婚了……。」我們從來沒有談過這個話題，每次當我爸爸或媽媽提起，我就改變話題。「我們很為妳擔心，擔心妳會怎麼樣。我們不瞭解妳為什麼突然要搬到那麼遠的地方。可是現在，我們不再那麼擔心了。妳有伴了。」

「妳是指路克？」我問。

「我是指泰根。妳現在有家庭了。那令我非常高興。」

「謝謝，」我又喃喃道謝，不知道該說什麼。我爸媽從來沒有洩漏他們擔心我獨自一個人。即使他們想說，他們什麼時候有機會呢？一直以來我都不曾在電話中跟他們交談太久，他們如果想向我揭露什麼驚天動地的祕密也來不及說。事實上，自從我繼承泰根以來這段時間，我跟他們講的話比我之前的人生跟他們講的話還多。

泰根結束跟我媽媽講話，輪到海克特爺爺。然後她問我，她是否可以打電話給我妹妹雪瑞登和她的孩子們。等到她跟我的家人都講完電話，我烤麵包和炒蛋做早餐。

黛爾躺著，一隻手支著頭，另一隻手放在她光裸的肚子上。她的眼睛藏在太陽眼鏡後面，她的肌膚因為擦了防曬霜而閃亮。她對相機嘟嘴，她的長髮捲捲地在她的臉上飛散，她認為鬈髮是她和瑪麗蓮・夢露唯一的差別。那年夏天熱得要命，我們能做的事僅是，躺在我爸媽家花園的大毛巾上，看雜誌喝冰水，假裝我們不在乎沒有很多錢可以繳下學期的學費。黛爾在看到我當時為她拍的照片說：「想像如果瑪麗蓮・夢露是我媽，我的人生會多麼不一樣。」我們真的去想像，然後我們兩個同時想到，那樣瑪麗蓮必須跟黛爾的父親做愛，那實在是噁心至極的想像。

泰根在翻閱一本我大學時代的相簿。裡頭有一張我倒在桌上，我的頭幾乎埋進書裡，長及腰間的辮子遮著我的臉。我穿著一件大大的，沒有線條可言的白色套頭毛衣和黑色及膝短褲。我正在為了應付期末考而猛K書，而黛爾逮到我在睡覺。同一頁，我和黛爾是古埃及的象形文字，在黃昏的埃及金字塔前，我的辮子藏在酒紅色的頭巾下，我的身體穿著白色運動衫和藍色長褲。黛爾穿著一件長及大腿，質料柔軟的粉紅色細肩帶衣服，搭配一件輕飄飄的白色褲子。她的頭髮用夾子固定好盤在頭頂，她也戴著太陽眼鏡。

隔壁那頁相簿是我和黛爾的大學畢業照。我們滿面笑容地穿著綠色和黑色的畢業袍戴學士帽。背景是我的父母不自在地和黛爾的父親與他太太講話。當泰根發現她外公和穆麗兒，她立即

翻過那一頁。接下來三頁都是我們的畢業照。我們換一本相簿看，那本比較新一點的相簿裡有我和黛爾和奈德的照片。雖然我已經很久沒有看這些照片了，我還是保留著。有我和奈德坐在黛爾和我合租的公寓沙發上的照片，是我們在親吻的時候黛爾拍下來的。還有我和黛爾玩扭扭樂時做出滑稽的肢體動作，被奈德拍下來。她的身體向後彎，以便使她的腳和手放在地上不同方向的圓圈裡，然後設法移動她的右手到她身體左邊另一個顏色的圓圈上。她的頭往後仰，頭髮垂到遊戲墊上。我像隻狗，手掌腳掌全都壓在色圈上，因為我不是愛炫耀肢體柔軟度的人。還有我和奈德一起亮出我的紅寶石訂婚戒的照片。還有黛爾指著她的肚子，懷著兩個月身孕的照片，背景是奈德在看電視。另一張是黛爾懷孕九個月。還有泰根生下來幾分鐘後在黛爾懷裡，黛爾看起來好像剛跑完馬拉松，整張臉都是汗水。和我抱著泰根的照片。奈德抱著泰根的照片，因為我威脅他如果不抱的話，就一個禮拜不能跟我上床。

泰根是相簿裡年齡增長最明顯的人，大人臉上會長皺紋，可是泰根從躺著到坐著，到爬行，到走路，到跑步，到跳舞。她的每一張照片都是笑著，微笑、暢笑、嘻笑，張張都顯得快樂。

我們看完所有的照片，做什錦鍋吃下午茶，然後疲倦的泰根要求六點上床。她不需要洗澡或講故事或聊天，她只是換上睡衣，鑽進被子裡，閉上眼睛。

「晚安，泰卡。」我關掉她的床頭燈後說。

「我要我媽咪。」她輕語。

我決定不唸黛爾留給泰根的聖誕卡給她聽，也還不想讓她知道她媽媽寫了些信給她。那只會令她困惑，讓她以為黛爾還有可能回來。或許阿黛爾節也令她感到困惑。或許阿黛爾節對她來說

太沉重了。

她小聲地啜泣。「我要我媽咪。」她再說一次，稍微平靜一點。

我不知道該說什麼，只好輕撫她的秀髮。我今天做錯了嗎？我沒事找事，因而使得泰根的感覺錯亂？「我要我媽咪。」那是她睡著前的最後輕語。

我關掉所有的燈，只留下走廊的燈。我有氣無力地拖著腳步和我的良心上床。我傷害了泰根，而不是幫助她。我應該回到以前不談黛爾的原則。我們不談黛爾，泰根就不會傷心。還不到七點我就上床睡覺。

我醒來，感覺有人在動我的床。我睜開眼睛，看到泰根。她一腳踩在我的床底座上，把她自己舉高上床，然後鑽進我旁邊的被子裡，依偎著我。我伸出手臂摟她，她悄悄再貼近我一點。不到幾分鐘她的呼吸均勻和緩，顯示她睡著了。

她終究知道她還有我。我不是她媽咪，但我在這裡。

叫我泰卡

you can call me tiga if you want

第四十章

一天裡我最喜歡的時光是，在泰根上床前，她洗澡的時候。那時我會坐在浴缸旁邊的地上，和她隨意聊天，遞給她毛巾，等著幫她洗頭。路克從不幫她洗澡，也不曾自動請纓。我猜他可能不想讓我誤解他，懷疑他為什麼花這麼多時間陪我們。即使他如果自願要幫泰根洗澡，我也會拒絕，因為洗澡的時候是凱梅玲和泰根的時間，我們這一天最寶貴的二十分鐘。

阿黛爾節過去兩個月了，我和泰根已經養成一些常規。我們習慣了彼此相處的模式。黛爾已經過世七個月，阿黛爾節凝聚我們的共識：黛爾不會回來了。她用漂亮筆跡寫的信、她衣服上她的味道、好笑的照片，那些都很可愛，都是這個叫阿黛爾•布萊儂的人遺留下來的珍貴紀念品，但它們不是她。只不過是她曾經在世上走一遭的些許證物。不管我和泰根看著那些東西多久，她都不會回來，我們必須相依為命，繼續過我們的人生。

我們正常過日子。路克每個禮拜都比前一個禮拜還陪我們久一點，他很早就有我家鑰匙，現在他幾乎每天下班後都會留下來，甚至週末也沒回他在歐伍德勒的住處。奈德也不時來訪，儘管從他的住處開車到我家有一段距離，他也常過來待上大約半個鐘頭，喝杯茶，和泰根聊聊天，不理會路克坐在角落裡的虎視眈眈。路克問過我幾次，奈德是否要簽讓監護權，我男朋友心裡的意思是，簽完奈德就可以消失了。我每次都回答他，我不知道。我沒有問奈德他預備怎麼做，因為我不想催他做決定，而且因為我們的立場是對立的，我們沒有討論這些事情。

我們建立了一個相當好的慣例，即使每次奈德走進來我的心跳就漏了一拍，可是我知道只要持續下去，我就會習慣見到他。或者，相反地，猶如一頭巨象坐在桌上，每個大人都假裝沒有看到，尤其每當奈德來它就增大三倍。

泰根舀起滿手的泡澡泡沫，倒在我伸出去的手上。我低頭把泡泡吹向她，她在這個時候決定指出大象，問我：「路克是我爸爸嗎？」

我霎時感到恐慌，努力保持穩定的聲音。在這段時間裡，我一直還沒想出該怎麼對她說。說出實情嗎？或說奈德是精子的捐贈者，他使得她有生命？或謊稱我不認識她爸爸？那句話在幾個禮拜前是事實。我不認識那個跟黛爾上床的奈德。經過他的解釋，現在我重新認識他，能夠瞭解他當時為什麼會那麼做。「妳為什麼這麼問？」

「雷吉娜・馬瑟森說每個人都有媽咪和爹地。我說我只有玲媽咪和一個在天堂的媽咪，可是她說我也有爹地。她還說或許路克是我爹地。我說不是，因為他是我的朋友。可是她說他或許是。他是嗎？」

如果讓我見到雷吉娜・馬瑟森，我將會教訓她。或者，最可能的是，罵她父母一頓。她是我人生中的剋星，總是提出我連想都不願去想的話題，遑論跟泰根談。

「路克不是妳爹地。」

「可是我真的有個爹地，不是嗎？我的老師，路易斯小姐說，每個人都有爹地。」

「是的。是的，泰卡，妳有爹地。」我的嘴巴乾渴，我的心臟在胸腔裡狂跳。

泰根停止用手追逐泡泡，也停止用腳潑水，她端坐著任泡泡慢慢消失，融進漸漸冷卻的水裡

形成一小片油花。我顫抖的聲音使得她警覺不對勁，她小心地問：「他叫什麼名字？」泰根在等待我回答的時候，她的臉因為泡熱水澡而發紅，一綹綹濕了的金棕色鬈髮掛在臉頰周圍。

我嘆氣，咬著下唇，感覺我的身體在顫抖。「奈德。」我很快地說。

泰根的小手舉起來，訝異地抹過她的眼睛。「奈德先生？」她問，對我眨眼睛。

我點頭。「是的，奈德是妳的爹地。」

「不是路克？路克不是我爹地？」

我搖頭。「不是，甜心。」

「真的真的嗎？」她顯得失望。

我再點頭。

「我必須去奈德家住嗎？」她緊張地沉默了一下後問。

「老天，**不必**！」我尖叫。「泰根，妳會永遠跟我在一起。千萬別忘了這點。我們會永遠在一起。」

「還有路克。」

「呃，嗯。」我的聲調不若我希望的那麼有說服力。

「妳會嫁給路克嗎？」

「我不知道，我沒有想過那個問題。」

「如果妳跟路克結婚，他就是我爹地嗎？他會變成路克爹地嗎？」她毫不隱藏她對那個指望的欣喜。

「我想應該會。」我回答。

「妳會跟奈德先生結婚嗎？」

「不會。」這點我很確定。我和奈德不會結婚。也不會復合。沒有那個可能性，不管當他在場時我的心跳漏掉幾拍。也不管當我們的目光無意中接觸時，我的胃翻攪得多厲害。我跟奈德的感情已經覆水難收，就像泰根常講的，「真的真的」不可能了。

「為什麼不會？」

「因為路克是我的男朋友。」

「可是妳準備很漂亮的衣服要跟奈德先生結婚。」

「是的，很久以前。」

「奈德先生為什麼是我爹地？」

我真的必須現在就教她性教育嗎？她不是還該享受幾年的天真無邪嗎？我可以不教她嗎？我納稅不就是為了別人可以幫我免除教導孩子性教育的尷尬嗎？我甚至不知道該從何啟齒。

泰根在等我回答時眨了眨她濕潤的睫毛。

「嗯……，」我必須做在這種情況下唯一能做的其他事。「妳介意奈德是妳爹地嗎？」問一個會轉移她注意力的問題。

泰根扭動嘴巴，噘著嘴思考，看著她面前的泡泡水。她聳聳肩。「我不知道。奈德先生滿有趣的。」她皺皺鼻子，搖搖頭。「路克不喜歡他。」

「他那麼說嗎？」我問，準備吼他：別拖下無辜的泰根來淌大人的渾水。

她搖頭。「沒有。他跟奈德先生講話怪怪的。」泰根的下巴壓低到她脖子，她的聲音變得低沉。「奈德，你又來了。真好。」她回復泰根的聲音說：「路克老是那樣對奈德先生說。他的語氣不太好，不是嗎？」

「男人有時候會做蠢事。」我回答。

「奈德先生會看著妳。他有時候對妳笑，妳不看他或不回他微笑。他喜歡妳，比他喜歡我來得多。」

「我們兩個奈德都喜歡。」

「妳比較喜歡奈德先生還是路克？」我如果知道這個問題的答案，現在每天晚上會睡得好一點。那我就不會因為他們兩個我都想要，而一直感到愧疚。我喜歡和路克相處，因為他不認識黛爾，不會經常讓我想起她。奈德會使我想起我以前是什麼樣的人。那個凱梅玲有時候人很好，經常笑。我一直知道奈德愛我，但路克還沒證明他的確愛我，因為我們還環繞著「我愛妳」舞動，我們兩個都不願意冒險先完全吐露真情。路克勝於奈德的是，路克從來不曾對我不忠，我的腦子裡像永不停止地在轉圈圈，持續不斷地想：我到底比較喜歡誰？我應該跟誰在一起？「我喜歡他們兩個。」我告訴泰根。我的手抬起她下巴，舉高她的臉，向左轉，再向右轉。「可是我最喜歡泰根。」

她綻開笑容。她的五官很漂亮，小巧的斜坡鼻子，大大的寶藍色眼睛，和曲線精緻的嘴唇，那使得她笑起來像是黛爾的翻版。她縮頭，舀起一些泡泡，把它們吹向我，泡泡白色的泡沫飄到我紅色的套頭毛衣上。

「玲媽咪，我會想一想。」她說，認真得像法官在宣判。

「好。」我同意。那要不是泰根一貫的說話方式，我會嘲笑她的語氣如此嚴肅，嘲笑她如此早熟。可是我沒有笑，因為她所做的都提醒著我，她是個思慮周到的孩子，她必須徹底檢查這個新消息。

「我不知道我要不要奈德先生做我的爹地。」她解釋。「我會好好想一想。」

我點頭同意。我也必須想一想該如何告訴她，不管她喜不喜歡，願不願意，奈德都是她爸爸。那是我們兩個都改變不了的事實。

第四十一章

奈德在霍斯弗思一家位於湯恩街的咖啡屋裡，一手托著頭，身體微弓，眼睛望著見底的白色咖啡杯。當我打電話安排這次的會面時，我建議我們在里茲市中心見面，但他說他不介意開車到我住的這一區來。我走進咖啡屋，發現他坐在他的咖啡前，好似他已經坐在那裡幾個小時了，那使我想起我們的第一次約會。

我抵達他桌邊，他抬起頭。我的胃恐懼地翻攪著。他看起來像個食屍鬼，一個可怕的鬼魂版

的他自己。他的黑眼圈告訴我他沒睡覺，他的顴骨開始突出，顯示他可能也沒吃東西。他下巴的鬍椿顯示他已經幾天懶得刮鬍子了。他的指甲被他啃成鋸齒狀。他緩慢呆滯的動作顯現他即使要坐直都困難。

他不好好照顧自己令我痛心。他對我而言很珍貴。他畢竟是泰根的爸爸。我習慣了這個事實。開始接受這個既成事實的事實。我無法改變它。如果我有能力改變的話，我也不確定我會改變它。像黛爾在她的信裡說的，如果奈德不是泰根的爸爸，泰根就不會是泰根了。可是他對我而言也十分珍貴，因為他是奈德。

「我沒遲到吧，有嗎？」我問。

「沒有，我只是很興奮能見到妳，妳在電話裡聽起來很嚴肅，所以我提早到。」

我坐下，靠近了看他的憔悴更加明顯，更加嚴重。這不是一夜之間造成的，必然是日積月累的，只不過直到現在才明顯到不容忽視。

「你還好嗎？」我問。

他自嘲般地點頭。「我很好，好極了。妳在電話裡語氣那麼嚴肅，是要跟我說什麼？」

我遲疑著，想更進一步詢問他的健康情形，不想立刻開始表明來意。以他現在的狀況，他最不想聽的可能是我預備說的，不過我還是得這麼做。他很重要，可是泰根仍是我的第一個考量。我做每一件事都是為了她的利益著想。「奈德，」我潤潤唇，擔心我的話對他的傷害會有多深。「能常常見到你是很好，可是我要請你簽文件，讓我能夠完成領養泰根的手續。」

奈德往他的座位陷進去，難過地凝望著桌子。

「我知道你喜歡她，可是你沒有喜歡她到願意做她的專任父親。她需要我領養她，給她安定的歸屬感。再幾個禮拜她就六歲了，在過去的一年裡她痛失她媽咪，搬到另一個城市，發現有爸爸是什麼樣子，發現誰是她真正的爸爸，除了這些大變動，她每天還必須應付一些事情，我只是想給泰根安全感，讓她明白我不會離開她。你瞭解的，是不是？」

透納先生點了點他疲憊的頭，望進他的杯底，好似他可以在那裡找到安慰。

「所以……，你會簽嗎？」

他又一次疲憊沮喪地點頭。

「我還可以去看她嗎？」他試探性地問。

「當然可以，」我說。「你必須不時來看她，你現在也在她的人生裡占有一席之地了。如果你消失了，她會傷心。我的意思是，她現在仍然害怕你是她爸爸，所以她看你的眼光有點奇怪，可是她經常談到你。她喜歡你，奈德先生。她懂得欣賞你。」

「不要，」他搖著頭咕噥。「請妳不要對我太好。那只會提醒我，失去妳，我的損失是多麼地大。」

「我從來沒想到，有一天會聽到你叫我別對你太好。你也沒想到會聽到自己這麼說吧？」

「玲，如果妳像妳想的那麼討人厭，妳真的以為我會跟妳在一起那麼久嗎？」

我聳聳肩。誰知道男人的心裡是怎麼想的？

「對我來說，妳好得不可思議。妳總是照顧我，盯著我正常吃飯，幫我洗衣服；雖然妳討厭與人交際，卻依然陪我參加我每一個工作上的應酬。我記得有許多次我輪晚班，妳都會熬夜等我

回家。妳總是鼓勵我，當我跟妳在一起的時候，我信心滿滿，相信我可以做任何事。我有時候懷疑，妳既然那麼會照顧別人，為什麼不要小孩？不只是我，妳也照顧黛爾，」他閉上眼睛，手插進他的頭髮裡。「即使當妳想要別的男人，妳也沒有嫌惡我。妳只是用同樣的方式，停止關懷我。我因此知道，沒有妳的每一天都乏味無趣。」

「奈德，我們別……，你把我們的關係描述得好像超完美，但事實不然，我迫使你上別人的床。我逼得你……。」

砰！奈德一手用力拍桌子，嚇得我跳起來。「別說了！」他怒聲道。「別再對妳自己這麼苛刻。但那就是我為妳瘋狂的原因。妳對自己太嚴厲了。妳每次都為了妳無法控制的事情責怪自己，任何事情出了差錯都認為是妳造成的。妳沒有迫使我做任何事，是我對妳不忠。那不是妳的錯。」他做了幾個深呼吸，讓他自己平靜下來，放柔聲音說：「那不是妳的錯。是我的錯，是我破壞了我們的關係。我也破壞了我跟黛爾的友誼。」

「我和泰根和路克約好在公園碰面。」我改變話題，在我的聲音裡注入陽光。我不得不這麼做。如果我繼續想這些事情，我又會開始崩潰。聖誕節前我曾瀕臨崩潰邊緣，在奈德的懷裡哭便是一部分。幸好我能在情緒失控前及時醒悟，沒被我心中深刻的哀傷擊垮。我不要冒著再受傷的風險，敞開自己和奈德談論這些。「所以我該走了。」

「好，」奈德回答。「妳要我開車載妳去嗎？」

「好。」

我們離開咖啡館，在漲滿了雨水的斑斑烏雲灰暗天空下，朝奈德車子停放的莫里森斯停車場

走去。這可能不是去公園最好的時刻，可是路克和泰根相信，在天堂打開倒雨下來之前，他們至少有一個小時的時間可以到處遊蕩。我們靠近他的銀色奧迪車，奈德的腳步緩慢下來至停步，然後他轉身面對我。「我……，」他欲言又止。他伸出雙臂，把我拉入他懷中擁抱。他的手撫下我的背，再慢慢的愛撫上來。「妳有沒有想過我們在一起的時候？」他在我耳邊呢喃。

我不只想過，我幻想，我希望，我要奈德的唇擦過我的脖子，他的手纏繞我的腰。他的唇抵著我冷冷的肌膚，加了一點壓力。他不斷親吻我的脖子。他知道當他親吻我的脖子時，我毫無招架之力。我的膝蓋虛軟，他把我的身體壓向他。我在精神上失足，突然墜入感情的時光機器。回到那些當我們站在火車站、街上，有時候甚至在超市排隊時，無視於別人的目光而摟抱親熱。就像我們剛認識沒多久那樣親吻擁抱。當人們對我們叫：「去開房間啦！」時，我們會相視而笑。奈德一手插進我髮中，更猛烈地親吻我的脖子。「我不會留下吻痕。」他呢喃著，現實在那一刻撞進我腦中。

「停，停。」我推他，直到他退後，我們之間有了點安全距離。我們凝視著對方，大口大口地吸進空氣，胸部都劇烈起伏。「不要再這樣。這種事不能再發生。」我喘息著宣布。「永遠都不能再發生。」

「我知道這不能再發生。」他閉上眼睛，他的臉整個皺起來。他用兩個掌根壓他的兩眼。「我知道。全都錯了，每一件事……都錯了，我被迫休假兩個禮拜，因為我不能專心，把事情搞得亂七八糟。」我的心倒向他。不管他的人生出了什麼事，他永遠都那麼專業，沒有任何事能阻止他工作，現在他居然被迫暫停工作，我不知道他如此脆弱。「大部分時間我不知道我在做什

麼，」他慌亂地說下去。「我整晚沒辦法睡覺，清醒地躺著想我們之間的事。」他用指節揉他的臉，在他氣色相當差的臉上留下白色的痕跡。「希望我們能夠再續前緣，我知道妳跟他在一起。那是最糟糕的部分。我喜歡他。他討厭我，我知道，可是我喜歡他那麼照顧泰根。」奈德崩潰地蹲下去，他的雙手還壓著他的眼睛。「妳還記得我們第一次大吵一架嗎？妳衝去黛爾家。記得嗎？我追去找妳，可是她沒有插手管我們的事。妳記得嗎？她說：『如果你們兩個分手，你們都不會得到我的監護權，我會去跟凱的爸媽住。』妳記得嗎？」我記得，我對著他彎下的頭點頭。「妳回到我的人生中，可是她不在了，這樣好像不對。」

奈德在哀傷。我不曾想過黛爾過世對他也有相當的影響。如果我曾經想過這個可能性一秒鐘，我就會知道他不可能克服得了，因為他也很孤獨。她像是他的家庭的一分子，而她死了。他當然會悲傷。我還在怪我自己沒能在她死前聽她細述，但我們至少來得及踏出試探性的和解的第一步。而奈德最後對黛爾說過的話是，他恨她，他永遠不會原諒她。他跟她最後的對話充滿苦澀、憤怒和控訴。愧疚一定折磨得他心勞神疲，整個人憔悴不堪。

我怎麼沒有看出這個問題？何況他還曾試著想告訴我他的苦惱。當我們一起吃晚餐那天晚上，他告訴過我；當他提議要支付泰根的花費時，他告訴過我；當我問他為什麼要親近泰根時，他告訴過我；當我們在街上衝突那天晚上，他告訴過我。奈德一直在向我求助，哀求我看到他的痛苦，然而我視而不見。我應該是最瞭解他的人，我卻沒有看到他失常了。我的寶貝崩潰了。

「泰根和黛爾長得很像。我看著她就像看到黛爾在看我。可是她也很像妳。她說話的樣子很像妳。她有妳獨特的風格。當她累了的時候，她會像妳一樣，玩她耳朵旁邊的一綹頭髮。妳注意

到沒有？」

老實說，我沒注意過。不過，現在那個不重要。他才重要。我蹲到他旁邊，伸出一手攬他的肩膀。「奈德，你怎麼不告訴我，你的情緒這麼糟？」

他聳肩。「我不知道。」他說，他的語調和泰根沮喪的時候一模一樣。

「走吧，我們去公園，去玩玩，把這些都拋開。」

「好。」他低語。

「他來這裡做什麼？」路克用憤怒的低吼聲盤問我。

當他看到我和奈德一起抵達公園時，他的眼睛瞬間增大一倍。等到他扶泰根下鞦韆，他瞪著我，直到我過去他那裡，讓奈德陪著泰根。奈德坐在泰根剛下來的紅色鞦韆上，眼睛望著地上。

「奈德的狀況很糟。他有點崩潰。」我解釋。

「現在是我們的時間，我不敢相信妳會帶他來。」路克嘶聲說。

「他很苦惱！他無法應付黛爾驟逝對他的衝擊。」聽到我那麼說，路克憤怒的目光轉柔一點。「我直到剛才才知道他那麼痛苦，他吃不下也睡不著。他被迫暫停工作休假。他崩潰了，我真的很為他擔心。」

路克嘆氣，似乎被奈德的傷痛感動，他伸出手，把我拉進他懷裡。「我有你支持我。」我對著路克的胸膛咕噥。「奈德沒有任何人。所以我必須拉他一把。他曾是我最好的夥伴，我不能讓

他如此頹喪。」

「我瞭解。」路克讓步。「我不喜歡這樣，不過我能瞭解。」他親我的頭頂，然後吻我的唇。等我們回到鞦韆那裡，我們兩個都停步，看泰根用熱烈的大眼睛凝視著奈德，好像在觀看動物園裡的展示品。她經常好奇地把大人當作研究對象，因為他們與她大不相同。別的小孩會引起別的小孩的好奇心，泰根卻總是盯著大人看，試著想藉由觀察他們的行為，解開他們的祕密。

她終於伸手拍拍奈德的膝蓋，直到他轉頭看她。「奈德先生，你怎麼了？」她平靜地問。「你生病了嗎？」

奈德對她微笑，搖搖頭。「沒有，我只是累了。」

「喔。你要不要睡我的床？它很漂亮。」

「謝謝，不過我也有床，在我家。」

泰根抿抿嘴，咬咬下唇內側，然後額頭擠出皺紋，她很努力在思考。「奈德先生，你可以住在我家。」她終於宣布。「你可以穿路克的睡衣，睡我的床。我會去睡玲媽咪的床。玲媽咪從來不會生氣。她從不生氣。」

奈德對她微笑。「謝謝，泰根，可是我想我最好還是睡在我家。」

天氣開始變壞，幾滴雨落到我們身上，那給我藉口去打斷他們的話。那一刻雖然很甜蜜，但可能會令路克心裡很不舒服，因為她現在正式和奈德有關係了，她關心他。而且她令奈德感覺愧疚，因為她的確長得像黛爾。「好了，先生小姐，我想我們該回家了。快下雨了。」我說。

「喔，好。」泰根說。她誇張地轉動眼睛去看奈德。「奈德先生，你要來我家吃晚餐嗎？」

她問。奈德抬眼看站在我旁邊的路克。路克聳聳肩瞟開眼睛，那形同在說「來吧」。

「好，泰根，我會去。」

她笑道：「那你要來喔。」她向他伸出手。他握住她的手站起來。「你願意的話，可以叫我泰卡，」她點個頭強調她的話。「路克叫我泰，你別叫我泰。不過你可以叫我泰卡。」

「好，泰卡，謝謝。」

泰根對他綻放更甜美的笑容，然後拉著奈德走到小徑上。我的手滑進路克的手了，我們的手指緊密的交握，跟著奈德和泰根回家。

我在回家的路上想，我們四個合得來的。他們真的可以和平相處。如果我沒有一直碰我脖子，一再用手指撫過被奈德親吻過的地方的話。如果我沒有明顯地感覺到，我又為他著迷的話。

第四十二章

路克已經習慣一個禮拜見到奈德幾次。說他「習慣」可能言過其實，他只是克制他的（用泰根學過他的聲音說）「奈德，你又來了，真好。」到一個禮拜一次，因為奈德開始在我們家待很久。他一個禮拜至少會出現四次，幾

乎都是應泰根的要求。她還沒有將他升級到，與路克的地位相當的階段，不過他等同於公園裡她老是想去餵的鴨子，她決定不管他的話，他會餓死。幾乎每隔一天我們必須打電話給奈德先生，問他是否願意過來吃晚餐。如果他不能來，她要知道他會吃什麼。有時候她打電話給他，問他那天上班的時候做了些什麼，他是否交了新朋友。等他到來，她會問我，他可以帶她去商店買糖果嗎？路克沒有被泰根遺忘。每次她跟奈德出去後，一回來就直接走向路克，爬到他的大腿上，告訴他，他們的迷你旅程的細節，然後問他，下次要不要帶她去商店。她從來不忘讓路克知道，奈德雖然有趣，在她心目中還是路克最重要。

由於奈德花了些時間和我們相處，他明白我或泰根都不恨他，因而慢慢恢復正常。盡可能正常。他進入雖然還是痛苦，但可以正常生活的階段。他開始能夠正常的睡覺、吃飯，臉色看起來好多了，我們甚至能夠談黛爾。有一次我們四個人在公園的時候，奈德說：「記得那天晚上黛爾到我家威脅我嗎？」

我微笑著回憶。

「她說我如果傷害妳，她就要殺了我。她說：『我真的會幹掉你。』」

「她是開玩笑的。」

「不，她是認真的。我記得剛認識妳時，我很快就瞭解到，黛爾會在我們的生活裡占有一部分。然後當她有了泰根，妳們就像三位一體。」我轉頭看他。「我不是在抱怨。事實上那樣很好，擁有一個現成的家庭。我在等哪一天妳對我說：『我們何不買間大房子，讓她們可以跟我們住在一起？』」我微笑，因為我的確曾經有過那個想法。「對吧？」奈德說：「我知道！」

「我知道你們兩個吵過架，不過她真的愛你。」我承認。

「當我是個朋友那樣愛我，妳現在知道了，不是嗎？她看待我就像看待妳的兄弟。」

「她也和我的兄弟上床嗎？」我問。

他的眼睛恐懼地瞠大。「什麼？不！我沒那麼說。喔，妳在開玩笑。很好笑，很好笑。」

「黛爾也會那樣覺得。」

「是的，她會覺得幽默。」

事實是，我可以談黛爾而不會崩潰了，那也意味著我的狀況比較好了。我能夠應付哀傷了。進展緩慢，不過我正在努力。我必須強迫自己慢慢進步。奈德崩潰那天，我震驚到了極點。瞭解到我再度迷戀奈德也嚇到我。那顯然是因為我對路克的付出不夠多。如果我不小心，我會面臨驅逐路克的危險，就像幾年前我驅逐奈德那樣。我開始每天對路克說「我愛你」，因為我真的愛他。他是跟我住在一起的人，他是我選擇要共同生活的人，我要向我們兩個證明我愛他。我決定朝完美的方向去做。

「我們這樣就像是真正的男女朋友。」路克說。我們分別溜出公司，到河邊共進午餐。我們不走主要的街道，避免被安琪拉的同事看到。雖然大部分人懷疑我們在約會，貝西等著她可以和百貨部門的女孩們報這個大八卦的那一天到來。不過，我們喜歡保持低調，把我們工作上的角色和約會的對象分開。如果我們兩個經常擔心，每個人都在看我們對否決對方的一個提議，或指出一項錯誤的反應如何，那我們兩人的工作都會沒效率。「這就像我們正式在約會。」

「是呀。」我微笑。我要求他出來吃午餐，因為我要跟他談話，想做點事來證明，儘管我心

中藏著懷疑的陰影，他才是我要長相廝守的人。

我的上司四下看看附近有沒有安琪拉的員工才親吻我，他的唇有剛才吃過牛肉辣根三明治的鹹味。

「我們應該常常這麼做，」他在我面前說。「妳知道的，我們能夠單獨相處的時間不多。妳想，是不是可以請妳父母週末來陪泰根，讓我們出去過夜？」

「可能可以。或者奈德也可以陪泰根。」

「是呀，」路克嘟噥著轉開眼睛。「他甚至可能簽文件。」

每次提到這個話題，我的男朋友就像個緊抓著懸崖邊緣的人。不管他多討厭奈德，都不會明說，因為他得保持風度，說了簡直是要他的命。「你真的很在意他常來嗎？」我問。「真的真的很在意嗎？」

「玲，不要學泰根跟我講話。讓妳的前男友幾乎跟我們一起生活並不容易。泰臉上有他的影子，我看著她，就像在看他的臉。如果那還不夠糟，我知道他跟妳性交好些年。」路克故意說比較難聽的「性交」。他藉由那樣聽起來比較冷漠，比較動物性，來減少我和奈德的感情成分。那是他唯一可以自我調適，經常看到我差一點嫁給他的男人的方式。「我沒有辦法要他走。告訴我還有誰必須經常跟他女朋友的前男友在一起吃飯。如果妳是我，妳辦得到嗎？」

「我瞭解那的確不容易，不過他現在好多了，你一定已經注意到，他開始比較少來了。」

「他既然迅速復原了，所以可以從此消失嗎？」

「路克，別這麼酸，你知道你是個好人。如果你不記得你有多好，我就不告訴你我為什麼要

你來吃午餐。」

有幾秒鐘的時間他的怒目像燃燒殆盡的煤炭餘火，然後好奇心澆熄他的怒氣。「嗯，我注意到他最近比較沒那麼常來。」

「好，路克先生，我在猜，你想不想搬進來跟我們住？你現在已經差不多跟我們住了，可是如果正式同居呢？如果你打算這麼做的話，可以退掉你租的公寓，我們可以一起開始存錢，買間大一點的住所。或甚至買間有庭院的房子，可以給泰根一個花園。」

路克的回答是瞟開目光，畏縮地沉默。那樣的沉默持續著，成了隱含祕密的靜默，那勢必會縈繞在我們未來幾年的關係中。我明白我搞砸了，他繼續沉默，我的心跳越來越慢，隨時都可能停止。我不該說這些的。「這是重要的一大步，」路克終於說。「我必須好好的想一想。」

就這樣？我想。經過我最近那麼多的努力，在我問了那麼重要的問題之後，我得到的只是這樣？這是在我說了「我愛你」，他回答「我很高興妳讓我知道」情節的翻版。我敞開我的心給他看，卻彷彿又挨了一巴掌。「好。」我呢喃。我還要讓路克這樣對待我多少次，才會學乖不再企圖跟他坦誠交心？或許他並沒有想到我們的關係會維持那麼久。

「我不是在說不，」他補充說：「只不過那是一大步。」

「你說過了。」

「玲，有很多事情要考慮。」

「我知道。」

「我的確把妳和泰納進我的未來。」

「那問題在哪裡？」

「我們在一起還不到一年。」

「可是當你心有所屬，你就知道該是時候了。」我不假思索地說。我真的那麼說嗎？我？那是黛爾會說的話，不是我。

自從黛爾過世後，我改變那麼多了嗎？我變成一個容易被命中注定的浪漫思想沖昏頭的女人嗎？不，我明白。我一直以來都是浪漫的。我所說的只代表一件事情：我在哀求。我恐懼戰慄。路克使得我哀求他的感情。

「我不知道，」路克說。「我只是需要……。」

「沒關係，」我打斷他的話。「你現在不需要馬上給我答案，儘管慢慢想。」

「妳確定？」他問。

「非常確定。」

就我所看到的，全指向一個事實：路克不愛我。他很喜歡泰根，他無疑可以為她死，問題出在我，不是嗎？他不愛我。如果他愛我的話，他的反應不會是這樣。當奈德再度出現在我的生命中時，我雖然產生疑慮，奈德在停車場親吻我的脖子後，儘管我產生更多疑慮，但我並沒有改變認定路克是我選擇要相守到老的伴侶的決定。我愛他的程度，足以要求他和我一起踏出這一大步。在我經歷過遭受奈德的傷害後，我沒想到我這一生中還會再冒險接受別的男人。我沒有預期再遇到一個，會成為我人生中重要的一部分的男人，他能使我想和他維持長遠的關係。看起來路克似乎並沒有同樣的感覺。當我們第一次親吻，我猜測他會跟我上床，我們的關係僅只於滿足情

慾。但他似乎不時顛覆那個模式：忽而告訴我他童年的故事；忽而好像不在意我的感覺；忽而瘋狂地嫉妒我的前男友；忽而不想搬進來跟我同居。我一直都不清楚我在路克心目中的地位。他對泰根的愛是那麼的清澈透明，但我從來不知道他對我真正的感覺為何。那使得我害怕。我對他投入很多感情，卻不知結果如何。

「妳很安靜。」路克說。

「只是在想事情。」我回答。

路克嘆氣，把他吃了一半的三明治丟進附近的垃圾箱，然後他的雙手搭到我肩上，用他凝視的重量將我釘在原地。

他臉上掠過一個表情，他的褐眼陰沉下來。「妳不會要我同意我不確定的事情，只因為那是妳想聽到的，是不是？」路克問。

我搖頭。「當然不。但我可以因為你沒有雀躍於有機會可以使我們的關係長久固定下來，而感到失望和受傷。」

「我……，」他欲言又止。他臉上又掠過那種我無法解讀的表情。我不懂他在想什麼，不過我沒說話。「玲，老實說，我在考慮要求妳嫁給我。我每經過一家珠寶店，就進去看戒指，可是我們在一起不到一年，我們不能在不到一年的時間裡就結婚。我不是會做那種事的人，我不是衝動草率型的人。所以妳突然那麼說，我需要時間考慮。我們一起買間房子會是個折衷的辦法，可是我不知道我是不是要用折衷的方式來做。那使得我轉回去想結婚，可是那樣又似乎太衝動。妳瞭解我為什麼必須考慮嗎？不是因為我不愛妳，不是因為我看不到我和妳在一起的未來，我只是

希望想出最好的方式。我這麼做過，記得嗎？但那個結果並不好。」

「是的，路克，我記得你曾經做過。我也是。我差點走上教堂的紅地毯，所以我想你如果曾經考慮過結婚的事，至少該想到要和我談。」

「妳想買房子並沒有先和我談。」

「你以為我剛才在說什麼？我還沒有去看房子，也沒計畫我們應該住在哪裡，我剛剛提出這個想法來讓我們可以討論。你知道我們結婚的話對領養泰根有何意義嗎？她該改姓誰的姓？有權決定是否要讓我領養泰根的的社工人員和法官，會如何評估我們的婚事？我現在必須看起來沉著穩定，符合扶養一個喪親小孩的條件，突然結婚可能使得我似乎衝動善變。如果你稍早曾向我提及結婚，我可能會告訴你，這些是我們必須考慮的事情。一起買房子在某種程度上是瞻望未來的做法，就像我說的，我們目前先存錢。而且，坦白說，同居和我們目前的情況其實沒有差別。你會一直跟我們在一起，那是我和泰根都想要的。而既然你幾乎百分之九十九的時間都跟我們在一起，可見那也是你要的。」

「如果我求婚，妳會拒絕嗎？」

我點頭。「我想你現在知道了，我是那種需要充分討論這種事情的人。那也是我的未來，你準備好要結婚，並不表示我也準備好了。尤其當我還有個孩子要考慮。」

「我瞭解妳的意思了，我們沒有一起好好規劃未來，是不是？」

「我想是沒有。」

「可是我真的希望我們能有未來。」路克說。「真的真的。」

「別學泰根跟我講話。」我淺笑著回答。

他笑了，然後他的表情改為一本正經。「我要我們在一起，下半輩子都在一起。我會慎重考慮搬進去，好嗎？」

「好。」

路克對我微笑，也不先看看附近是否有安琪拉的員工便吻我的唇。他擁抱我，深深地吻我，我心中隱約浮現危機的蛛絲馬跡。它開始成長為警報級，迅速地開枝散葉，隨即遮蔽其他所有的想法：如果我剛才是向奈德那樣提議，整個對話的走向會完全不同。

「我們發現上一期的《生活的安琪拉》裡頭，商品優惠券回籠率提高五個百分點。」貝西在我們每週召集廣告、商品販售、行銷各部門團隊的例行會議裡侃侃而談。「我們調查過為什麼會如此，雖然凱梅玲認為是因為，我們用人的照片取代原本的靜物來推銷。」我在聽她講話的時候想：她已經頗有大將之風。而且她還在成長。當我和路克還互相痛恨時，她認識一個男人，現在她與他陷入熱戀。那時候她便認為他會是她的真命天子，看來她說對了。

我垂眼看我的筆記本，上面並沒有做任何筆記，而畫了一些房子。由房子聯想到我的「真命天子」幾個小時前告訴我，他必須「慎重考慮」是否要搬進來跟我們同居。他的話仍然刺痛著我。貝西停止說話，而因為我不會被點名去參與，我的頭轉向路克的私人助理卡拉，她開始檢查這三個部門在未來的一個月所有會議的日程表，以確定不會撞期。「我剛剛得知，愛丁堡的直效

行銷活動首次會議確定在十四日舉行。路克，我該跟他們確認你會參加嗎？」卡拉問。

我的筆停止在本子上塗鴉。十四日？等一下，我瞟向正看著卡拉，臉色變得有點蒼白的路克。他的目光越過房間飄向我，然後移開，好似他深陷於思潮中。我不知道他在想什麼。有什麼好考慮的？他當然不能去。他當然不能去。

「路克？」卡拉在他沉默了整整一分鐘後問。他不尋常的沉默使得會議室裡所有人的目光都落到他身上。「我可以確認你會參加，幫你訂飯店嗎？」

「嗯，」路克瞄我一眼再回去看卡拉。「嗯，抱歉，卡拉。是的。請妳確認我會參加。」

我的手指縮緊，死握著我的筆，緊握到足以壓碎塑膠筆管，怒火在我的血管裡燃燒。

「如果沒有別的事，那我們就散會。」路克說。「謝謝大家。」每個人都收拾他們的筆記本和筆、茶杯或咖啡杯或水杯，魚貫走出會議室。我怒火中燒地留在座位上。路克也仍然坐著不動，直到最後一個人離開關上門。

「我不敢相信你十四日要出遠門，」我說。我的聲音沉著平靜，與我心裡火大得想對他尖叫大相逕庭。

「我沒打算去過，」他試著安撫我。「幾個禮拜來我們都無法確定日期，我一直希望那個會議能夠取消，我希望結果不會是在五月我們都有空的唯一時間。」

「可是你沒有空，那天是泰根的生日。你幾個月前就知道了。我們已經計畫她的派對很久了。你沒空。」

「玲，妳該記得職場的生涯是怎麼一回事，你必須額外付出才能保住職位。我不能說我要去

參加一個孩子的派對，所以我不能去開會。」

記得職場的生涯是怎麼一回事？我還在職場裡，我還在負責雜誌，我還可以自豪地說我做得很好。必須額外付出才能保住職位？我一向都額外付出。和我一樣超時工作而沒有榮譽、沒有功勞和升遷機會的其他媽媽們，她們也必須額外付出才能保住職位。我難道喜歡整天不停工作，下班後回家做另一種工作，休息幾個小時後又開始另一個工作循環，因為我終究會升職？終究會被記功？沒有人談論雜誌辦得很成功，可是我深信，如果我的工作出了差錯，董事會會注意到我的工作品質。

在路克說的所有話裡頭，使得我想將他處以絞刑的是「一個孩子的派對」。

「一個孩子？」我惡狠狠地問。「從什麼時候開始泰根變成只是『一個孩子』？」

「我說錯了。」

「真的？那麼，這句話絕對不會錯，我收回我邀請你搬進來那句話。」我說。

「什麼？」

「你叫泰卡『一個孩子』。我們母女不能跟某個把他的工作看得比她重要的人一起住，他有空的時候就當她是他女兒，沒空的時候就當她是『一個孩子』。她把你看作是她爹地。她雖然知道奈德是她爸爸，但你才是她想要的爸爸。而你卻把她看做是『一個孩子』。」

「我不是那個意思。」

「誰在乎你是什麼意思。」

「我會看看我是不是能更改。」

「維斯曼先生，不要再給我們任何恩惠。我還模糊地記得職場生涯是什麼樣子，我知道你如果不參加會議，你看起來就不夠專業。我不會要求你在你的同事面前顯得怠忽職務，你要以事業為重，請便。」

他怒視著我，不願承認這件事他做錯了。「好啊！」他啐道，把他的筆丟向長會議桌。

「好啊！」我不甘示弱。

我站起來，收拾我的筆記本、筆和茶杯。我的心臟在胸腔裡以三倍的速度跳動，我走過會議室時四肢都在顫抖。

「今天晚上見。」他在我摸到門把時說。

「你不會在我的公寓見到我。」我回答，沒有回頭。「你何不回你稍早堅持要保留的公寓，去計畫參加更多會議。」

他的回答是沉重的嘆氣聲。

我踏上走廊，氣得太陽穴跳動。我氣我自己，和氣路克一樣多。因為我瞭解他為什麼選擇去參加會議。以前有一段時間，沒有任何事能阻止我工作。他一向是個超級有野心的人。再說，他雖然那麼愛泰根，但她畢竟不是他女兒，她不是他的責任，所以他可以把工作放在她前面，放在我們前面，因為我們跟他的工作比起來並不重要，他只需要照顧擺在第一位的工作。那全都是事實，但並不意味著我必須喜歡。

第四十三章

泰根就要六歲了，那代表她將正式長大了，至少她是那麼對別人說的。「等我六歲，我就可以做很多事情。」在我籌備她的生日派對那段期間，她每天都說那句話提醒我。

我想不出她五歲時不能做而六歲可以做的事情，不過我的回答總是：「我知道。」不想讓她的熱情掃興。她生日那天早上路克不會來。他會先去上班，然後去愛丁堡出差，我要求他別為我們改行程。相較於最近三個禮拜的冷戰，我們聖誕節前的激烈紛爭猶如是到公園散步。從那天的會議後，我們為了他的蘇格蘭之旅而冷戰。三個禮拜來我們對彼此冷淡，等到泰根上床，他就回去他在歐伍德勒的住處，這段期間我們只做愛三次，因為我認為他不夠重視我們，我們想必不是路克的Ａ計畫。「當你走到生命的盡頭，我相信你會感恩，在泰根六歲生日那天，你去外地開會。」我在泰根生日前一天晚上他離開前反諷道。

「玲，拜託，我心裡已經很不好受了。我沒想到會這樣，現在也沒辦法改期。對不起。」

「去跟你的孩子說。喔，我是說，我的孩子。那『一個孩子』。」

路克退縮，瞟開眼睛，皺起眉頭，磨磨牙齒，他愁苦得好像快哭了。我知道我太過分了，我嚴重地打擊他。「對不起，」我說著拿起他的手親吻。「我不該那麼說。我知道你沒有那樣想。我們停戰，好嗎？」

「妳有權利生氣，我安排不當。我真的把泰根當作是我的孩子。妳知道的，不是嗎？」

我點頭。「我當然知道。」

我們親吻和好。

泰根比我還能接受路克要出差的消息。「我生日的第二天你會回來嗎？」她只有那麼問。

「當然，我會趕回來。」

「好，」她快樂地聳肩。「我要氣球，你知道的。」

我們租下街尾的社區活動中心開派對，也租來一個超大型的紅色和黃色朝氣蓬勃的充氣氣墊城堡，放在活動中心後面。我們邀請三十個小朋友，大部分是泰根學校裡的同學和幾個她假日的玩伴。

既然路克不能幫我的忙，我考慮要請凱依太太幫忙安排派對，幸好奈德適時取代他。他前一天就載我去超市，我們花了將近兩百鎊買派對的食物：香腸捲、迷你香腸、迷你披薩、漢堡、馬鈴薯片、蛋糕、碳酸飲料，和比我這輩子所看過還要多的白吐司麵包。考量健康因素，我買了草莓、梨和蘋果，預備做水果沙拉。奈德大半個晚上都在幫忙，做牛肉餅，把白麵包切成圓形，以便做漢堡。冰箱裡塞滿了食物，他說他第二天會早點來幫忙做三明治。

第二天我早上五點就起床，給三明治抹上奶油。到了七點泰根抱著瑪格跑進廚房，叫道：「今天是我的生日！」

「生日快樂。」我把她抱進懷裡。她現在是個真實的，正常的人類了，不像我剛將她帶離吉爾福德時，她像躲在一個女孩的殼裡嚇得不敢呼吸的東西。此刻她寶藍色的眼睛敏銳地注視我的

臉，我不由得微笑。

「泰根現在想要禮物，還是寧可等到開派對時？」

「現在！」她尖叫。

我們到客廳，我要她坐在我旁邊的沙發上。我伸手到沙發旁邊，拿出昨天晚上我等泰根睡著後藏在那裡的包裹。它用金色的包裝紙包著，綁著紅色的蝴蝶結。她很小心地放下瑪格，用她的小手拿起包裹，好奇地凝視它。「真的是要給我的嗎？」她問。

「妳看看小卡片上是怎麼說的。」

「給我親愛的泰卡。六歲生日快樂，愛妳的玲媽咪。」她服從地唸。「是要給我的！」她笑著抱禮物，彷彿當它是洋娃娃。

「打開來看。」我哄她。

「哇，好棒。」她咯咯笑。她檢查一下包裹，尋找她能不撕毀包裝紙而打開它的地方。當她找不到，她咬著下唇，困惑地抬頭看我。

「妳要我幫妳嗎？」我問。

她點頭。

我找到我在金色厚包裝紙上貼膠帶的地方，小心地撕掉，不至於令我過度愛整潔的孩子苦惱。「喏，可以拆了。」

泰根高興地打開包裹，然後她的嘴巴大張，眼睛大睜。「哇！」她叫著從包裝紙裡頭拿出一件白色有紅點的洋裝。它是腰間打摺的長裙，長袖，中間有紅色的蝴蝶結。「是一件洋裝！」她

叫道。「好漂亮。」

「我想妳可能會想穿這樣去妳的派對。」

「我可以嗎？真的真的嗎？」

「可以啊。不過，我想妳也應該看看路克的禮物。」

我低下身找出路克昨晚離開前包好的禮物。為了節省時間，我撕下盒子型禮物的膠帶，再遞給她。她拿掉包裝紙，發現是一個鞋盒。「它和我的洋裝好配。」她說。

「那妳今天可以穿新鞋。」

「謝謝妳！」她說著張開手臂環繞我的脖子。「我愛妳，玲媽咪。」

「還有一個禮物要給妳現在拆開。」我從沙發邊拿出另一個包裹，比我們其他的禮物小一點，我同樣的先把包裝紙的膠帶撕開。

「給泰卡，附上我的愛，奈德。」她欣喜得抽氣。「奈德先生給我的禮物！」她急切地打開來，然後有點困惑地斜睨裡面的東西。他買給她一個絲質的小包包，可以搭配她的洋裝和鞋子。

「是個包包，妳今天可以用它來裝東西。」

「很漂亮。」她說。

「是的，妳帶著它看起來會很漂亮。」

「我希望我媽咪能夠看到我。」她皺起臉對我點頭。可是，她看起來並不哀傷，還算開朗。好似她只好向現實屈服，她媽咪不會參加派對，她已經接受現況。

「我也是。可是，我有妳媽咪要給妳的東西。」

泰根已經睜大了的眼睛睜得更大。「她從天堂寄東西給我？」她驚訝得倒抽一口氣。

「不是，小親親，是她去天堂之前交給我的。」

我知道她的心理現在已經準備好可以接受這個，她似乎比我們剛到里茲的時候平靜多了，可是我還是考慮過要先打開它看看。我只是想檢視它的內容不至於太令她沮喪，然後我想到，黛爾不可能寫任何會令她女兒難過的話。總之，那個白色信封不是要給我的，是要給泰根的。我從我的睡袍口袋裡拿出卡片，把它交給泰根。她的小手指頭接過信封，她咬著下唇，凝視著白色的方形信封，然後尋求我的引導。

「我該打開來嗎？」她問。

「寶貝，妳想開就開。」

她小心地打開，一樣小心地拿出裡頭的卡片。卡片上是一位金髮公主戴著粉紅色王冠，她穿著的粉紅色洋裝上有個巨大的數字「六」。卡片的正面寫著「六歲生日快樂」。泰根打開卡片。

我親愛的泰根：

生日快樂！

很抱歉我今天不能陪妳過生日，

可是我永遠愛妳。

千萬別忘了這點，好嗎？媽咪愛妳。

我相信妳今天一定會玩得很快樂。

為我跳個舞。
我希望妳做凱梅玲的乖孩子
愛妳的，媽咪。

她轉頭面向我，一抹微笑點亮她的臉。「我媽咪愛我。」她說。「她在我的生日卡片上說她愛我。」

「我知道她愛妳。」

她的微笑加深。「妳是凱梅玲，對不對，玲媽咪？」

「是的，我是。」

「我是妳的乖孩子嗎？」

「妳不只是我的乖孩子，妳是我完美的孩子。」

「那我媽咪會很高興。」她表露出我沒想到一個六歲的孩子會具備的邏輯能力。我傾身向前擁抱她。我最近常常有擁抱泰根的需要。當她在做自己的事時，看電視或畫圖或看書，她會發現自己身陷我的懷抱中。我會忍不住突如其來或未經她同意便擁抱她。我那麼做只是為了提醒自己她的存在，她是觸手可及的。過去幾個禮拜來我們的角色轉變了。黛爾過世後，泰根總是需要我在她身邊，她碰得到我或看得到我才安心。現在我需要知道她會一直在我身邊。我需要一再確定她是真實的，不會像黛爾那樣突然離我而去才放心。她在我身邊的時間也是有限的，等她再長大些，她可能就會在我懷裡扭動不安，要酷不讓我抱了。現在她還願意無異議地接受我的擁抱，不

會抗拒或發問。

「是的，寶貝。」我說著放開她。「在妳的派對之前，我們有很多事情要做。我們來給妳洗澡，然後妳可以在奈德先生，我是指奈德，來幫忙做三明治之前吃早餐。這樣好嗎？」

她點頭，一手還拿著卡片抱起瑪格。結果泰根一整天都拿著卡片遊走。直到那天很晚很晚她才忘了它。

第四十四章

泰根對她的公主蛋糕微笑。

她已經笑了大半天，顯然還無意停止微笑。她收到每一個禮物都笑，聽到每一句祝福都笑，玩每一樣遊戲都笑。到目前為止她在派對裡最開心的笑保留給蛋糕。我坐在她面前，看到方形的，粉紅色表面有公主圖樣的巧克力大蛋糕上，六根蠟燭的燭光映著她寶藍色眼睛。大家都聚攏過來為她唱歌。她許了個願，然後一口氣吹熄蠟燭，接著拆開堆得像小山那麼高的禮物。我爸媽給她的是一個數位相機，我妹妹的小孩送她一整套羅爾德・達爾（Roald Dahl）的故事書。我弟弟的兩個小孩都送她迪士尼的ＤＶＤ，我哥哥的孩子送她空手道服。我們兩個禮拜前才因為我哥

哥一家人從日本回來，在倫敦辦了個家族派對，所以今天泰根的表兄弟姊妹們沒人來里茲參加她的生日派對。其他孩子送她有DVD、故事書、洋娃娃、拼圖等琳瑯滿目的禮物。

大部分孩子回到外面去玩大型的城堡造型充氣氣墊和鞦韆，泰根和他們一起去玩，我把蛋糕拿進活動中心的廚房，要把它切片當小禮物讓孩子們帶回家。派對進行得很順利，在過去的兩個小時裡只有兩三個小朋友哭過；一大堆沒有吃的食物堆在紙盤上，而不是被踩在拼花地板上，或外面修剪得很漂亮的草地上；也沒有人不慎傷了自己。到目前為止，我認為這是個完美的派對。兩位隨同小朋友來參加的家長也到外面去了，只剩下我在廚房，第四個大人奈德坐在大廳裡，和一個不太合群的小朋友講話。

奈德成了不可或缺的人物。我們剛到的時候，他看著城堡氣墊充氣，等到充飽了氣，他監督每個小孩都脫了鞋才能上去跳。等到一個小孩的媽媽代替他照顧那群小孩，他就到處撿拾垃圾，丟進垃圾桶的黑色塑膠袋裡。他也進去我的公寓幾趟，幫我拿我忘記帶的東西，例如照相機和一些泰根的禮物。然後他還緊急趕回去拿要插在蛋糕上的蠟燭。看到他這麼熱忱相助的人一定猜不到，他是個不喜歡和小孩相處，不瞭解小孩，不知道如何與他們互動的人。

我在小廚房裡暫停切蛋糕，透過遞菜的窗口看著奈德。他穿著一件V領的藍色運動衫和深綠色大口袋寬長褲，頂著一頭剛修剪過的頭髮，看起來很帥。最近他健康多了，強壯多了，也養眼多了。我看著他時沒有想到「inamorato」的字眼，跟他在一起時也沒有浪漫的時刻，可是我卻……，我在那個想法還沒成形之前就將它消滅。開始想那些對任何人都沒好處。

在跟奈德講話的瘦男孩傾聽著奈德的話聽得入神。奈德用很多手勢，也不時微笑，男孩害羞

的小臉慢慢放鬆，好似陶醉在奈德的故事裡。我想知道他在說什麼，是否在講一些會伴隨著男孩成長的冒險故事。他是否知道他今天講的話會潛移默化，長久影響男孩的一生。他是否……。

奈德突然抬頭看，我們的目光相遇令我一愣。我猝不及防，沒能及時將目光拔開假裝我沒有在觀賞他。我只好繼續凝視他。奈德的嘴角勾起笑容，他的眼睛對我拋送秋波。我因而興起一股危險的興奮感。我回他一個微笑，勉力鎮壓興奮感。

「布萊儂太太。」一個女孩的聲音在我旁邊響起。當我看到講話的人是誰時，我遏制住自己想翻白眼的衝動。

「蕾吉娜，我告訴過妳，我不是布萊儂太太。妳可以叫我玲，或泰根的媽媽，不要叫我布萊儂太太。」

這個小孩，這個蕾吉娜•馬瑟森，灰褐色的直髮剪成鮑伯型短髮，條形的雀斑帶越過她的豬形鼻子，她不可思議地跋扈、傲慢、自大。她的父母會把她丟到派對來，讓他們逃避她一下午，知道他們至少有三個小時不必被她煩，我一點也不意外。蕾吉娜的雀斑鼻子在她考慮我告訴她關於我的名字時皺起來。她終於聳聳肩。「派對裡有很多垃圾食物。」

我誇張地對她皺眉。「妳說得對，蕾吉娜，我沒有想到。」

她得意的嘆道：「我媽說吃太多垃圾食物對身體不好。」

「她那麼說嗎？也對啦，不過，我相信就吃這一次沒什麼關係。」

「我想應該沒關係。」她又得意地嘆道。如果是泰根那樣說話會顯得俏皮，但是蕾吉娜那麼說，我不想繼續想下去。

「不過，蕾吉娜，我們有些水果。草莓或水果沙拉。妳何不吃些草莓呢？」

「我想我應該吃點草莓。」

「蕾吉娜，再去跟大夥兒玩吧。我相信一定有很多人想跟妳講話。」

「好，布萊儂太太。」她說完跑去騷擾別人。我回去切巧克力蛋糕當小禮物，奈德進廚房的時候我剛好完工。他走向我，站得離我很近，我還沒轉身面向他就感覺到他身體的熱度。「我可以幫妳做什麼？」他問。我轉頭看他，發現我們幾乎面對面，因為他傾下頭到我的高度。他深藍色的眼睛直視著我的眼睛，使得我的呼吸卡在喉嚨裡。

他點頭，眼睛沒去看那些昂貴的，紅色的鋁箔紙派對袋排列在我們面前的大桌子上。我已經在每個袋子裡塞進一個可以吹出聲音的玩具（每個家長會因此恨我）、一小袋糖果、一張我幫泰根寫的感謝卡，和一根可以轉彎的吸管。現在它們在等它們的蛋糕。「你可以幫我把這些切好的蛋糕和還沒切的蛋糕，放進那些，那些袋子裡。不過，你必須先把它們用餐巾紙包起來。」我連話都講不好，都是他害的。「餐巾紙、蛋糕、袋子。」

他的目光從我的眼睛移到嘴唇，在那裡逗留了一下，再移上我的眼睛。他在想什麼明顯地浮現在他臉上。他更靠近我一點。我知道他就要吻我了。在我女兒的生日派對裡，他要逾越分寸吻我。我會回吻他嗎？我會伸出手臂環繞他的脖子回吻他嗎？或者我會推開他，提醒他我有男朋友了？奈德又些微再靠近一點，張開他的嘴唇。「好。」他低語。他突然退開，奪走我對他的慾念。他是故意那麼做的，我知道。他要撩撥得我心癢癢的，然後退開，迫使我採取主動。以前我們吵過架後，他會玩幾次那種遊戲，他需要我以行動證明我渴望他，就和他渴望我一樣多。

他拿走砧板上還沒切的蛋糕，到桌子的另一邊。在用白色餐巾紙把方形巧克力切片蛋糕包起來之前，他先洗洗手。「這樣很怪異，」他用尋常的語調說，好似他剛才無意誘惑我。「我和妳，和一堆小孩，而沒有瘋掉。」

「我越來越喜歡他們。」我以和他同樣正常的聲調回答。我不會讓他知道他的遊戲對我有多大的影響。

「我也是。」

「我看到了。你和那個男孩似乎處得很好。」

「他讓我想起我在他那個年紀的時候：害羞、怕其他小孩，尤其是女孩。」

「很高興看到你能夠放輕鬆了，奈德，你看起來好多了。」

「我是好多了。謝謝妳和泰根和路克。過去幾個禮拜來你們對我的幫助很大……，我沒有那麼……，妳知道的，關於黛爾。我還是覺得愧疚。」

「愧疚什麼？」

「妳是我該照顧的人，妳失去妳最好的朋友，而我竟然在妳面前崩潰。」

「我們互相幫助。你知道我幾乎會做任何事來幫助你，老朋友。」

「妳想，如果我們決定有小孩，就是像這樣的嗎？」

「不是，奈德。我們如果有小孩，他們會是邪惡的，教堂會指派一個特別的職業殺手小組把他們從地球上清除掉。」

「他們會很可愛。」奈德抗議。「大眼睛，烏溜溜的黑髮，咖啡色的肌膚，笑容燦

爛……。」

「你想要孩子了？」我問。他顯然在想這個問題。「如果你想的話，沒什麼好難為情的。」他想了一下。「不。」他聳聳肩。「不，一點也不想。我最近想過這個問題。我不會真的想要一個小孩。我的意思是，不要更多小孩了。」

「我也是。我愛泰根，沒有她我會活不下去，可是我不要更多小孩。」

「路克呢？」奈德問，他頓一下，摺一張餐巾紙包一片蛋糕，以他令人緊張不安的方式看著我。「他可以接受嗎？他給我的印象是他想要很多小孩。」

「他或許要吧。」我說。他當然要。那是我們視而不見、避而不談的問題，我們不曾直接討論過，可是我知道他想當爸爸，他也知道我有了泰根後就不想要其他小孩。它是個基本的問題，我們從來沒有提及，因為一旦你開始談那些，對話會導至何方？我們兩個都有既定的想法，都不打算改變。連要在同一間房子裡同居，都已經夠難、夠複雜了。要討論更多孩子的話，恐怕會結束，會是個結束。結束所有的關係。

「凱，妳愛他嗎？」

我抬眼瞥他。已經太久沒人叫我凱了，我已經忘記曾經被人叫凱。我點頭。「我愛他。」

「比妳愛我還多？」

「奈德，我對你的感覺已經是過去式。」

「妳在說謊，對我和對妳自己說謊。」

「我和路克就要結婚了。我們幾個禮拜前談過。」

奈德不為所動，未感困擾似地聳聳肩。「我不在乎。妳還是在欺騙我和妳自己。」

「你不知道你在說什麼。」我說。

「我不是說妳不愛他，我想妳左右為難，我們兩個妳都想要。妳並不擅長隱藏妳的感覺，所以他也知道。我很驚訝他還沒有說什麼。或者他已經說了？所以他向妳求婚，因為他懷疑妳不確定妳的感覺？」

我回去包蛋糕片，把它們用乾淨的餐巾紙包裹起來，不理會他說的話。

「凱，我愛妳。」

我拿起一片蛋糕到我面前的餐巾紙上，我的雙手開始顫抖。我討厭奈德這樣，他想到什麼說什麼，不管是說我或說他都一樣。他只顧講出他的感覺，不去想那對我會有什麼影響。

「我不是要給妳壓力。我只是想要妳知道我的心意。我要妳誠實面對自己。」

我凝視著桌面。我的感覺如何是我的事。如果我欺騙自己，那也是我的事。我什麼也不必承認。有什麼好承認的？承認我迷戀他嗎？沒錯，他顯然很迷人。當路克不想搬來跟我同居時，我就轉向奈德？每個女人都會那麼做，在奈德回到我的人生之前，我會幻想和傑米・福克斯或基努・李維在一起。奈德這樣指控我是不公平的。我知道其實路克的想法也是一樣。他們兩個都以為他們知道我的感覺是什麼，當我糾正他們，他們從不真的相信我說的話。我搜尋一個方法想告訴奈德他錯了。我要讓他知道，是的，我為他著迷，可是路克是我的情人。

「布萊儂太太。」蕾吉娜・馬瑟森又來了，她拉拉我的裙子。

我故意不理她，並且決定繼續不理會她，直到她叫對我的名字。「布萊儂太太。」她更用力

地拉扯。

我繼續把蛋糕片裝進袋子裡，無視於她的存在。

「布萊儂太太。」蕾吉娜又叫道。

「怎麼了？」我沒好氣地問，終於轉身面對她。我即將說「我不是什麼太太」時，注意到她臉上著急的表情。

「泰根變成藍色的了。」她說。

「妳說什麼？」我丟下手裡的蛋糕，跑出小廚房，經過大廳，直接跑向通往活動中心後面的門口。我跑著，可是感覺我沒有在動。整個過程好像慢動作。當我年輕一點時，我常常作反覆發生的夢，我跑離危險，我的腿移動得很快，我的手臂在身側擺動，我的耳朵可以聽到我的呼吸聲，可是我還是動得很慢。我跑過柏油路。這就是當我跑向充氣城堡時的感覺。我已經盡全力跑了，但似乎還不夠快。在充氣城堡旁邊，所有小孩沉默又肅穆地站成一圈，凝視著地上的一點。當我靠近時，我看到他們那一圈人群中間的地上有個家長蹲在泰根旁邊叫道：「泰根，妳聽得到我說話嗎？」

泰根躺在地上。一動也不動。安靜又完美。她漂亮的白色紅點洋裝完全沒有皺，她的雙腿直伸出她的寬裙襬邊緣，腳下是她的紅白點鞋子。她的頭兩邊仍完美對稱地綁著紅色蝴蝶結的髮束。她的眼睛閉著，嘴唇微微開啟，臉色真的變藍。每一秒都比前一秒還藍。她仍然一動也不動。黛爾！我最後一次看到她的記憶，像隻禿鷹盤據在我心頭。我最後一次看到的黛爾就像這樣一動也不動。沉靜、冰冷、死灰。

我把泰根旁邊的女人推開，跪到地上。我的耳朵貼到她胸部傾聽。砰。心跳聲虛弱模糊，但她的心臟確實仍在跳動。可是她沒有在呼吸。

「奈德！叫救護車！」我尖叫。

「它已經上路了。」他從靠近我的某個地方回答。

「她噎到了嗎？」我輕輕地將泰根的頭往後傾一點，打開她的嘴巴時問周圍的一群小朋友。

「她把草莓放進她嘴裡。」蕾吉娜指著說。我看向旁邊她所指的地方，那裡有顆草莓，它依然完美，沒有被吃過。她還沒咬草莓，不是噎到，那意味著她過敏。當你有過敏反應時，你需要抗組織胺劑和腎上腺素來保持你的心跳正常。我只知道這麼多。我必須保持她的心跳正常，讓她能恢復呼吸。

我向她的嘴巴吹氣，然後移向她的胸部，小心地輕壓，不想壓斷她的肋骨。數五下，輕壓五下。然後回到她的嘴巴，吹氣。奈德跪到我旁邊，預備開始壓泰根的胸部，但我對他搖頭。我必須自己來。我繼續對泰根做人工呼吸。我必須使她起死回生。我回到她的胸部。壓五下。回到她的嘴巴。沒有動，她沒有呼吸。回到她嘴唇，吹氣。回到她胸部。壓完最後一下後，我的頭貼到她胸部。砰。又一次輕微虛弱的心跳聲。她的心臟還在跳動。回到她嘴巴，回到她胸部。

我聽到小朋友的哭聲，和有人問怎麼會這樣的聲音。然後我聽到他們被聚集起來，帶離開那裡。我再向泰根的嘴巴吹氣，不敢注意她的唇有多冰冷。她的皮膚隨著每一秒逝去而加深藍色。我繼續做人工呼吸。繼續試著救她回生。我聽到奈德的聲音，他在講話。

我又吹氣進她的嘴巴，然後奈德強壯的手臂夾住我的胸側，將我舉高離開她。我幾乎跟他打

架，幾乎尖叫，我不要停，我要繼續做，這時兩位穿著綠衣的救護人員取代我的位置。第一個救護員是個將近五十歲精瘦結實的男人，他把氧氣罩放到泰根的臉上，用那個醜陋的塑膠罩蓋住她漂亮的面容。另一個三十幾歲的豐滿女人正在把透明的液體注入針筒裡。

「不要傷害她！」我叫道。「她還那麼小，不要傷害她！」奈德手架著我，把我往後拖，阻止我去干擾他們。他的身體貼著我的背，在我耳邊嘰咕著什麼。我知道那是安慰我，向我保證會沒事之類的話，但我一句也聽不進去。我注視著針頭，在那個女人把針筒裡的東西打進泰根的大腿時，我畏縮了一下。什麼事都沒發生。她沒有突然坐起來，掙扎著要呼吸。她一點都沒動，好讓我們知道她沒事了。當救護員給她打針的時候，她甚至沒畏縮。她失去知覺的躺在地上。奈德好似被泰根的毫無反應嚇壞了，他鬆開手臂，他安慰我的聲音在顫抖。我的膝蓋發軟，屈跪到地上。

結束了，我發現救護員交換一個擔憂的目光。她走了。

第四十五章

我漫無目的地在醫院的走廊晃蕩，什麼都沒知覺，什麼都感覺不到。我麻木了，身體和心理

都麻木。我停步，身體靠著牆壁，試著擁抱自己，直到奈德穿著牛仔布夾克的手臂環抱我，把我拉向他的身體。我讓自己被他吞沒，讓他把我包在他懷裡，讓他抱著我抵在他胸前，讓他撫慰我。從我開始在走廊晃蕩，我便不自覺在輕聲啜泣。

「寶貝。」奈德在我耳邊低語。

「她……，我……我以為，我以為她會……。」我的聲音漸漸消失。我的雙臂環抱奈德，緊抱著他。他穩固可靠，正是我在這種時候需要的磐石。

「噓……，」他安慰我。「沒事了。她沒事了。都沒事了。」

「可是差一點就完了。」我輕聲說。她差一點死掉。泰根，我的寶貝，差點死掉。慢幾分鐘的話，他們就沒辦法促使她的肺運作，也不能使她的心臟恢復正常。我每次想到我險些失去她，我的身體和心靈都驚駭莫名。她到鬼門關前走了一回。現在她在睡覺了，能夠自行呼吸。可是她脆弱的小身體還躺在病床上，連接著心臟監視器，讓我想起黛爾的最後那些天，躺在醫院裡，身上連接著機器。

奈德溫柔地拉開我一點，以便看著我的臉。「沒事了。」他重複說。

「感謝上帝你在這裡。」我說。「我自己一個人一定應付不來。」

「妳可以的，」他回答。「妳對妳自己所做的一切評價太低。因為有妳，她才會是個可愛的女孩。連我這個不喜歡小孩的人都看得出來。」

「馬屁精。」我淡淡地笑著說。

他對我微笑，把我的一綹頭髮從我臉上拂開。

「我討厭我這麼說，不過如果說吃垃圾食物有個好處，這就是了。妳從來沒聽說過任何人吃漢堡過敏，不是嗎？」奈德說。他成功使我放鬆了一點。他臉上的笑容加深到充滿愛憐和關懷。「嘿，」他說：「我明天就簽那些文件，讓妳可以真正開始領養的程序，好嗎？妳幾個禮拜前就要求我做了，可是我將它置之於腦後。我明天會簽。或者今天晚上，等我從醫院載妳回家。」

「真的？」

「真的。我不知道我為什麼要拖這麼久。我想是愧疚吧，因為我真的不想放棄她，她雖然是我的孩子，可是她更像是妳的。甚至從她出生那天，妳就像是她的第二個爸爸。」

「喂，你是在說我像個男人嗎？」

他拂開再次掉落到我額頭上的頭髮。「當然不是，美人。我是指妳會如願得到泰根。」

「謝謝。」我親吻他的唇表示感激。我知道有更好的方法可以表達謝意，不過我不在乎。此刻我心中漲滿了各種情緒，解除憂慮後的寬心、害怕、愛、慾、怒，全在我的血管裡奔騰。它們混在一起，創造出一杯五味雜陳，不顧一切危險的雞尾酒，使得我親吻奈德。在那一刻我什麼都不在乎。我只想吻他，因為他在我生命中最驚慌的那一刻支持我。因為他要簽文件讓我得遂心願。因為今天該在場的那個人不在。

我們的嘴唇接觸的時候，另一種情緒壓倒其他所有的情緒：羞恥。路克不在那裡不是他的錯。他必須出差，他不知道會發生什麼事。如果他能事先知道的話，他一定會在那裡。他當然會。我退開奈德的懷抱，後悔我主動吻他。

奈德凝視了我幾秒鐘，困惑我為什麼吻他，然後又幾乎立刻退開。他慢慢抬起手，用大拇指

輕撫我的臉頰。他溫柔的輕觸令我所有的抵抗力消退，當奈德的唇壓上我的唇，我讓我自己滑進他懷裡，讓他的舌頭分開我的唇瓣，鑽進我口中。我讓他的手愛撫我的背，他的另一隻手埋進我髮中。如此熟悉的吻。輕鬆。單純。它打開我的記憶，讓我回到我快樂的時候。當時我是個不一樣的女人。很久以前我愛這個男人。我現在也愛他。但不如我愛路克。路克。他的臉擠進我腦海裡，我將奈德推開。我真的沒辦法做這種對不起路克的事。

「我辦不到，我現在在跟路克交往。」

奈德沒有回答，用他的大拇指摩擦我的唇，愛撫著他的唇留下的印記，那是我們第一次發生關係時他挑逗我的動作。我在又意亂情迷地想親吻他之前轉開頭。

「我現在在跟路克交往。」我重述。

「真的嗎？」他呢喃，低下他的頭直到我們的唇只差一公釐就碰到。「那妳為什麼吻我，**凱梅玲**？」他低喚我的名字的聲音，宛如將**凱梅玲**三個字浸過情慾，它預謀的催情效力，使得激情在我的胃裡爆炸。我極度渴望再親吻他，再去感覺所有的快感和回憶。

我瞟開眼睛，絕望地不想被奈德勾引。我把注意力轉向走廊，尋找某件能讓我冷卻的東西看，希望能將自己拉回現實。某件平庸和司空見慣的東西會使得我的心平靜下來。我凝視著咖啡機。凝視塑膠椅。凝視著醫院空的手推車。凝視路克。

路克站在走廊上看著我，看著我們，看到我們做了什麼。

他面無表情，好似所有的表情已經都被看到我親吻我的前男友的震驚炸光。我做了他最害怕的一件事。

「噢，糟糕。」奈德在我恢復神智退開他懷抱之前低語。

我向我的男朋友走近一步。我開口要叫：「路克」，但我的聲音被他切斷：「她還好嗎？」

「路克不是⋯⋯。」

「**她還好嗎？**」他提高音量蓋過我的解釋。

我點頭。「她在睡覺。抗組織胺劑和腎上腺素令她昏睡。她沒事了。」

路克沒說話，在消化這個資訊。奈德走上前說：「請聽我說，那是⋯⋯。」

路克向奈德拋去一個如同對他開一槍的目光，那個目光道盡了他再不閉嘴的話一定會見血的訊息。「我可以看她嗎？」路克問我。

我點頭。「她在個人房，這邊。」

我們沉默地在走廊上走著，轉個彎。我們的腳步聲不一致，因為路克走在我幾步之後。他沒有加快腳步趕上我，而我如果慢下來，他就跟著慢下來。他再清楚不過地藉此表示：我不想和妳一起走。

泰卡側身躺在有圍欄的病床上。她的頭髮在白色枕頭的映襯下似乎變淡了，她的臉色也顯得蒼白。路克坐進她的床左邊的椅子。他凝視著她，臉上有受傷的表情。我知道那不是因為他在走廊上看到什麼，而是因為他心疼她受苦。她出事而他沒能在場保護她。路克的頭傾向一邊，凝視著泰卡，抿緊唇，好似要阻止他自己哭。

「你怎麼會知道？」我從門口低聲問。

「我，呃，取消會議。」他輕聲回答，目光沒離開泰卡。「我到了那裡，轉頭開車回來。想

到錯過泰的生日令我無法忍受，所以我折回。我到了活動中心，凱依太太告訴我出了什麼事。醫生怎麼說？她沒事了嗎？會不會有副作用？」

「她沒事了。」我輕聲回答。「她在醫院過夜只是為了防止併發症，此外沒什麼問題。接下來的兩三天她可能還有點虛弱，等到抗組織胺劑的藥效逐漸退去，才會恢復正常，但應該不會有長期的副作用。」

路克握起她的小手，低頭將他的唇印在她蒼白的手背上。「明天見，小美人。」他喃喃說。「好好睡。」他起身，仍然凝視著她，然後轉身，頓了一秒鐘，好像忘了我在那裡。他鎮定下來，大步走出房間，彷彿我不存在。我看看泰卡還在睡覺，轉身離開房間跟隨他。

他以異於尋常的速度在走廊上快步走。「路克。」我叫道，盡可能不要在醫院裡叫得太大聲。我不想吵到其他人。

他完全不理會我，沒有回答，聽到我叫他的名字時，反而加快腳步。我快步追趕他，我們的腳步聲在塗上了橡膠的地板上嘎吱作響。

我跟著他走出醫院，進入停車場。到了外面我可以提高聲音。我大吼：「**路克！**」那粗野的吼聲連我自己都嚇到。

他停步，然後旋轉身要面對我，結果我們相撞，因為他不知道我已經那麼靠近他。他雙手抓住我，然後將我輕輕推開，好像碰到我會燙著他。我踉蹌了一下，他站著袖手旁觀。他淺褐色的眼睛不到我五分鐘之前曾溫柔地看著泰卡，現在憤怒得接近恨意。

「妳要幹什麼？」他問，聲音低沉，但蘊含嚇人的挑釁意味。

「讓我解釋。」我不敢再動或更靠近他。

他搖頭。

「不要。」

「可是……。」

「可是什麼？我不需要解釋。到底是怎麼回事已經很清楚。從第一天開始，妳就當我是傻瓜在玩弄。我是替身，某個代替他玩甜蜜的家庭的笨蛋，直到他回來。」

「你知道不是那樣的。」他那樣想令我好難過。

路克不情願地點頭。「是，」他承認。「我知道不是那樣的。」他靠近我一步，我可以看到他多麼疲倦，大半天的時間都在開車趕回來。「可是妳知道是怎樣嗎？事實是，我……。」他用手指戳他自己的胸膛。「愛她。我……。」他又戳他的胸膛。「願意為她做任何事。如果有必要的話，我願意為她死。**我要做她爸爸！**而他……。」路克憤怒地用食指指向醫院的建築物。「他不想做。他一點都不在乎她。他從來沒愛過她。」路克收回手指，又再生氣地往醫院指。「他永遠不可能像我這麼關心她。」

路克說對了一件事。奈德永遠不可能像路克那麼關心泰卡。他可能會嘗試，可是永遠只會是那樣——嘗試。嘗試去愛泰卡。嘗試去瞭解她。如果他認為他有可能變得更關愛她，可能像個爸爸那樣呵護她，他就不會願意簽讓所有的監護權給我。

「他會經常出現是因為妳。因為他要妳。妳該死的笨得要命，妳掉進他的陷阱。」

「別罵我笨，」我回答。「我沒有掉進任何陷阱。奈德不是個會算計的人。」

「妳真可悲，」他嗤之以鼻。「還在幫那個傢伙說話。那個傢伙連他女兒送到醫院急救都還不能假裝他在乎她。事實上，不，他一定以為聖誕節是對妳採取行動最好的時機。」

「他在乎才會在他女兒的生日派對到場，」我反駁他的話。「而你在哪裡？工作。至少奈德沒有把工作擺在他女兒前面。」

「妳真的看不出，他做的每一件事都是為了干擾妳嗎？妳瞎了嗎？」

「至少他迷戀我。」

路克的臉困惑地扭曲。「什麼？」

「我至少知道奈德迷戀我，他一向如此，從他看到我那一刻起。事實上，他認為我很迷人、性感、漂亮。他從來不認為我長得醜或需要減肥。」

路克的眼神黯淡下來，他低下頭。「我不敢相信妳會提起這些。那是很久以前的事。現在不一樣了。」

「你以為我想起來不會覺得刺痛嗎？你以為我會忘記你曾經用什麼眼光看我，你曾經對我說過什麼話嗎？」

「我想妳可能不會忘記。可是我以為，我如果跟妳最好的朋友上床，做她孩子的爸爸，妳會忘了那回事，不是嗎？妳會願意一有機會就再跟我上床。」

換我低下頭，我用雙手掩著臉。不該這樣的。我本來是想道歉，解釋那是僅有的一次，我想說除了路克之外我不會再親吻任何人。

「玲，我愛妳，」他說，他的聲音平靜沉著。我抬頭看他，他的表情變得柔和。「我一直都

知道妳和泰根是一體的，妳們彼此無法分離。老實說，那樣很好。我愛妳，即使我是先愛上泰根。可是我無法瞭解妳為什麼要一個不像妳那麼愛妳女兒的男人。」

「我不要奈德。」

路克嘆氣，稍微翻一下白眼，再搖搖頭。「我不認為妳在說真話。」他說。「我不想再等在旁邊，看看那到底是不是真話。」

「你要離開我？」我震驚得差點砰地一聲倒下。

「玲，妳不能去吻別人，還跟我繼續下去。」

「可是不是那樣的。我沒有……，我太害怕泰根會怎樣，他就在那裡，而你不在。我要你。還有，他說他真的要讓我領養泰根，而我是……。」

「玲，」他打斷我的話。「去說給在乎的人聽。」

他轉身，大步走開。他的車就停在幾個停車格外而已，可是他沒有注意到。

我呆立著看他走出停車場，走到街上，消失在週六下午經過醫院的人潮中。

第四十六章

「我很高興妳好多了。」路克對泰根說。「我本來很擔心，幸好妳好很多了。」

我站在醫院的小房間門邊，注視著他們。昨天驚心動魄的危機出現在泰根心型的臉上：她的皮膚被藥物染白了，深色的陰影潛伏在她眼睛下面，她的嘴唇泛著灰色。

路克帶給她另一個生日禮物，一本暗紅色皮面的相簿，右下角有個金色的「泰」浮雕字。他已經在相簿裡放了一張，我們去惠特比那天，他們兩個人在海灘拍的合照。泰根抱著相簿，用懷疑和擔憂的眼光瞅著他，她看得出有什麼事不太對勁。他不善於隱藏他的感覺，他的煩惱會像電波，從他身上輻射出來。我昨天晚上打電話給他，在答錄機裡留下冗長的留言，請他打電話給我，讓我們好好談談，可是他沒有回電。奈德有無限的歉意，他真的並不想破壞我和路克的關係。（我不是傻瓜，我知道他希望我和路克分手，但不是在那種情況下。）他提議載我去路克的住處，可是我拒絕他的好意。路克顯然不想再和我說話，我不怪他，是我造成的，我傷害了他，他為什麼還要跟我講話？

「怎麼了，路克？」泰根問。

「沒什麼。」他回答，逃避她的目光。

「每次有什麼事情不對時，玲媽咪也是那樣說。」她警告他。他現在應該知道，她是個察言觀色的專家，她會感受到與她親近的人的感覺。

「好吧，是有些事情不對。」他承認。我的心跳停止，他要告訴泰根我做了什麼？「我必須

離開。」

「離開？去哪裡？」泰根聞言瞠大眼睛。我的眼睛也瞬間瞠大兩倍。

「妳記得我去年去紐約嗎？」她點頭。「我必須再去那裡，去住在那裡。我必須先去倫敦，完成這裡的工作。」他說。泰根臉上浮現恐懼。「我在紐約的時候，我去面試，」他回答了所有在我腦中打轉，但卻沒有開口問的問題。「他們幾個禮拜前通知要錄用我，而我昨天接受了那個工作。」

「可是……，為什麼？」泰根問。

「因為那是我想做的工作。」他說。

「你其實是要去天堂和耶穌和天使和我媽咪在一起嗎？」她狐疑地問。

路克搖頭。「不是。絕對不是，泰。我要去美國。記得嗎？我指地球儀給妳看過。」

「那是因為我生病嗎？」她問。「我不會再生病了，我保證。永遠永遠加倍保證。」

面對她的哀求，路克露出極為痛苦的表情。「當然不是，」他伸手把她的小手包在他手裡。「當然不是。寶貝，即使妳好好的沒生病，我也必須離開。那是我必須做的事。我必須走。」

「你不再喜歡我了嗎？」她問。

「泰根，我不只是喜歡妳，我愛妳。認識妳是我這一生最美妙的事。我希望我可以留下，但是我不能。對不起。」

泰根的臉垮下來，繼而更加愁苦。「我們不再是朋友了嗎？」

「我們當然還是朋友，」他回答。「我們永遠都是朋友。」

「你還是玲媽咪的男朋友嗎？」她問。

我屏住呼吸。

「如果我在美國，就不能做她的男朋友。」

「我不要你走。」她說，她的聲音不抱著希望。

「我也不想走，」他回答。「可是我必須走。」

她的嘴角下垂，凝視著她的手。我想，她是在壓抑想哭的衝動。她就是這麼個勇敢的小孩。

「好了，寶貝。」他終於靠近她說：「我得走了。」

「你不會再回來了嗎？」她問。

「不會，」他回答。「可是我會打電話給妳。我也會寫信給妳。」

「好。」她悲傷地回答，顯然一點也不相信他的話。

路克擁抱她，閉上眼睛。她盡可能移動手臂抱緊他的身體。她已經有好幾個月不曾出現這麼難過的表情。他放開泰根，我看到他的眼睛漾著水光。他親吻她額頭，然後勉強微笑說：「再見，泰。泰根。再見。我愛妳。」

「再見，路克。」她輕語。

在路克出去關上門後，我對泰根說：「我一下子就回來。」我開門去追他。這將會是我最後一次跟他說話，我必須阻止他離開我們。

我以為我必須快跑才趕得上他，但他就在走廊的不遠處。從他的樣子看來，他倚在牆上，雙手掩臉，身體抖動著，我猜他在哭。我走過去，手按到他肩上。他沒有聳肩擺脫我的手，我的手

臂繞過他的兩個肩膀。「我們談談？」我要求。

我們坐在醫院的餐飲部裡，沒有喝飲料，弓著背坐在座位上，沉默地凝視著塑膠貼皮的桌面。當他同意要跟我談，我很訝異，也很高興。那露出一道希望的曙光。我一邊分心去注意時鐘，因為我必須回去陪泰根。如果他還堅持要走的話，她不能獨處太久。

「路克，我很抱歉我跟奈德親吻。」我昨天就該如此以道歉作為開場白。「我很愧疚讓你看到我那樣，我可以想像那對你的傷害有多大，可是那是第一次。唯一的一次。我被泰根休克嚇壞了，她應該沒事了之後，我百感交集，情緒紊亂。你知道的，即使你沒看到，我也很可能會告訴你我犯了錯，因為我要對你坦白。我知道你永遠不會瞭解我的感受，可是，路克，你是我想要一起生活的人。我愛你。那不容易，因為我和你甚至必須從努力去喜歡對方開始。我最無助的時候，你出現在我的人生，幫助我成長。雖然說，是的，我起先只是激賞你對泰根的關懷與付出，但你也深深吸引我。我需要你，泰根也需要你，我不要你走。」

路克看著誠摯地傾訴的我，紅了眼睛。

「你知道的，只有一個吻，只有那一次。沒別的。我沒有跟他上床。我不會那樣對不起你。我體驗過被背叛的感覺，我不會那樣對待你。那個吻不該發生，可是已經發生了，我很抱歉。我非常，非常抱歉。拜託你，別因為那樣就離開我們。」

他凝視著我，直到我停止說話。「玲，如果泰根愛奈德，像她愛我那麼多，我們還會在這裡

講這些嗎？妳會跟他復合嗎？」

我在回答之前猶豫了一下。我討厭他這樣問。我已經受夠了被當作是不完美的人，猜疑我的動機，認為我淫穢。為什麼我總是因為心思單純，做事情沒有清楚陳述我的理由，而捲入麻煩？世界上沒有一個人百分之百知道自己要什麼，毫無一絲懷疑，誰能保證時時刻刻都不會被誘惑或動搖。我不是世界上唯一一個在我們的關係中有過疑慮的人，可是我經常是必須為自己辯護的人。雖然我沒有抗議過，我也必須捍衛我的思想。如果我們要玩這種「如果怎樣……會是怎樣」的遊戲，那麼我們就徹底地玩。不能光是我坐在被告席上。

「我不知道，路克。」我回答。「可是她不那麼愛奈德，卻很愛你，所以我無法回答那個問題，甚至無法去想像，因為即使你現在真的離開，你還是會和她保持聯絡，她對你的感覺永遠會是個指標。可是如果我們按那個模式來討論，讓我問你，如果不是為了泰根，你會親切的跟我談話嗎？更別說親吻我或跟我約會。」

換他猶豫了。他的猶豫延長為一種吵雜的沉默聲。他甚至無法說謊。他現在瞭解他提出的「如果怎樣……會是怎樣」的假設性問題是不公平的，當你必須在完全不同的時刻捍衛你想要的東西時，卻被要求在不同的環境下，把事情分化到某一個時刻。

「我們既然要談開來，我必須知道一些別的事情。你為什麼沒告訴我，你上次去紐約的時候有面試？你也沒告訴我有那個工作機會？」

「因為我本來不想接那個工作。」

「那是你猶豫不決，不願立刻搬進來跟我們住的原因，不是嗎？你那時還在考慮你是否該接

受那個工作。」回到妮可身邊。

他無法否認事實，以沉默回應。

「或許你能回答我以下的問題：當我說不想再要小孩了，你不認為我是認真的，不是嗎？」

「可是妳是那麼好的媽媽……。」他打住話，好似忽然意識到他在說什麼。即使過了這麼久，我們說過那麼多次話，他也做過許多次保證，他心裡想的卻是另一套。

「你根本不把我看作是泰根的媽媽，是不是？」我心灰意懶地說。「如果連你都不把我看作是泰根的媽媽，那別人當我是什麼？」

「妳對我的這項指控是錯誤的，我把妳看作是泰根的媽媽。我真的當妳是她媽媽，我看到妳跟她在一起時多麼的神采飛揚，所以我希望妳能跟我生更多小孩。」

「可是我告訴過你，我不要別的小孩了。你不相信我的話嗎？你以為我會改變主意嗎？」

他又沉默不答。

「我告訴過你我從來都不想要小孩，我沒有改變心意，我永遠也不會改變。我懷疑你不瞭解，但我忽略了，以為那沒有關係。」

「現在沒有關係了，不是嗎？」路克插嘴。「我要走了。」他不想再玩這個遊戲了。當他發現他不是完全無辜的一方，這個「如果怎樣……會是怎樣」的遊戲就不好玩了。

「是的，沒關係了。」我平靜地回答。他要走了，我無法再做什麼來阻止他。我道歉了，解釋了，告訴他我的感覺如何。全都沒用。什麼都沒用，他下定決心要走，已成定局。奈德追到里茲的飯店那天，企圖說服我跟他回家，不管他說什麼都無法挽回我的決心。說什麼都沒用，除

了，「那其實是有關係的。」路克要走了。我必須面對這個問題。

「希望妳和奈德能夠快樂在一起。」他大聲說。

「謝謝。」我回答，沒有上他的激將法的當。我站起來，就在我站起來的時候，我決定，既然事已至此，就不必再為自己辯護。親吻奈德是我的錯，但不像我不肯在黛爾死前原諒她那麼嚴重。我不管再做什麼也不可能比那更糟。「請你跟泰根保持聯絡。她會想念你。」

「我會想念她。再見。」

「再見。」

「妳跟路克說再見了嗎？」泰根問。她把新相簿抱在胸前。

我點頭，試著對她微笑。我坐到他剛才坐過的座位，把我的頭擱在她大腿上。「我會想念他。」我說。我真的會。不到一年裡，我失去了三個我愛的人。先是黛爾，然後是泰得，現在是路克。太多了。一輩子失去三個親愛的人都太多了，何況是在一年裡。

「玲媽咪，路克真的是要去美國嗎？」

「是的。」

「妳確定？因為我想他可能是去天堂。」

我轉頭看她。她嘟嘴聳鼻，以那個模樣點頭強調她的懷疑。

「泰卡，我向妳保證他不是去天堂。他要去美國。而那不是妳的錯，這點我也向妳保證。他

必須去。」

「好吧。」她說，拍拍我的頭。她開始撫摸我的頭髮，好像當我是一隻她曾經很想要的貓。

「只有我和妳也不會太糟。」我說。「我們會過得很好。」

「我們會過得很有趣。」她同意。

「我們可以去度假。或許去我的朋友泰得住的義大利。」

「真的嗎？」她興奮地問。「坐飛機去？」

「是的。或許暑假去？只有我們兩個。」

「玲媽咪，那會很好玩。我可以用新相機拍很多照片，然後把照片放進相簿裡。」

「是的。」

她對她自己微笑了一分鐘，然後嘆氣。「我希望路克能一起去。」

「我也是。」我回答。

叩！叩！叩！門上傳來聲音。我和泰根交換困惑的目光。「請進。」我叫道。

門打開，瑪格出現在門口。泰根的臉亮起來。

「看看我在我的車子裡發現誰？」奈德說，他的臉也在門口出現。「泰根，我想妳可能要她，我說對了嗎？」

「對。」她開心地笑。

「很好，因為我不認為她喜歡我的車。」他走進病房，把布娃娃遞給泰根。

「奈德先生，路克去美國，他不回來了。」泰根在奈德坐到她床邊時說。奈德深藍色的眼睛

轉向我尋求證實。我點頭表示的確如此。他微微皺眉，用他的目光問是因為那個吻嗎？我再點頭，他臉上瞬即布滿悔意。「喔，那太糟了，我會想念他。」奈德對泰根說。他可能不是真心那麼說，但他懂得把它說得令人相信。

「奈德先生，你不會去美國吧，你會去嗎？」

「不會，我不去。」他說。「我哪裡都不去。」

奈德的眼睛轉向我，用親密的凝視牢牢定住我，我的唇彎成微笑，因為我知道他這句是真心話。我知道在我們生活周遭的所有人之中，他永遠不會離開我們。

第四十七章

最親愛的凱梅玲：

我要求南西在我過世一年後把這封信寄給妳。我不是想嚇妳或怎的，只是想跟妳聯絡，如果那聽起來合理的話。我也想提醒妳，妳將泰根撫育得很好。我怎麼知道？因為妳做任何事情都不可能失敗。妳可能不想要小孩，但是我從來沒有看過妳向挑戰投降。我很確定這點是妳勝過別人的地方。

我知道把泰根交給妳是找對人了，而她也會照顧妳。我相信妳瞭解我的意思。

我希望到現在妳已經發現我其他的信。如果沒有的話，那麼可見我還真討人厭。小姐！妳還沒有翻過我的東西嗎？妳甚至不想看我是否留著妳的任何東西？喔，有的。那件黑絲絨夾克，從妳買下它的那一天我就想要，那是我放其他信的地方，在信裡頭我解釋了關於我和奈德，和我為什麼做了那樣的事。

如果妳已經看過我那封信，那現在妳知道我希望妳不要再恨我了。我錯了，我對不起妳。我學到，人生苦短，太短促了不該用來懷恨。太短促了不該不先聽聽看別人要說什麼，就要他閉嘴。美人，請妳在還來得及之前跟奈德把問題解決掉。我沒看過比你們更絕配的一對，請妳跟他談，讓他解釋。給他彌補的機會，我萬分希望妳曾給我那樣的機會。

記得我們認識的第一天嗎？妳很快就對我很好。是的，妳敏感易怒，表現得像妳什麼都不在乎，可是，馬提卡小姐，妳出賣了妳自己。我知道我們會成為朋友，因為儘管妳堅持不要跟我去喝酒，妳還是去了。妳很可愛，雖然不是傳統認知的那種可愛。妳只是愛耍酷，我不知道該怎麼說，妳彷彿身不由己，面冷心熱。從來沒有人對我那麼好，之前或之後都沒有。從來沒有人那麼快就接受我，經常跟我在一起。謝謝妳陪我那麼多年。我從來沒說過，但謝謝妳做我的朋友。謝謝妳堅持做妳自己。

喔，我在拉拉雜雜閒扯了，抱歉。我懷念我能閒扯的時候，那大部分都是在講給妳聽。我們以前沒事也可以聊上幾個鐘頭，可不是嗎？自從妳搬去里茲，我就不曾和別人久聊了。除了泰根之外，沒有人能忍受我嘮叨，但大部分時候她聽不懂我在說什麼。

美人，我要停筆了。我想，我只是希望能正式地和妳說再見。我相當確定我們不會有機會道別，而我想含笑跟妳告別。不要苦澀地告別，不要憂傷地告別。要愉快地告別。

獻上我所有的愛，直到永遠

阿黛爾

你要當玲媽咪的男朋友嗎？

are you going to be mummy ryn's boyfriend?

第四十八章

「路克！」泰根以喜悅的聲音叫道，無庸置疑，她的表情也同樣歡欣。

我在看報紙，沒有抬頭看她，只是拿起茶杯啜飲一口茶。我們在一家離我們公寓大約十分鐘路程的咖啡廳裡。它是個避難所，讓家長在週末可以來這裡喝杯咖啡，看看報紙，吃個飯，你給店東一點小費，他會帶你的孩子到樓下去，教他們做糕餅。披薩、精緻的小蛋糕、鬆糕、巧克力慕斯等，所有容易做的東西，那能夠給你兩三個小時的安靜時間。今天他們要做的是披薩。大約五分鐘內咖啡廳的主管會上樓來，把孩子們帶下去，然後你會看到家長們的肩膀放鬆下來，他們臉上的緊張頓時消失。我們會心照不宣地向彼此展露會心的微笑，像囚犯放假出獄一天那樣輕鬆。我們愛我們的小孩，可是有一小段時間的分離也是好的。

泰根驚叫之後我沒抬頭看，因為她經常那樣叫嚷。自從路克離開已經十六個月了，他剛離開的時候，我偶爾也會像泰根那樣驚叫。我以為我看到他，會開口叫他，然後我發現那不是他，接著會覺得自己好愚蠢。黛爾過世那段期間也是。雖然我的理智知道那不可能是她，我腦中還是會閃過她走經街上、站在巴士站旁、在超市排隊等候結帳等畫面，我必須阻止自己喊叫她的名字。

泰根還認為她看到路克。她信誓旦旦地說她看到他。我相信她看到他，所以我附和她的話，只是為了讓她知道我會永遠信任她。所以，儘管她的聲音那般興奮，我也沒有抬頭看。

「妳好，泰。」

他的聲音低沉柔和，我的心臟因而急速跳動了好幾下。我依然低著頭，即使我聽到泰根從椅

子裡跳起來，雙腳落地，然後快跑的聲音，我可以想見，她撲向路克抱住他。今天是星期天，我沒有化妝，我的頭髮幾乎沒梳，我的皮膚還沒睡醒。喔，管他的，他看過我更醜的樣子。我背靠到椅背上，然後抬頭。我必須微笑，因為泰根的手臂圍繞他的脖子，她的長腳夾住他的身體。

「妳好，玲。」路克說。

「你好，路克。」我回答。

他沒改變多少。依然高大結實，全身上下沒有多餘的贅肉。他的頭髮理得很短，他的眼睛還是醒目的淺褐色，他的皮膚呈金棕色。自從我上次見到他，唯一和現在不同的是，他又沿著他的嘴唇和下巴留了可笑的線鬍。

「我不喜歡你的鬍子。」泰根告訴他。

「喔，謝謝妳，小姐。」他在跟泰根講話，可是眼睛望著我，可能認為我的改變不大。我的頭髮依然打了層次，留著瀏海。自從我習慣了睡得較少依然能活下來後，我的黑眼圈就淡了些。我的體重沒有減少也沒有增加。我幾乎維持原樣。

泰根的臉離開他一點，以便能把他的鬍子看清楚，然後她抬手摸她自己的臉，摩擦臉頰。

「好癢。」那可不太好，會使得泰根的臉發癢，不是嗎？

路克收回他看著我的目光，回去看泰根。「等下就不癢了。」他講話又帶著美國音了。「我一有機會就會把它剃掉。」

「好。」她說。「你又要當玲媽咪的男朋友嗎？」

「好了，泰卡，做披薩的時間到了，不是嗎？」我站起來，繞過桌子，將泰根輕拉出路克的

懷抱。

「好，好吧。」她不情願地說。「這樣不公平。」她站在椅子上凝視著我申訴道。「我也想跟路克講話。他也是我的朋友。」

泰根與她兩年多前剛隨我搬來里茲時判若兩人，這個女孩現在已經毫無所懼地會對我講她在想什麼，或某些時候當她意識到不公平時，會提出抗議。我們經常會因為她何時該上床睡覺，她能穿什麼不能穿什麼，而意見不合。我們已經為了一件暴露的粉紅色比基尼式上衣，激烈地吵了兩天，問題還沒解決。她還是要買，而我還是不肯讓她買。

「妳可以跟路克講話，」我看著她說：「只不過妳現在要先去做披薩。做好後妳可以回來和他講話，好嗎？」

「嗯，好吧。」她回答，明白這一回合她不可能贏。「我又不喜歡披薩。」她喃喃自語。

「妳說什麼？」我扶她下地的時候問。

她看著我，知道如果重述她剛才講的謊話，那就永遠都別想再在我面前吃披薩。她也不能再到這裡的樓下做披薩或叫披薩外送。泰根已經瞭解我很少吼她，也從來不會打她，但是我會相信她的話，她說謊通常是為了吵贏架，所以我會拿她說過的話來堵她。「沒什麼。」她回答。

「妳要自己下去，還是要我陪妳下去？」

「陪我下去。」她說著小手滑進我的手裡。「路克，待會兒見。」我們牽著手走下木階的樓梯，到巨型的地下室廚房。泰根到掛著一些小圍裙的勾子那裡去，選一件紅色的圍裙。

「我喜歡紅色。」我幫她把帶子綁在她的腰部時她提醒我。

「我知道。」我說完親吻她額頭。

我要直起身子時，她伸出雙臂摟抱我，不在乎那不夠酷。「謝謝妳，玲媽咪。」她說完親吻我的臉頰。我不知道她是在謝我什麼。她常常會這麼做，隨性地親吻我、謝謝我，而因為我喜歡她這樣也沒多問。「妳是我最好最好的朋友。」她在我耳邊輕語。「除了瑪蒂妲和克莉絲朵和英格麗，和路克之外。」

「妳也是我最好最好的朋友。」我回答。她又親我的臉頰。

我爬上樓梯，心臟幾乎要跳出喉嚨。我以為再也見不到路克了。我僅能從他寫給泰根的信和電子郵件，得知他在做什麼。我從來不敢希望我能再坐到他的對面。

當我回到咖啡廳，他坐在泰根的椅子上，他的長腿在桌下伸展。奈德也是那麼坐的。自從路克離開後，我才注意到他們兩個有多像。風格、講話的樣子、幽默感。

「她長大了。」在我坐到他對面我的原位時，他說。

「她也變成一個小女孩了，沒有太多非七歲孩子該擔心的事情好擔心，那是個好現象。」

侍者出現，在路克面前放下一大杯咖啡。「摩卡咖啡，咖啡少一點，巧克力多一點，對嗎？」侍者問。

「對，老弟，」路克帶著笑聲說。「很高興你記得。」

等侍者退開，我問：「你來過這裡嗎？」

「嗯，來過幾次。我，嗯，大部分是週末來這裡。在我能鼓起勇氣跟妳講話之前，我來這裡希望能夠瞥妳和泰一眼，她有時候會看到我。」

所以，不是她眼花了，而是路克悄悄跟蹤我們。「你是什麼時候從美國回來的？」我問，暫時不去想那多令人不安。

他的目光投向我的左手再瞟開，對他所看到的皺眉頭。

「大約三個月前，那個工作不太順利……。」他沒說完，因為我知道某些事，而他知道我知道。他故意要讓我知道，我想是為了企圖報復。

「你太太跟你回來了嗎？」我問。

路克在離開里茲後六個月跟妮可結婚。婚禮後幾天我們在公司裡得知消息，看到照片。我走進我和貝西共用的辦公室，看到她的電腦螢幕上的結婚照。她用雙手遮螢幕，試著不讓我看到，但已經來不及了。路克英俊的臉幸福地笑著，他懷裡抱著他的新娘妮可，那個畫面烙印在我的記憶裡。我對貝西說，我為他感到高興之類的體面話，一整天厚著臉皮假裝沒事。離開公司前我在員工廁所裡嘔吐，半夜裡當我獨自一個人時，我蒙著枕頭痛哭。

「沒有，她還在紐約。」他說。「她要住在那裡。我的婚姻也不怎麼順利。」

「我很驚訝你那麼快就結婚，不過對象既然是妮可，也就沒什麼好驚訝的，我想舊情復燃容易得多。」

「結果還是沒那麼容易，她不……。奈德最近怎麼樣？」

我們的目光相遇，他細瞧我的臉，搜尋我可能說什麼的線索。「他很好，不只很好，事實上他好極了。他搬到里茲，要更靠近……，嗯，搬得比較近。他和泰根也是好夥伴，她甚至讓他一個禮拜幾次到學校接她放學，好讓我能工作到晚一點。」我仍然沒當上安琪拉的行銷總監，我永

遠也當不了，但我現在已經能坦然接受。只要泰根需要我陪她，我就必須把事業放在第二位。

「他們一起做飯，她會指揮他，很有趣，就像你們倆以前那樣，結果把廚房弄得亂七八糟。」

路克吸一口氣，僵著上唇用緊張的聲音問：「她現在叫他『爹地』了嗎？」

我伸手，我的手按到他的手上面。「對泰根來說，她唯一的『爹地』是你。」

「真的？她還那樣認為？」

「你離開，她不見得就不再談你或想你。她不只問過我一次，你為什麼不要做她的爹地。」

「妳怎麼說？」

「我說你如果在這裡的話，你可能會。奈德也知道她的心理。他不曾嘗試取代你的位置。」

「他是她爸爸。」

「是的，但他並不想做她爸爸。他喜歡泰根，關心她，只是不像你那麼愛她。不過，他永遠都會負起對她的責任。路克，他是個好人。你和他也許可以做朋友，如果你給他機會的話。他一直喜歡你，你知道的，因為你那麼疼愛泰根。他一向都希望她能得到最好的一切，即使讓別人當她爸爸對她較有利，他也會贊同。他把她的監護權全簽給我了。」

「真的真的嗎？」

「你看到我親吻他那天，他說要簽給我，他的確簽了。你不會相信當他的父母發現他有孩子時，他被罵得多慘，但是他沒有讓步，依然把監護權簽讓給我，他希望泰根能得到最好的照顧。而且他永遠都會常在她面前出現，他要做她的父親，而不是她親密的爹地。他會為她做任何事。路克，相信我的話，奈德是個好人。」

「妳和他？」

「沒有。」

「為什麼沒有？我以為你們會……。」

「你以為我們既然已經訂過婚，會在你的飛機起飛前結婚？不，我和奈德不可能復合，發生太多事情了，我們也改變太多。」

「所以你們甚至沒有……？」

「路克，我不是聖人。」我回答。「雖然大多數時候我假裝我是。」

在路克離開兩個月後，我和奈德發生了關係。我們斷斷續續維持了一年，我們繼續那樣，但每當我們要開始發展更成熟的關係時，我們就停滯下來。然後我們又受到誘惑，卻又再退卻。最近我們完全終止肉體關係，猶如戒掉毒癮，因為我們承認兩人事實上在交往，但無法心無芥蒂地成為男女朋友。男人的頭上掛著「不忠」，而女人有個孩子。奈德喜歡泰根，甚至可能愛她，可是他不想全天候要她。我瞭解黛爾，可以原諒她，可是我不會忘記。那些事情永遠會使得我們分開。再說，「奈德現在有個女朋友。他們已經在一起三個月，看起來他們會維持長久的關係。」

「妳介意嗎？」

「不像我以前那麼介意，真的。」當奈德告訴我的時候，我崩潰，在他面前淚流滿面，可是我設法阻止自己要求他和她斷絕來往。我必須讓他走，我同意與他分手。我們兩個都必須往前走，他勇敢踏出第一步。我還是會心痛他跟別人在一起，可是每天都漸漸不那麼痛了。我漸漸接受那是最好的結局。「我樂意見到他幸福。」

「我介意妳還在乎他。」路克說。

我不介意你還有婚姻關係，我應該那樣嗎？「我和奈德永遠都不可能復合。我的意思是，我舉雙手投降了，我喜歡他，我對他還有感覺，可是我有個很迷人的男朋友。」

舊的我愛奈德超越一切，他是我的全部；必須扶養泰根的我更愛路克，和我們一起創造的家庭生活。當我瞭解那點後我十分震驚。我愛奈德，可是我愛週末和路克與泰根一起打掃公寓，去公園蹓達，和路克比賽搔癢由泰根計分，坐在電視機前聽路克和泰根討論畫圖用氈製的粗筆頭比較好，還有其他更多點滴。我愛我的什錦鍋小家庭，比生命中的任何一切都愛。「我有這個我愛慕的迷人男朋友。即使我受到其他傢伙的誘惑，我心中唯一的男人還是我男朋友。儘管他離開去跟別人結婚，我也沒有停止愛他。」

「妳說的是真心話嗎？」

「如果不是真心話，我就不會說。」

他往前坐，握住我的雙手包進他手裡，他的大拇指沿著我的大拇指指背愛撫。「我離開後幾個月才明白，當我們那天坐在醫院的餐飲部時，妳要求我什麼。」他說。「我以為妳又在指控我不像奈德那麼愛妳。然後我領悟到，妳是在問我，撇開泰根不談，我到底愛不愛妳。」

「因為妳從來不認為我愛妳，是不是？妳不瞭解我是愛妳的，泰根使得我們在一起，可是我如果不是真的對妳有些感覺，我絕對不會跟妳約會。」

「我在妳偏頭痛那天愛上妳。當我發現泰根和妳的關係，那就像是揭開簾幕，我看到妳內在不可思議的美麗。然後我想我沒有機會，因為我之前對妳那麼壞，可是我一直希望……。我第一

次吻妳那天，我好緊張。從倫敦開車回來的路上，我一直在想妳的眼睛、妳的笑容、妳的皮膚混著亞曼尼日間香水的味道。當我在紐約時，常常到布明黛爾百貨公司，站在香水區聞那個香味，因為那有妳的味道。那是我和妮可的婚姻為什麼不美滿的原因，她不是妳。玲，我的確迷戀妳，我的確認為妳很美。妳是地球上最美麗的女人，那是我對妳的所有感覺的總結論。我喜歡妳用問題來回答問題的方式，那樣妳可以拖延時間；妳會想盡辦法照顧別人，卻假裝不在乎；妳……。」

「我告訴過你，你如果繼續說那種話，我會以為你在跟我調情。」我打斷他的話。

路克的表情變得嚴肅。「那就是我為什麼從來不說那種話的原因。妳說過妳不相信我說的話，不管我說好或說壞，妳不相信別人的話，所以我就不說了。我試著用行動來向妳表示我的心意，不只是用我說的話。那樣成功了，不是嗎？」

「對不起，路克。」我說。「只有一個人曾對我說那種話，而且是真心的。我不能完全相信有兩個人會那樣想……。可是，讓我們坦白說，每當我試著要向前跨一步，你總是似乎要退縮，然後我發現你早就準備好你的逃避計畫。我從來沒看過某個人能那麼快擺脫他原本的人生。你會很驚訝我不相信你愛我嗎？」

「是的，因為我是個白癡。事情出錯我就遠走高飛，那是我的做法，我一向都那麼做。對我來說，奈德再出現是最終、最糟的情節。他比我對妳和泰根更有吸引力，我為我看出必然會發生的事做準備。不過我必須說，如果妳不相信我愛妳，那妳就是個白癡。撇開泰根不談，我還是愛妳的。」

「我很高興你回來了，路克。」我對他笑，然後想起他其實沒透露多少。「你要回來，是不是？回到我們的生活中？」

「是的，可是事情必須改變。」

「是，我知道。第一個改變是，你必須跟我坦誠以對。告訴我每一件事，工作的面試、計畫跟我結婚、或你喜歡上別人。每一件事都說。我也一樣。」

「好，我可以接受。」

「第二個改變是，不管是好是壞，你都必須接受，奈德會出現在我們的生活中。」

路克咂咂嘴，點一下頭。

「我是說真的，路克。我跟他之間的關係已經結束，但他永遠都會存在。」

「好。可是我不必喜歡他，不是嗎？」

我嘆氣。「我想是吧。可是你如果喜歡他的話，你會比較輕鬆。我不希望泰根在你們之間掙扎。她很聰明，等她再長大一點，什麼事都逃不過她的眼睛，所以不要惹人厭，好嗎？」

「好，我的條件是我們來談要更多小孩。」

我的心下沉。「我不知道……。」

「我們只是談談。那對泰根來說不公平，妳有兄弟和妹妹，她沒有，她為什麼不能有？」

「呃……。」

「玲，我們只是談談。如果我們談了後決定不要，那麼我們就不要。我們不曾就這個問題好好的談過是不公平的，妳做了決定而我連一句話都不能說。坦誠以對的關係不是這樣的。我的意

思是，再領養也無妨，可是我們應該談。」

「好，我們談，可是我警告你，路克，對我而言有泰根就夠了。」

「我想我有她也應該夠了，可是我希望我們能夠討論。」

「好，我們來談。」

他綻開笑容。

「你一定瞭解我們如果復合，會有很多蜚短流長。你是個已婚的男人，而我是個單親媽媽，我的名譽會破產，人家會說：『淫亂的單親媽媽和可恥的已婚男人。』」

路克的身體向前傾出座位，懶洋洋地親一下我的唇。我不由得悠悠輕嘆。我忘了他多麼擅長如此挑逗我。當他坐回去，泰根出現在我們的視線內。她站在我們桌邊，咧嘴笑得好誇張，幾乎看不到她的臉了。這就是她要的：我和路克復合，她和路克再做朋友。她後面站著神情不悅的咖啡廳主管。

「馬提卡小姐，我真的必須跟妳談關於泰根的行為！」她不掩怒氣地說。泰根爬到我腿上，偎進我懷裡，看起來乖乖地接受主管的責備。她在演戲，她根本不會真的擔心或感覺脆弱，她非常瞭解，如果扮演我乖巧的小女兒，我不太可能發脾氣。

「她做了什麼？」我問。

「煮到一半她決定上來這裡。我說她必須做完她的披薩，她對我說『管妳的！』」[1]

*這個女孩有時候是個惡魔。*路克為了要隱藏他的臉，而在椅子上旋轉上身，他寬闊的肩膀因無聲的笑著而抖動。他顯然認為很好玩，挨告的人不是他。「或許她指的是披薩？」我抱著希望

說。「她可能在電視上看過那些不同種類的披薩料。」

主管向我發射一枚鄙視的目光，傲慢無禮地說：「我相信她在電視上看過很多東西，但不是那個，馬提卡小姐。」

不，那個藉口連我都不相信。「泰根，說對不起，向……。」我瞄向她的名牌，黛爾。我的心跳漏了一拍，喉頭梗塞，就像每次我想到她或聽到她的名字那樣。「泰根，向黛爾道歉。」

「對不起，黛爾小姐。」泰根的表情和聲音都適度地充滿悔意。「我不是故意要那麼壞，我只是不想再做了。」她不必多加解釋，不過我很高興她那麼做。

神色緩和下來的黛爾蹲到泰根面前。「我不介意了，小寶貝。下個禮拜見。」

泰根點頭，設法維持她後悔莫及的表情，直到黛爾回到樓下。她一走，泰根的臉轉向我，她的大眼睛哀求我不要對她吼。「玲媽咪，我很抱歉那麼沒規矩。我想要見路克，我擔心他會走掉，我不想要他走。」

「路克會有一陣子常常出現。」我回答。「對吧？」

「當然，小美人。我會經常出現，直到妳們兩個看到我就討厭。」

她開心地笑，展露她完美的潔白牙齒。「玲媽咪，我可以告訴路克嗎？」她問。

「當然可以，寶貝。」

「我換新名字了，」她向最要好的朋友宣布。「我的名字叫做泰根・布萊儂・馬提卡。我和玲媽咪的姓一樣。我們現在是一家人了。真正的、正式的家人。」

「那太好了！」路克叫道。「泰，我真為妳高興！還有妳，玲。妳什麼時候發現妳終於可以

領養她？」

「我們兩個禮拜前拿到合法的證明文件。真是漫漫長路，領養手續足足辦了兩年，長期和社工人員、心理諮商師和法院周旋，不過我們終於走到終點了。是不是，寶貝？」

泰根堅決地點頭。「奈德先生帶香檳來慶祝，但是只有玲媽咪能喝，我喝汽水。沒關係。奈德先生帶我們去看電影，吃披薩。」

當我看到可以取代泰根的出生證明的領養證書，我才瞭解到它的重要性，和它真正的意義。它意味著我不需要擔心我是如何跟黛爾告別的，我可以停止懊惱沒有告訴她我原諒她，因為她知道。我的摯友知道，不管發生什麼事，我依然愛她，因為她把她最寶貴的紀念品留給我。她信任我，把她一生的至愛託付給我。而領養泰根，使得我摯友的女兒變成我的女兒，這就是原諒黛爾最好的證明。她沒有如我從前以為的，把我的人生搞得亂七八糟，她只是改變我的人生，就像我剛認識她時，了悟到我的人生將有所改變。

「路克，你知道嗎？」泰根說。

「甜心，妳想跟我說什麼？」他對著我和我抱在懷裡的女兒笑。

「我想玲媽咪會讓我養隻貓。」

1 譯註：Stuff it! 在英國俚語中，stuff 是不贊同或拒絕別人的粗話，stuff 亦指披薩料。

謝辭

感謝 Emily Partridge、Richard Atkinson 和 Alix Johnson 花時間閱讀本書的初稿，你們是史上最棒的啦啦隊三人組。

還要感謝 Maryam、Dawood、Maraam、Muneerah、Yusuf、Ahmad 以及 Ameerah；Lyiah、Sky、Aasia 和 Joshua；Luc；Jonathan 和 Rachel；Ellie 和 Sam，還有 Georgia。讓我進入你們的世界，擷取你們的生活點滴，啟發我寫這個故事的靈感。

我慈祥和藹的爸媽，Agnes 和 Samuel，感謝你們多年來對我的支持和疼愛。Habibah、David 和 Jade，感謝你們使我的兄妹們成為更可敬的人。

Sharon Wright 和 David Jacobson、Stella Eleftheriades、Emma Hibbs、Rhian Clugston、Christian Lewis、Janet Cunniff、Andy Baker、Adam Gold、Bibi Lynch、Graeme Delap、Jean Jollands、Marian 和 Gordon Ndumbe、Martin 和 Sachiko O’Neill、Sarah Berger、Jo Thorne 和 Matthew Keenan、Emma Frost、Margi Conklin、Shona Abhyankar、Rose Obianwu、Stuart Smith，以及 Ginny 與 Paul Baillie，感謝你們一路陪伴著我。沒有你們，我無法完成這本書。

Sarah Ball、Denise Ryan 和 Natasha Harrison，我的小說家朋友們，感謝你們陪我聊天，給我打氣，幫我分析情節，甚至接聽我半夜擾人的電話。

Rebecca Buttrose、Rebecca Carman 和 Lucy Tumanow-West，感謝你們在澳洲給我的協助。

Antony Harwood 和 James Macdonald Lockhart，感謝你們從一開始就肯定這本書，你們也是

世界上最好的經紀人。在地球兩端輪流居住的我有資格這麼說。

感謝 Joanne Dickinson 兢兢業業地編輯，妳信任我會寫好這本書，又總是跟妳聊得津津有味。妳真是傑出！

感謝 Jennifer Richards 和 Louise Davies 製作美麗的封面，並細心編輯。

感謝買下這本書的讀者，希望你們會喜歡。

●國家圖書館出版品預行編目資料

我的孤兒寶貝／桃樂絲・庫姆森（Dorothy Koomson）著
-- 初版 --台北市：三采文化，2008〔民97〕
冊：公分 . --（iREAD 2）
譯自：My Best Friend's Girl

ISBN 978-986-6716-27-0（平裝）

873.57 96023200

suncolor
三采出版集團

iREAD 02

我的孤兒寶貝

原作者	桃樂絲・庫姆森（Dorothy Koomson）
譯者	林淑娟
責任編輯	高繼吟
美術編輯	藍秀婷
封面設計	藍秀婷
排版	晨捷印製股份有限公司
出版人	張輝明
總編輯	曾雅青
發行所	三采文化出版事業有限公司
地址	台北市內湖區瑞光路513巷33號8樓
傳訊	TEL:8797-1234 FAX:8797-1688
網址	www.suncolor.com.tw
郵政劃撥	帳號：14319060 戶名：三采文化出版事業有限公司
初版22刷	2008年10月20日
定價	NT$320

suncolor

suncolor

suncolor

suncolor